TOURMENTS

Carrie Jones
& Steven E. Wedel

Traduit de l'anglais (États-Unis)
par Ariane Maksioutine

Roman

Dédié à TK.

© **City Editions 2011** pour la traduction française
© 2011 by Carrie Jones & Steven E. Wedel
Publié aux États-Unis sous le titre *After Obsession* par
Bloomsbury Publishing PLC
ISBN : 978-2-35288-777-5
Code Hachette : 50 8815 8

Rayon : Roman/Young adult
Collection dirigée par Christian English & Frédéric Thibaud

Catalogue et manuscrits : www.city-editions.com

Dépôt légal : troisième trimestre 2011
Imprimé en France par France Quercy - Mercuès - N° 20082/

1

Aimee

Tu es à moi.
Tu seras toute à moi.

Voici ce que j'entends chaque satané matin depuis
que le père de mon amie Courtney est mort. Ces
mots me torturent sans cesse, si bien que je finis par me
sentir complètement folle, et aujourd'hui ne diffère en
rien des autres jours. Même dans le jardin, étendue à moitié nue sur l'herbe aux côtés de mon petit copain Blake, je
les entends. Nous sommes censés admirer le ciel bleu tout
en profitant de la douceur de nos câlins, mais non...

— Aimee, tu es géniale, dit Blake. Tu es la meilleure
petite amie de l'univers et tu seras toujours à moi. Compris ?

Ces mots me rappellent mon rêve, et même la tête posée
sur le torse de Blake, je ne ressens pas le calme habituel
de nos moments à deux. Mon estomac commence à se
tordre. Son cœur à lui bat à tout rompre ; son sang semble
jouer un morceau que je ne distingue pas. Blake est chan-
teur. Il a sans arrêt une chanson dans la tête, et j'ai toujours l'impression qu'elle remplit tout son être, pompe ses
veines, se propage dans ses capillaires jusqu'à le posséder

entièrement, comme les mots le font pour moi. Je couvre ce martèlement d'un soupir.

— Papy et Benji ne vont pas tarder.

— Tu me mets à la porte ? demande-t-il en attrapant son tee-shirt avec son sourire de rock star auquel personne ne peut résister.

— Plus ou moins, dis-je d'un air désolé.

Les bois, la rivière et la maison qui nous entourent semblent nous observer d'un œil rassurant : nous avons le droit d'être jeunes et heureux. Mais pas aujourd'hui. Pas maintenant, alors que le père de Courtney est mort. Je ne peux pas me sentir heureuse, tandis que tout en elle est souffrance. Je connais ce sentiment. L'océan a emporté son père, mais la rivière a pris ma mère. C'était il y a longtemps, mais la douleur est toujours là.

Blake m'appuie contre le plus gros pin du jardin, mais je n'ai plus vraiment la tête à ça.

Ces dernières semaines, je me suis éloignée de lui, ce qui m'ennuie terriblement, car nous sommes faits l'un pour l'autre, c'est l'avis de tout le monde.

Il grogne :

— On doit faire une dissert sur nos peurs les plus profondes pour le cours de psycho.

— Ah oui ?

Ses yeux sont d'un gris… J'aime me dire qu'ils sont océaniques, bien que ce ne soit plus une image si chouette, désormais. Je mords tout de même à l'hameçon et demande :

— Quelles sont les tiennes ?

Il effleure mes bras, puis glisse les mains jusqu'à mes poignets, où il me serre tout en haussant les épaules.

— Je ne sais pas. Je n'ai pas peur de grand-chose. Peut-être du feu… De ne pas être reçu à Stanford[1].

Quelque chose en moi remue à me donner la nausée,

---

1. Université californienne. (Toutes les notes sont de la traductrice.)

comme un mauvais café qui ne passe pas. Un corbeau s'envole de l'arbre, ses deux ailes noires claquant dans l'air.

— Et toi, de quoi as-tu peur ? me demande-t-il.

Je réfléchis, puis décide d'être honnête.

— De moi-même.

Il fronce les sourcils, troublé.

Je pousse un gros soupir et ajoute :

— Oui. Ce dont j'ai le plus peur, c'est moi-même.

Il y a certaines choses à mon sujet que je ne peux pas expliquer. Parfois, il m'arrive de voir des événements en rêve avant qu'ils ne se produisent. C'était également le cas de ma mère, ce qui me pousse à croire que cette histoire de médium est plus ou moins génétique. Oui, je sais que c'est bizarre, j'ai vu des choses à propos de Courtney, je vois des choses au sujet d'un garçon à l'aspect rude que je ne connais pas, un garçon dont la peau semble bronzée à toute période de l'année. Et, oui, il y a des semaines de cela, j'ai rêvé d'hommes qui se noyaient, mais le brouillard était si épais, et la lumière, si faible que je n'ai pas saisi qui c'était, ni comment les sauver. Je n'avais pas réalisé que l'un d'eux était le père de Courtney.

Pour vous dire à quel point ces rêves craignent…

Mais il n'y a pas que ça. Parfois, quand les gens sont malades ou blessés, mon contact suffit à les guérir. Quelquefois, je vois même leurs plaies se refermer. Je ne sais pas si ma mère avait ce pouvoir-là. Elle n'a pas vécu assez longtemps pour que je puisse lui poser la question.

Je ne suis pas folle.

Avant que Blake parte, nous échangeons un long baiser tendre, appuyés sur sa vieille Volvo break.

— J'aimerais tant que tu restes, je lui souffle.

Il retire sa tête et écarte quelques cheveux de mon visage. Ses mots caressent ma joue :

— Moi aussi.

Je recule alors que le vent s'acharne de nouveau sur mes cheveux. Blake lève les yeux sur ma maison, une grande demeure tout en bardeaux avec porche, garage attenant, etc.

— Ta maison a l'air si douillette ! lance-t-il.

— Douillette ?!

— Elle est sympa. J'aime t'imaginer y dormir, la nuit.

Je me tourne vers la maison et m'appuie moi aussi sur la voiture.

— C'est vrai qu'elle a l'air douillette. Elle ressemble si peu à celle de Courtney, désormais. Parfois, on se sent affreusement mal, là-bas.

— C'est normal que tu ressentes ça.

Il me tire par le poignet.

— Appelle Courtney, invite-la chez toi. Ça vous fera sûrement du bien à toutes les deux.

Dès le départ de Blake, j'envoie un texto à Courtney pour lui proposer de venir faire du kayak. Puis papy m'envoie à son tour un message pour me signaler qu'ils ne seront pas à la maison avant une heure. À peine Courtney arrivée, nous nous emparons des gilets de sauvetage et des pagaies, puis gagnons notre long dock en bois qui se détache de la rivière. Un petit kilomètre plus loin se trouve la baie océanique où le père de Courtney est mort. À un kilomètre de l'autre côté, c'est la ville. La distance est plus longue en voiture ; il vaut mieux s'y rendre par la rivière. L'espace d'un instant, le regard de Courtney se tourne vers la mer. Ses yeux se voilent et sa bouche s'affaisse : elle pense à son père. Mais elle finit par se reprendre et se composer un air heureux.

— Tu ne croiras jamais ce qui m'est arrivé aujourd'hui ! lance-t-elle.

Le vent soulève ses cheveux bruns. À peine capable de se contenir, elle secoue la tête.

— Non, dis-moi.

J'immobilise notre kayak biplace tandis qu'elle se glisse à l'avant.

— C'est vraiment terrible, continue-t-elle en se penchant pour se tenir au dock pendant que je m'assois à l'arrière. Sérieusement. Largement du niveau des histoires d'horreur qu'on lit dans les magazines féminins.

Nous empoignons nos pagaies et poussons sur le côté afin de filer sur l'eau. J'essaie de ne pas songer à la mort du père de Courtney, ni à celle de ma mère.

Au moins, nous savons où elle a disparu : juste ici. Ces pensées ne peuvent m'apporter rien de bon ; je les chasse de mon esprit.

— Mais raconte-moi ! je la supplie en souriant.

Ça fait du bien de voir Courtney se comporter comme avant, parler de nouveau, contenir sa tristesse.

— Justin Willis avait besoin d'un stylo en cours de biologie. Donc, j'en sors un de ma trousse, tu me suis ?

Notre kayak fend l'eau d'un rythme régulier.

— Oui, oui, je réponds pour signifier à Courtney qu'elle peut poursuivre.

— Donc, je sors mon stylo, le lui tends, mais il continue à regarder autour de lui comme si j'étais invisible. De mon côté, j'insiste, lui plantant mon stylo sous le nez, parce que je suis super énervée qu'il m'ignore. Je fulmine intérieurement : *Quoi, ce n'est pas assez bien pour toi, Justin Willis ?*

— Bien sûr que si ! je m'exclame, révoltée par l'attitude du garçon.

— Non… Attends…

Elle arrête de pagayer, puis se tord vers moi afin que je puisse la voir pour la fin de son récit. Elle ferme les yeux en secouant la tête, comme si c'en était trop pour elle.

— Alors, je regarde mon stylo et… je me rends compte que ce n'est pas un stylo.

— Ce n'est pas un stylo ? je répète, suspendue à ses lèvres.

Courtney est très forte pour raconter des histoires. Elle devrait en faire son métier.

— Ce n'est pas un stylo ! C'est un tampon ! Je suis en train d'agiter un tampon sous le nez de Justin Willis !

Elle se renverse en arrière et rit si fort que le kayak remue. Ou peut-être est-ce parce que j'imite mon amie.

— Mais c'est terrible !!

— Oui, je sais !

Nous abandonnons toutes les deux nos pagaies pour nous laisser flotter quelques instants. Parfois, la vie est vraiment trop marrante…

— Je t'adore, Court. Tu es la plus grosse gaffeuse du monde, et je t'adore.

— Je sais !

Un nuage masque le soleil et fait glisser des ombres sur la rivière. Nous sommes trop proches de la baie où son père est mort, et c'est de sa voix de nouveau chargée de tristesse qu'elle propose :

— On retourne vers la ville ?

Mon grand-père et Benji arrivent seulement quelques minutes après le départ de Courtney.

Ils entrent en trombe dans la cuisine alors que je suis en train de farfouiller dans le frigo.

Une pomme de terre tombe du fin fond du plan de travail en marbre pour aller rouler sur le sol. Je m'en empare. En principe, j'adore l'odeur terreuse qui s'en dégage, mais cette fois, elle me fait frissonner sans que je sache pourquoi. C'est dans ce genre de moments que je doute sincèrement de ma santé mentale.

Papy m'embrasse le front.

— C'était bien, le foot ?

— Oui, et le scoutisme ?

— Ennuyeux.

Benji jette ses affaires de piscine mouillées par terre, en un tas spongieux. Avec l'eau, son maillot de bain n'est plus bleu mais noir. On dirait une tête de phoque pointant à la surface de l'océan.

Un instant, je passe dans cette zone étrange, comme chaque fois que j'ai mes visions. Je vois un phoque, un vrai. Il me regarde. Il semble perdu et… alarmé ? Je secoue la tête afin de faire disparaître cette image.

— Ramasse ça, Benji. Ça va moisir. C'était bien, le scoutisme. Nous avons été à la piscine, dit papy.

Son front se plisse.

— Ramasse tes affaires *tout de suite*, Benji.

Ce dernier revient en courant et s'exécute.

— Papy a encore flirté !

— C'est vrai ?

Je m'empare d'une pomme et mords dedans.

— Papy ne flirte jamais…

— En effet, rétorque celui-ci, mais l'éclat de ses yeux le trahit.

— Jamais. Je ne connais personne qui aime si peu flirter, dis-je pour le taquiner alors que je m'éloigne.

— Où vas-tu ? me demande-t-il avant de s'époumoner en direction de la buanderie. Mets tes affaires mouillées dans la machine à laver, Benji, pas le panier à linge !

— Oh là là, c'est bon ! crie mon frère en retour.

Papy prend son air de grand-père pas content. Il attrape une pomme à son tour.

— Il commence à avoir un fichu caractère…

— Je monte peindre.

Papy aime être tenu au courant de ce que nous faisons. Il a ainsi l'impression de bien s'occuper de nous et de tout contrôler. Une parfaite maman de substitution.

— C'est moi qui cuisine, ce soir. Ça te va, un steak ?

— Ouais…

Je m'arrête au beau milieu de l'escalier.

— Papa rentre ?

— Il a une réunion jusqu'à tard avec ses collègues médecins.

— Encore ?

Il soupire.

— Encore. Comment va Courtney ?

— Elle semblait aller un peu mieux aujourd'hui.

La tristesse s'empare de moi.

— Mais elle croit que son père peut être toujours…

— … en vie ?

Papy secoue la tête :

— L'eau du Maine est trop froide pour que quiconque, même ces hommes, puisse y tenir longtemps. Il est plus sage d'accepter la réalité.

— Je sais.

La gorge nouée, je cherche à faire disparaître l'image de ces hommes se débattant dans l'eau, tentant en vain de s'accrocher à quelque chose dans ce brouillard épais.

Papy, soudain à côté de moi, me serre le bras.

— Allez, reprends-toi, ma grande.

— Excuse-moi, c'est juste… tellement triste.

— Je sais. La vie est triste parfois. C'est comme ça.

— Son cousin et sa tante sont arrivés aujourd'hui. Je crois qu'ils viennent du Midwest. Ils vont essayer de les aider à garder la maison.

Papy me lâche le bras.

— C'est une bonne chose. Dieu sait si elles ont besoin d'aide actuellement.

À peine une heure plus tard, mes devoirs et ma peinture terminés, papy nous appelle du bas de l'escalier :

— Aimee ! Benji ! À table !

Mon frère sort en trombe de sa chambre, me tire la langue et dévale les marches. Je le suis en criant :

— Je vais te battre ! Tu es trooooop lent.

Ce qui est totalement faux, étant donné que je n'essaie même pas.

— J'ai gagné ! fanfaronne-t-il.

Puis il se jette sur sa chaise en déclarant :

— J'adore le steak !

— De la vache morte, super ! dis-je en m'asseyant.

J'imagine la vie de cette pauvre vache, prisonnière dans une exploitation industrielle, malade, seule. Je la vois distinctement. Comme ce n'est pas très sain de penser à cela, je tente de revenir à ce qui m'entoure en observant mon grand-père. Il semble un peu fatigué. Il fait tout, à la maison, à cause des semaines de soixante heures de mon père.

— J'aurais pu mettre la table, papy.

— Je sais, mais tu étais occupée. Et puis un vieil homme a besoin de se sentir utile.

Il plante un steak dans mon assiette.

— Je t'ai parlé de notre petit projet, à Benji et moi ?

Je fais non de la tête tout en coupant ma viande.

— Benji.

Papy pointe le frigo du doigt.

Mon frère pose sa fourchette et se lève brusquement pour aller grimper sur le plan de travail. Il glisse la main au-dessus du frigo et y attrape un sac de congélation.

Puis il bondit du plan de travail et agite le sac sous mon nez. J'en inspecte le contenu orange.

— C'est un Curly ?

— Pas n'importe quel Curly, hein, papy ? lance Benji.

Mon grand-père se frotte les mains.

— Tu l'as dit.

J'étudie cette espèce orangée de nourriture industrielle tout en cherchant quoi dire.

— Bah… C'est, euh…

— Marilyn Monroe ! déclare Benji.

— Quoi ?

Je me tourne vers papy.

— Marilyn Monroe. C'était une énorme star du cinéma, dans le temps. Elle avait les cheveux blonds et…

Benji l'interrompt :

— Des gros nibards !

— Benji !

Il s'affale dans sa chaise en riant sottement. De son côté, mon grand-père glousse aussi.

— Les mecs craignent vraiment, dis-je.

— On ne dit pas « craignent », dans cette famille, me signale papy d'un ton sévère.

Je le pointe de ma fourchette en faisant tomber un bout de viande.

— Non, mais on dit « nibards ». C'est d'un juste… De toute façon, je connais Marilyn Monroe. Mais je ne vois pas le rapport avec le Curly.

Benji lève les yeux au ciel.

— *C'est* le Curly.

— Sa réincarnation ?

Je plante ma fourchette dans un nouveau morceau de viande.

— Non.

Papy pique le sac à Benji et me le remet sous le nez.

— Regarde bien. On ne dirait pas Marilyn ?

Je prends le temps de la réflexion en mâchant.

— Bah… Là, il y a bien deux bosses, oui.

Benji me montre le haut du Curly.

— Regarde, c'est ses cheveux. Tu vois ou pas, Aimee ? C'est Marilyn !

Son enthousiasme est touchant. Soudain, un grand coup à l'étage nous fait sursauter. Je lâche ma fourchette, qui atterrit bruyamment sur mon assiette.

— Un livre a dû tomber, nous rassure papy.

Ma chair de poule ne disparaît pas pour autant.

— Alors, tu la reconnais ?

— Bien sûr, je réponds en reprenant ma fourchette. Je le reconnais.

— *La* reconnais, me corrige-t-il.

— Oh ! pardon... Waouh !

Je secoue la tête d'un air admiratif.

— C'est super génial ! Qu'est-ce que vous allez faire de votre Curly Marilyn Monroe ?

Benji sautille sur sa chaise, tout excité :

— Le vendre sur eBay.

Je parviens à articuler, tout en m'étouffant :

— eBay ?

— C'est un site de ventes aux enchères, explique papy. Benji, finis ton assiette.

— Je sais ce que c'est.

Je pose ma fourchette – volontairement cette fois – et répète ce que je viens d'entendre afin d'être certaine d'avoir bien compris :

— Vous allez le vendre sur eBay.

— Eh ouais ! répond Benji. Les gens font déjà des offres.

— Est-ce que papa est au courant ?

— Il le serait s'il rentrait plus souvent à la maison ! lance Benji.

Son sourire a disparu. Il fourre des pommes de terre dans sa bouche et claque bruyamment des mâchoires avant de tout avaler.

— Je suis sûr qu'on peut en tirer mille dollars.

Il me fait soudain de la peine.

— Qu'est-ce que tu en penses, Aim ? Combien pourrait-il nous faire gagner ? me demande papy.

— Oh ! au moins deux mille.

Les yeux de Benji s'illuminent.

Je rajoute une nouvelle couche à mon mensonge, comme sur mes peintures :

— Peut-être plus.

Après dîner, je monte dans la salle de bains retirer le diluant de mon pinceau éventail taille deux. Il y a encore de petites taches jaunes sur le manche, mais ce n'est pas grave, ça lui donne un air usé. Des bruits de pas légers me laissent penser que Benji rôde dans le coin.

Doucement, je pose mon pinceau et jette un coup d'œil furtif par la porte ouverte de la salle de bains tout en serrant mon grattoir à peinture.

Évidemment, il n'y a rien dans le couloir.

Quand j'étais petite, ma mère m'a appris une prière qu'elle m'a fait jurer de dire chaque soir.

— Tes rêves ne disparaîtront pas tout à fait, mais ils seront meilleurs, m'assurait-elle. Ça a fonctionné pour d'autres.

Dieu, qui créa la terre, le paradis,
Protège-moi de mes rêves cette nuit.
Détruis le plus petit succube,
Empêche l'infestation incube.

Une fois au lit, je prononce cette prière, mais le rêve fait tout de même son apparition. Je suis coincée sous l'eau, et une entité maléfique aspire toute mon énergie.

Il fait sombre. L'eau pèse de plus en plus lourd sur moi.

Dans la distance, je perçois un rire mauvais et spectral. Soudain, une plainte : c'est moi qui hurle à la mort. Quelque chose m'attrape et me soulève.

Effrayant et poilu, tout en muscles et en griffes, on dirait un couguar. Mais brusquement, il se transforme en garçon immense. Ses yeux noirs se plongent dans les miens, craintifs, humides, mais également vifs et déterminés.

— Il faut la sauver, me presse-t-il.

— Qui ? je demande. Qui ?

Il redevient couguar et rugit ; tout n'est plus que crocs et vacarme. Je me réveille à cran et terrorisée, car j'ai conscience que quelqu'un est en danger, mais je ne sais pas qui, ni comment l'aider. Je dois juste trouver avant qu'il ne soit trop tard. Je déteste vraiment ces rêves...

2

Alan

— Comment ça, il n'y a pas de club de football américain, ici ? dis-je.

Mme Wood, la conseillère d'orientation, reste un instant muette.

— Nous sommes dans un lycée, il *doit* y en avoir un !

Je me tourne vers ma mère, assise à côté de moi :

— Comment c'est possible ? Tu étais au courant ?

— Je suis navrée, Alan, dit la conseillère.

Visiblement sincère, elle ne cesse de jeter des coups d'œil à ma mère.

— Je pensais l'avoir signalé.

— Maman ? Tu le savais, n'est-ce pas ? Tu savais qu'ils n'avaient pas de club de foot et tu m'as quand même obligé à venir vivre ici !

— Je suis vraiment désolée, Alan, répond-elle en croisant les jambes.

Chez moi, à Oklahoma City, beaucoup de mes amis auraient déjà, à ma place, insulté leur mère.

J'ai beau être un gros taré, je ne peux pas faire ça. Je m'affale simplement sur ma chaise comme un ballon crevé.

— Alan jouait dans la seconde équipe nationale en

division 5A, l'année dernière, précise maman. Il est très bon. C'est un running back.

— Y a-t-il une autre école qui en possède ? je demande.

— Pas à moins de quatre-vingts kilomètres. Nous avons des clubs de football ordinaires, de course à pied et de catch, propose Mme Wood.

— Du foot ordinaire ? Avec ça, je ne serai pas accepté au club de la fac d'Oklahoma !

— Alan a toujours rêvé de jouer pour l'Université d'Oklahoma, explique maman avant de revenir vers moi. Alan, il va falloir faire avec.

Ce n'était pas mon idée de venir dans le Maine. Le Maine ? Non, mais, sans rire, qui vient s'installer dans ce coin ? À part ma mère, qui nous a trimballés ici pour vivre avec ma tante et ma cousine, maintenant qu'elles se retrouvent veuve et orpheline de père.

Personne n'est venu vivre avec nous sous prétexte que je n'avais pas de père, et ça a pourtant toujours été le cas.

— Bref, laissez tomber.

Je fais de mon mieux pour garder mon calme.

— Mettez-moi dans l'équipe de course à pied. Vous organisez des compétitions au moins ?

— Oui.

On dirait que Mme Wood va lever le poing en signe de victoire. Elle me note dans l'équipe et les compétitions de course à pied tandis que l'écran de son ordinateur vomit la page de mon emploi du temps.

— Merci.

Maman ne cesse de faire des sourires apaisants.

— Nous sommes arrivés ce week-end. Le mari de ma sœur vient d'être tué – enfin, il a disparu en mer. Il possédait un bateau de pêche, et...

— Oh ! l'*Auroral*.

Les yeux sombres de Mme Wood révèlent sa compréhension soudaine. Elle se tourne vers moi :

— Alors, tu es le cousin de Courtney ?

— Oui.

— C'est une fille adorable, assure-t-elle.

J'ignore si c'est vrai. J'ai vu Courtney seulement quelques minutes hier soir, et nous ne nous étions rencontrés que deux fois auparavant.

— Cette tragédie a bouleversé la ville entière. Tout l'équipage était d'ici. Trois de nos élèves, notamment Courtney, ont perdu leur père.

— C'est horrible, dit maman. Je n'ai jamais compris comment Lisa supportait les sorties en mer quotidiennes de Mike.

— C'est un mode de vie ici.

Le regard de Mme Wood s'égare un instant dans son bureau pour s'arrêter sur des photos de bateaux et une cloche de cuivre accrochée au-dessus de la porte.

— Je suis sûre que les hommes de l'Oklahoma s'exposent eux aussi à des dangers quotidiens.

— Oui, mais au moins, il y a un cadavre à enterrer si un malheur arrive.

— C'est vrai.

Mme Wood s'apprête à continuer, mais une sonnerie retentit, et le couloir à l'extérieur de son bureau se remplit d'adolescents.

— La première heure est finie. Dès que ce sera plus calme dehors, notre assistant te montrera ton casier et te fera faire un tour rapide de l'école. Puis il t'emmènera en cours de biologie.

Je regarde la vague d'élèves tout en essayant de paraître détaché. Je vois bien que la plupart me scrutent à travers la fenêtre.

Nos différences sont flagrantes, évidemment. Ma peau mate et mes longs cheveux bruns contrastent totalement avec ce que j'ai pu observer dans ce flot humain. Le père que je n'ai jamais connu est navajo. Je me prépare à affronter les réflexions habituelles sur mes origines marquées. Ils m'appelleront « grand chef », blagueront sur les réserves indiennes, me demanderont des cigares ou d'autres choses ridicules jusqu'à ce que je perde patience et devienne violent. Après ça, ils me respecteront, que cela leur plaise ou non.

Une nouvelle sonnerie retentit, et les derniers élèves qui traînaient dans le hall se ruent vers les portes où leurs professeurs les attendent. Un garçon, grand, les cheveux courts et bruns, entre dans le bureau de la conseillère d'orientation et dépose des livres sur une petite table installée contre le mur.

— Blake ? le hèle Mme Wood, voici Alan Parson. C'est son premier jour. Tu lui fais visiter ?

— Pas de problème, répond le garçon.

Je le laisse me passer en revue, puis il me salue de la tête. Je lui rends son salut.

Lorsque nous sortons du bureau, maman me dit au revoir, mais je ne fais qu'un signe de la main, lui en voulant toujours pour l'histoire du football. Blake est un peu plus grand que moi et il marche vite. Il porte un tee-shirt bleu avec l'inscription « Club de course à pied – lycée Goffstown » au dos.

— Tu es dans le club de course à pied ? je lui demande.

— Ouais. Tu cours, toi ?

— On va dire que désormais, oui. Je n'arrive pas à croire que vous n'ayez pas de club de football américain. Dans l'Oklahoma, tous les lycées en ont, même à la campagne.

— Ce n'est pas aussi important ici, me répond Blake tout en remontant un couloir. Puis c'est un sport de luxe et, si tu n'as pas remarqué, l'école n'est pas richissime. Nos activités sportives ne coûtent pas grand-chose.

— Oh !...

Je n'avais pas pensé à ça.

— L'équipe de course à pied est bonne ?

— Elle se débrouille bien. J'ai couru en national l'année dernière. Nous étions deux garçons et trois filles à ce niveau, en individuels. Cette année, nous participerons tous en relais.

— Cool.

C'est au moins ça.

— Voici ton casier, m'annonce-t-il après avoir tourné dans un nouveau couloir.

Il pointe du doigt une grande porte jaune.

— Essaie-le si tu veux.

Tandis que je compose le code qu'on m'a attribué, il me demande :

— Alors, comme ça, tu es de l'Oklahoma ?

— Oui.

— Comment as-tu atterri ici ?

Je lui raconte pourquoi j'ai déménagé tout en fermant le casier, puis lui refais face.

— Oh ! Courtney... Ouais, ça craint pour son père ! lance-t-il.

Je suis Blake dans un labyrinthe de couloirs tandis qu'il m'indique les toilettes, le théâtre, les salles de classe et la cantine. Il agrémente sa visite de commentaires sur divers professeurs, et je me rends assez vite compte que c'est tout à fait le genre d'élèves que les profs adorent.

Chaque remarque négative au sujet de l'un d'eux est nuancée d'une note positive.

— Les cours de madame Bailey sont difficiles à suivre, mais elle est très cool. Elle apporte des cookies le vendredi.

Nous arrivons enfin devant une porte à laquelle Blake frappe. Un garçon assis non loin se lève d'un bond et regarde par la fenêtre étroite avant de nous ouvrir.

Blake et lui se tapent dans les mains, puis il tourne son attention vers le professeur.

— Monsieur Swanson, voici Alan Parson. Il est nouveau et suit votre cours en deuxième heure.

Plus d'une douzaine de paires d'yeux me dévisagent, me jugent, imaginant la raison de ma présence.

Le grand M. Swanson a un petit bouc et des cheveux blonds tirant sur le blanc. Le regard fatigué, il vient vers moi d'un pas tranquille.

— Bonjour, Alan. Vous pouvez vous asseoir ici, si vous voulez. Je m'apprêtais à donner un devoir. Une fois tout le monde au travail, je vous aiderai à rattraper votre retard.

Je vais m'installer derrière un garçon qui a grandement besoin d'un régime et devant une fille aux cheveux rouges qui mâche son chewing-gum avec entrain.

J'attends, tenant ma main éloignée de la pochette médicinale sous ma chemise. Je ne la cache pas, à la maison. Mais ici, c'est différent.

Si je n'avais pas déménagé, je serais au cours d'éducation civique de M. Baldwin. Je réprime un soupir et fais comme si les gens scrutaient leurs livres plutôt que moi.

Je survis à un trajet en bus embarrassant et descends au même arrêt que Courtney.

— Désolée de ne pas m'être assise à côté de toi, me dit-elle tandis que nous remontons l'allée. Maman m'a demandé de te mettre à l'aise…

— Ne t'inquiète pas.

Je l'examine en détail pour la première fois depuis mon arrivée. Elle est petite – environ un mètre cinquante –, maigre, pâle et laisse pendre mollement ses cheveux bruns devant son visage.

Ses lunettes cachent une trop grosse couche d'eye-liner. Elle est affublée d'un sweat noir à capuche à l'effigie du groupe AFI et d'un jean délavé.

Elle doit sûrement vouloir se la jouer emo. Va-t-elle jusqu'à se tailler les veines ?

— Maman t'a donné la clé ?

Je fais non de la tête tout en regardant la maison. Elle est jolie. Et j'ai ma propre chambre.

— Elle le fera.

Il n'y a aucune voiture dans l'allée. Je me demande si

ma mère est là. Elle était censée avoir un entretien d'embauche à l'usine où tante Lisa travaille.

— Maman dit que vous allez vivre avec nous un petit bout de temps ! me lance Courtney.

Je n'arrive pas à voir si ça lui fait plaisir, ou bien même si ça l'intéresse.

— J'ai l'impression. Ça ne te dérange pas ?

— Non... Je ne sais pas, en fait. C'est vraiment bizarre depuis que papa est parti. Maman avait peur de perdre la maison, jusqu'à ce que tante Holly lui dise que vous alliez venir vivre avec nous pour nous aider.

Nous sommes devant l'entrée ; Courtney sort sa clé.

— Je suis heureuse de garder la maison.

— Moi aussi.

C'est sûr, mon avenir en tant que running back des Sooners d'Oklahoma me glisse entre les doigts, ainsi que mon rêve de devenir pro, mais au moins, tante Lisa et Courtney pourront garder leur maison.

— Pourquoi vous n'êtes pas venues dans l'Oklahoma ? Ta mère y a grandi.

Courtney me jette un regard qui signifie clairement que je suis la personne la plus stupide du monde.

— Mon père a disparu, tu entends ? DISPARU. Il attend peut-être de l'aide sur une île. Il pourrait être sauvé et revenir demain. Et si nous n'étions plus là ? Tu imagines s'il retrouvait une maison vide ?

Je la regarde en clignant des yeux, doutant qu'elle puisse un instant y croire. Est-ce que c'est possible ?

— C'est déjà arrivé ? Il y a des gens qui ont disparu lors d'une tempête et qui ont réapparu ensuite ?

— Ça *pourrait* arriver, répond Courtney, la voix désormais stridente.

Elle se tourne vivement, traverse le séjour en courant et s'enfuit dans l'escalier, me laissant seul devant la porte ouverte. Une bourrasque froide s'engouffre soudain dans la maison, mais elle se dissipe tout aussi rapidement.

Je regarde les feuilles mortes qu'elle a balayées se disperser devant l'entrée.

Une ombre semble faire la course avec le vent. Étrange. Une porte claque à l'étage.

J'entends quelque chose gratter entre le plafond de la cuisine et le sol de la chambre de Courtney, mais je ne prends pas la peine de lever les yeux.

On ne peut pas grand-chose contre les souris, qu'elles vivent dans les Grandes Plaines ou sur la côte est.

* * *

Je me rabats sur mes devoirs, car il n'y a rien d'autre à faire, et tante Lisa n'a pas le câble. Je finis tout juste de lire mon cours de science lorsque j'entends sa voiture dans l'allée.

— Je suis embauchée ! s'écrie maman en entrant dans la maison derrière tante Lisa.

Des copeaux de bois traînent encore dans ses cheveux blonds comme le sable. Rayonnante, elle pousse sa sœur pour venir m'enlacer.

Je lui rends son étreinte, mais avec beaucoup moins d'enthousiasme.

— Tu aurais pu nous tenir au courant, dis-je pour l'agacer.

— J'ai laissé un message sur le répondeur, rétorque-t-elle en pointant du doigt le téléphone derrière moi.

En effet, une lumière rouge clignote.

— Je n'étais pas sûr d'avoir le droit d'écouter.

Autant cacher que je n'avais rien vu.

— Ne sois pas idiot, Alan ! lance tante Lisa. Tu vis ici, désormais. Mia casa est toi-casa.

C'est la première fois que le chagrin ne domine pas la voix de ma tante. Je me force alors à glousser devant son espagnol catastrophique.

— Très bien, je m'en souviendrai. Bravo pour le job, maman. J'imagine que tu as commencé aujourd'hui…

J'enlève un copeau tout recourbé de ses cheveux. On dirait du pin. Maman s'esclaffe en les secouant.

— Je croyais que je n'en avais plus, Lisa !

— Débutante… répond ma tante tout en allant retirer un autre copeau des cheveux de ma mère. Courtney a préparé le dîner ? me demande-t-elle.

J'hésite un instant ; dire la vérité risque de mettre Courtney dans l'embarras. D'un autre côté, elles vont bien s'en rendre compte.

— Non. Elle est montée dès qu'on est rentrés. Je ne l'ai pas vue depuis. On m'a donné trois tonnes de devoirs.

— Je sais que tu peux y arriver, me rassure maman. Courtney va bien ?

— J'imagine.

Je ne suis pas psy, mais croire que son père, disparu en plein nord de l'océan Atlantique, puisse revenir, ça n'est pas ce que j'appellerais « aller bien ». J'ai vu *Titanic*. Je sais bien que personne ne peut survivre longtemps dans une eau si froide, en particulier lors d'une tempête.

— Eh bien, si nous allions au restaurant fêter le nouveau travail de ta mère et votre emménagement dans le Maine ? propose tante Lisa.

Fêter notre emménagement dans le Maine ? C'est ça, ouais… Maman bat des mains en assurant que c'est la meilleure idée qu'elle ait entendue depuis des semaines et qu'elle meurt d'envie de goûter des bons fruits de mer bien frais.

— Pourquoi pas ? dis-je sans entrain. Je vais chercher Courtney.

Sa chambre est au bout du couloir, juste après la mienne. Il fait très sombre malgré la lumière du plafonnier.

Je sens que quelque chose ne va pas. La chair de poule me prend tandis que je m'approche. Il fait froid, comme si je me tenais devant un congélateur mal fermé.

Je frappe à la porte :

— Courtney ?

Le grattement se produit de nouveau, pile sous mes pieds. Je suis à deux doigts de donner des coups pour apeurer les souris, mais est-ce vraiment utile de rappeler à tante Lisa que sa maison est infestée de rongeurs ?

Je frappe plus fort cette fois :

— Courtney ?

L'air frais qui m'entourait disparaît sous sa porte. Étant donné qu'elle ne répond pas, je finis par tourner la poignée. L'espace d'un instant, quelque chose résiste, puis la porte s'ouvre normalement.

Ma cousine est allongée sur son lit, les yeux ouverts, les bras raides et les paumes plaquées contre ses cuisses. Bizarre...

— Courtney, ça va ?

Elle tourne lentement la tête vers moi. Derrière ses lunettes, ses yeux ont l'air étranges, agrandis et trop brillants.

— On va au restaurant. Tu es prête ?

— Oui. J'arrive tout de suite, dit-elle d'une voix éteinte.

Je ferme la porte et recule d'un pas. Je perçois le froissement de ses vêtements m'indiquant qu'elle s'est levée. Parvenant à la conclusion qu'elle est juste un peu trop emo, je redescends. Tante Lisa est en train de retirer les derniers copeaux de bois des cheveux de maman tout en parlant d'une personne de l'usine.

Quelques minutes plus tard, Courtney dévale l'escalier. Ses yeux ont repris leur aspect normal. Elle enlace sa mère et lui demande :

— On va où ? Chez *Charlie* ?

— Bonne idée, répond tante Lisa. Tout le monde est prêt ?

Maman et moi leur emboîtons le pas jusqu'à leur quatre-quatre, où je m'assois à l'arrière avec Courtney.

— Tu suis un cours avec ma meilleure amie ! lance-t-elle tandis que nous démarrons.

— Ah oui ? Qui ça ?

— Aimee Avery.

Je hausse les épaules d'ignorance.

— Je n'ai pas retenu beaucoup de noms. C'est quel cours ?

— Elle ne m'a pas dit.

— Elle est comment ?

— Très mignonne, mais elle trouve qu'elle ressemble à une Muppet. Elle a les cheveux rouges.

La mâcheuse de chewing-gum du cours de biologie me revient en tête.

— Je crois voir de qui tu parles.

— Elle est très gentille, ajoute Courtney. Tiens, regarde, la police.

Un officier imposant est en train de menotter un homme contre le capot d'une camionnette. Le type n'a pas l'air de vouloir se laisser faire.

— Elle est avec moi en biologic, en deuxième heure, avec Swanson… Je me demande ce qu'il a fait.

— Il a sûrement trop bu, dit tante Lisa. De plus en plus de gens se saoulent et font n'importe quoi ces derniers temps. Pratiquement pas un jour ne passe sans qu'on entende parler d'une bagarre. Ça doit être le temps…

Cette nuit-là, un mauvais rêve me réveille en sursaut. Assis dans mon lit, les yeux grands ouverts, je regarde devant moi, mais je ne vois rien.

C'était un rêve totem, une vision. Onawa, la femelle couguar qui me fait office de totem, tentait de me dire quelque chose. Je me rallonge, les yeux toujours ouverts. J'attrape sur ma table de chevet la lanière de cuir de ma pochette médicinale et la serre fort contre mon torse.

Mon cœur tambourine encore.

Onawa avait peur. Nous étions dans une forêt, je m'en souviens. Elle était posée sur une pierre, sa jolie gueule fauve à mon niveau. Mais derrière elle…, l'obscurité, comme si un épais brouillard noir avalait les arbres.

Des ombres s'y mouvaient.

Onawa disait quelque chose. Quelque chose d'important. Je serre davantage ma pochette tout en me concentrant.

J'avais été distrait. Il y avait quelqu'un d'autre dans mon rêve. Une fille ? Oui, c'était bien ça. Elle tenait une torche. Du moins, il y avait une lumière rouge. Ou étaient-ce ses cheveux ? Peut-être.

Mais la lumière semblait avoir une certaine importance. Cette fille l'apportait. En tout cas, Onawa m'a dit quelque chose, et je n'arrive pas à m'en souvenir.

Les souris se mettent soudain à gratter sous le plancher. Le clair de lune traverse le rideau fin de ma fenêtre. Je suis sûr que la pièce n'était pas aussi éclairée quelques instants auparavant. Je me suis réveillé dans le noir total. Il ne fait plus que sombre désormais. Des nuages ? Peut-être.

J'ai dû me rendormir comme une souche. Mon réveil me rappelle à la réalité bien trop tôt. Je l'éteins et sors du lit. Le plancher est froid sous mes pieds. C'est dingue. Il ne fait jamais aussi froid à cette période dans l'Oklahoma. Je glisse la lanière de cuir autour de mon cou et lâche la pochette. Ma main gauche est engourdie de l'avoir serrée si fort pendant, quoi ? Quatre, cinq heures ? Je la détends tout en utilisant l'autre pour choisir dans un carton de vêtements mon tee-shirt « Metallica – *Kill 'em All* ».

Il est un peu froissé, *so what*[1] ? Je l'enfile, hésite un instant, et sors ma pochette médicinale de dessous. Puis je pioche le reste de ma tenue : un jean noir, des chaussettes noires et mes bottes dénichées dans un surplus militaire.

Je suis mauvais en maths. Je suis arrivé ici avec un sept de moyenne, et j'ai bien l'impression qu'elle ne montera pas. Pour ma première heure, j'essaie de déchiffrer les nombres et les lettres griffonnés sur le tableau par Mme Bailey. C'est une femme petite, bientôt la quarantaine, et

---

1.   Clin d'œil à la chanson éponyme de Metallica.

jolie pour son âge. Mais à mes yeux, ce qu'elle note n'est que du gribouillage. Elle nous demande de résoudre les problèmes de la page quarante-deux avant d'aller s'asseoir à son bureau.

Enfin, la sonnerie retentit, les livres se ferment, les pieds s'animent et, sac au dos, les moutons se rendent à la bergerie suivante. Je les suis tout en mémorisant le chemin vers la salle de biologie.

— C'est lui.

Derrière moi, près d'un casier ouvert, trois filles font mine de m'ignorer. Je me retourne et reprends ma route. À peine un pied dans la salle, la seconde sonnerie retentit.

Elle est là.

Red.

L'amie de Courtney. La jolie fille aux cheveux rouges. Le rêve me revient d'un coup. En pleine chute, tandis que nous étions agrippés l'un à l'autre, j'essayais de lui dire quelque chose. Onawa était là aussi.

La fille lève la tête vers moi ; je me rends alors compte que je suis scotché sur elle, au beau milieu de la classe. Mes pieds reprennent leur marche, mais je ne peux pas la quitter des yeux. Quelque chose dans son regard me donne le sentiment qu'elle me reconnaît.

Je m'assois en lui tournant le dos et mets ainsi fin à cet échange silencieux.

— Salut !

C'est elle. Comment s'appelle-t-elle, déjà ? Angel ? Agnes ? Je suis sûr que ça commence par un A.

Je me retourne :

— Salut.

— Comment s'est passé ton premier jour ?

— Plutôt bien.

— Cool. Tu es le cousin de Courtney.

Ça ne ressemble pas à une question, mais je hoche tout de même la tête.

— C'est ma meilleure amie.

— Elle m'a parlé de toi, mais j'ai oublié ton nom, désolé.

— C'est Aimee. Aimee Avery.

— Ah oui.

— On m'appelle Aim, ou…

— … Red, je la coupe. On t'appelle Red.

Elle a l'air surprise.

— C'est Courtney qui te l'a dit ?

Je ne vais pas commencer à parler de mes visions à une fille que je viens tout juste de rencontrer.

Et surtout pas d'Onawa. Même si la fille en question est très jolie et qu'elle sent bon.

— Oui.

— Mademoiselle Avery, avez-vous fini de distraire notre nouvel élève ? demande M. Swanson du devant de la classe.

Je ne l'avais même pas vu entrer. Je fais un petit clin d'œil à Aimee avant de me retourner.

— Oui, monsieur Swanson, répond-elle. Il est tout à vous. Inculquez-nous votre savoir !

Pas plus facile que les mathématiques, la biologie a au moins le mérite d'avoir davantage d'intérêt. Mais chaque fois qu'Aimee remue sur sa chaise, une bouffée de son parfum vient me déconcentrer.

Elle bat la mesure sur le pied gauche de ma table. La sonnerie retentit, et les moutons se traînent de nouveau vers la sortie.

D'un petit coup d'épaule, Aimee me passe devant.

— À plus tard, Alan.

Elle me fait un signe de la main, une main aussi fine et délicate qu'une aile de papillon. Avant même que je puisse lui répondre, elle n'est déjà plus là.

Certaines choses ne changent pas : la cantine reste la cantine, que ce soit dans l'Oklahoma ou dans le Maine. Les hamburgers ressemblent à du carton, et les croquettes de pommes de terre sont insipides sans une épaisse couche de sel. Je mâche tranquillement cette nourriture infâme, seul, lorsque soudain quatre filles m'entourent de leurs plateaux.

— On peut te tenir compagnie ? demande l'une d'elles, une blonde aux grands yeux bleus avec un nez minuscule.

— Tu avais l'air si triste, tout seul, ajoute une brune en tenue de pom-pom girl en s'installant face à moi.

— Ouais... dis-je.

Une pom-pom girl ? Est-ce que j'ai l'air d'un gars qui a envie de discuter avec une pom-pom girl ? Elles s'assoient toutes et se mettent à me cribler de questions.

— Tu viens du Texas ?

— De l'Oklahoma.

— C'est là qu'il y a eu le Dust Bowl[1], hein ?

— Euh, oui, il y a environ quatre-vingts ans…

— Tu avais un cheval ?

— Non.

— J'ai entendu dire que tu jouais au football américain ?

— Mhh mhh…

— On n'a pas de club ici, dit la pom-pom girl.

— J'ai remarqué.

— Tu aimes Lil'l Wayne, ou tu écoutes seulement cette musique de sauvage ?

— Non, juste la musique de sauvage.

— Et pourquoi tu n'écoutes que ça ?!

— Bah, parce que Lil'l Wayne, Little Boosie et tous ces autres rigolos ont accaparé le marché de la pop synthétique… Je n'y peux rien.

Ah ! ah ! Elles vont enfin fermer leurs clapets. Quatre paires d'yeux me regardent d'un air idiot. Mode réinitialisation. Et c'est reparti, comme si rien ne s'était passé.

— Tu vivais dans une ferme ou dans un ranch ?

---

1. *Dust Bowl* : tempête de poussière ayant sévi pendant une dizaine d'années dans le sud-ouest des États-Unis dans les années 1930.

— C'est vrai que l'Oklahoma est un énorme champ de blé ?

— Alan, tu étais censé déjeuner avec nous, tu te souviens ?

J'interromps l'examen approfondi de mon hamburger pour lever les yeux sur Blake, l'assistant de la conseillère d'orientation.

— Viens. Les membres du club de course à pied mangent ensemble.

— Ah oui, j'avais oublié. Excusez-moi, mesdemoiselles.

J'attrape mon plateau et suis Blake.

— Tu fais fureur, me dit-il tout en traversant la cantine.

— Ce n'est pas vraiment voulu.

— Tu es nouveau, différent. Il y a peu de gens différents par ici. C'est Aimee qui m'a envoyé te sortir de là. On vous a observés un moment, mais quand on a compris que tu n'en pouvais plus, elle m'a demandé de t'aider.

Elle est là. Blake me dirige vers la table où Aimee est assise avec Courtney et trois autres élèves.

Je pose mon plateau et regarde Blake se glisser à côté d'elle et l'enlacer rapidement.

— Blake à la rescousse ! annonce-t-il.

Quelque chose en moi s'effondre.

3

Aimee

La matinée passe, puis l'heure du déjeuner arrive. Blake va sortir Alan, le cousin de Courtney, des griffes des filles qui cherchent à se mettre tout le monde dans la poche.

— Je déteste l'école, dit Blake à Alan alors qu'ils s'installent avec nous. Mais je suis obligé de faire semblant d'aimer pour pouvoir intégrer le club national des meilleurs élèves. La règle numéro un consiste à lécher les bottes aux profs. C'est idiot, mais c'est comme ça.

Courtney hoche la tête et me regarde. Elle sait que je ne supporte pas ce genre de comportement négatif.

Elle m'appelle sa « petite pacificatrice », et sans aucune moquerie.

Avant que Blake ne s'emballe davantage sur les règles du club, je tente de le faire rire en imitant mon père : le « père modèle » rigide des séries des années 1950, même s'il n'était pas encore né à cette époque.

— Tu sais, Blake, « détester » est un mot sérieux aux connotations sérieuses…

Il fait mine de me jeter son bagel dans le décolleté. Je pousse un petit cri et la surveillante, Mme Los Santos, dresse vers moi un doigt peint en noir aussi pointu qu'un poignard. Elle se détend enfin lorsque je lui souris. Puis je me tourne vers Blake.

— Tu cherches à me menacer ? fais-je sur un ton de mafioso. Parce que laisse-moi te dire que je n'apprécie pas les menaces. En particulier avec des bagels. Est-ce que tu sais au moins à qui tu as affaire ?

Alan éclate de rire ; je ne peux m'empêcher de remarquer qu'il est très mignon quand il sourit. Il entre dans le jeu et lance sur le même ton :

— Je crois que oui. On dirait bien qu'on a affaire à une dure à cuire.

À cet instant précis, je suis absolument certaine que ma vie va changer de façon irrévocable : c'est le garçon de mes rêves. Juste devant moi. Et nous allons devoir faire quelque chose, sauver quelque chose ensemble. Mais je ne sais pas encore quoi.

— Aimee est merveilleusement étrange aujourd'hui, lâche Blake en mordant dans son bagel.

Il parle comme si je n'étais pas là.

— Et elle a de la peinture sur les mains.

En effet.

— C'est dur à faire partir...

— Tu peins ? demande Alan.

Je me plonge dans son regard. Terrible erreur.

— Oui…

Je ne peux détacher mes yeux des siens. Lui non plus. Il était dans mon rêve. C'était lui qui me tirait.

Et, bien que je ne parle à personne de mes rêves, je *veux* lui en parler. J'ai envie de tout lui raconter. C'est vraiment embarrassant d'éprouver cela pour un garçon qu'on connaît à peine, surtout quand on a un petit ami !

Courtney tente de gratter la peinture à l'aide de son ongle arborant un sticker dauphin. Elle finit par me faire mal.

— Je ne sais même pas pourquoi on la tolère dans le groupe.

— Je réclame l'attention de ceux qui parlent de moi :
Je – suis – devant – vous, dis-je en retirant ma main.

Je décide de partir sur un terrain non miné :

— Bon, écoute, Alan, je n'ai pas l'intention de te pres-
ser de questions sur l'Oklahoma et ton déménagement,
parce que je suis certaine que ça craint – ne le prends pas
mal – et que ça te saoule. Donc, je te laisse débarquer dans
ma vie sans préambule, à moins que tu ne préfères que je
te questionne, et je le ferai dans ce cas, car ça m'intéresse,
mais je ne veux pas être… Je ne sais pas. Je n'ai pas envie
de t'ennuyer avec l'interrogatoire habituel.

Les lèvres d'Alan se tordent. Il se balance en arrière et
éclate de nouveau de rire.

— Aimee ! grogne Blake.

— Ça me va.

Alan pose l'une de ses mains gigantesques sur la table.

— J'adorerais. À vrai dire, j'en ai assez que les gens
me criblent de questions.

Je hoche la tête. C'est comme si nous étions seuls au
monde. Toute cette activité autour de nous n'importe plus.

Je me lance :

— Bref. Mon papy…

— Papy… me coupe Blake d'un air entendu.

Il m'entoure les épaules de son bras, marquant son territoire. Il n'arrête pas aujourd'hui ; ça ne lui ressemble
pas. En ce moment, les petits travers des gens semblent
s'exacerber. La possessivité de Blake. Mes angoisses.

La cruauté de Courtney. Blake continue de se moquer
de moi avec son ton sirupeux :

— C'est mignon…

— Il n'est pas sympa avec moi, dis-je à Alan. Bref,
papy et mon frère, Benji, ont trouvé un Curly qui, pour
eux, ressemble à Marilyn Monroe.

Silence général. Puis Alan prend la parole :

— Marilyn Monroe ?

— C'était une star du cinéma ! Elle était bien faite et

elle a probablement mis les Kennedy dans son lit. Elle chantait *Diamonds Are a Girl's Best Friend*, explique Courtney, et aussi le fameux *Happy Birthday Mr. President*. Puis il y a cette photo où elle pose au-dessus d'une bouche d'aération et tient sa robe pour cacher sa culotte.

— Je sais qui c'est. Je ne vois pas le rapport avec le Curly, c'est tout.

Alan me questionne du regard. Mon cœur s'emballe de nouveau.

— Ils trouvent que le Curly lui ressemble.

Je me rends compte que ce n'est pas le genre d'histoire qui fait bonne impression ; je n'ai plus tellement envie de la raconter.

— Et c'est vrai ? demande Courtney.

Je soupire.

— Non. Il a des bosses qui font penser à des seins, mais franchement, ça pourrait être n'importe quelle femme.

Courtney s'étrangle en buvant de l'eau et en met plein la table. De peur, je pousse un cri, mais elle est seulement morte de rire.

Blake me fourre des serviettes dans la main. Alan en attrape aussi, et nous nous retrouvons à éponger les dégâts. Je tamponne le nez de Courtney, et Alan me demande d'une voix calme :

— Ils l'ont mangé ?

— C'est là que je voulais en venir. Ils ne l'ont pas mangé. Papy l'a pris en photo et l'a posté sur eBay.

Courtney tape du poing sur la table.

— La vache, ça va loin !!

— Arrête, arrête, j'en peux plus !

Blake, en pleine crise de rire, se met à postillonner et à baver. Je lui tends une serviette trempée.

— Ils l'ont glissé dans un sac congélation, et papy le cache sur le frigo afin que personne ne le mange accidentellement.

— C'est énorme ! lâche Blake.

— Ils sont graves…

Courtney se frotte la main qu'elle a cognée contre la table.

— Je sais, je réponds.

Je leur souris. L'espace d'un instant, tout est comme avant la mort du père de Courtney. Blake n'est pas grincheux. Courtney n'est pas triste. Nous rions ensemble.

— Quelqu'un a fait une enchère ? demande Hayley en se penchant en avant.

Je retire mon bagel avant que ses beaux cheveux châtains ne trempent dans mon fromage frais. Elle rougit.

— Désolée, je n'ai pas pu m'empêcher d'écouter.

— Tu m'étonnes, il y a de quoi ! la rassure Courtney.

Tout le monde est suspendu à mes lèvres. Courtney, Alan, Blake, Hayley, son petit ami Eric. Le meilleur ami d'Eric et Blake, Toby.

— Quelqu'un a proposé cinq cents dollars.

Ils se mettent à crier en imaginant une franchise de sosies-Curly. On pourrait faire un Elvis, Jésus ou même Barack Obama.

— Britney Spears ! lance Courtney. Moi, je serais prête à payer cent dollars pour un Curly qui lui ressemble !

Dans la bonne humeur ambiante, nous nous redivisons en deux groupes pour reprendre notre petite routine où Courtney nous récite la rubrique sexuelle de *Cosmo*. Blake frotte son pied contre ma jambe d'une façon sexy qui ne me rend que plus agitée et ne m'excite absolument pas. Alan et Courtney se disputent au sujet des homards qui semblent nous implorer du regard quand on les mange, et j'exerce de nouveau mon rôle de pacificatrice avant de glisser les yeux sur Alan. C'est lui, le garçon de mes rêves. Ça veut donc dire qu'il est sûrement en danger.

Blake me passe son calepin sur lequel figure un texte de sa composition. Il est totalement inspiré par ce nouveau trio de hip-hop du New Hampshire.

Tout le monde complimente Blake, sauf Alan.

Le regard dur de Courtney nous quitte pour s'abattre sur son cousin, concentré sur les restes de son hamburger.

— Qu'est-ce que tu en penses, Alan ?

Une longue pause... interrompue par Courtney :

— Notre cow-boy metalleux n'aime ni le hip-hop, ni le rap, ni la country, ni les homards, ni tout ce qui vient du Maine !

Cette hargne me fait frissonner... On dirait bel et bien quelqu'un d'autre. La sonnerie retentit.

— Sauvé par le gong.

Blake rit, mais de toute évidence, il se force. Il doit être blessé. Le pauvre petit a constamment besoin d'être rassuré. Il se penche pour m'embrasser la joue et part en cours avec Courtney.

Alan et moi restons là sans bouger, chacun d'un côté de la table, jusqu'à ce qu'il vienne s'asseoir près de moi.

— Ils avaient l'air pressés.

— Leur classe se trouve à l'autre bout, dans la section langues étrangères. Ils sont toujours en retard. Moi, je vais à l'opposé, dis-je en rougissant.

Je sors mon paquet de chewing-gums.

— Tu en veux un ?

Il met un certain temps avant d'accepter.

Lorsqu'il attrape son chewing-gum, nos doigts se frôlent, et mon rêve resurgit. Je chute. Quelque chose me tire. L'eau est partout, et mes poumons sont à deux doigts d'éclater.

— Wow !... Aimee...

Ses mains entourent mes bras, me rappelant brutalement à la réalité. Les genoux tremblants, je n'arrive pas tout de suite à fixer mon regard sur lui. Son visage est tout près. J'ai besoin de sentir sa peau sous mes doigts. Pourquoi, mon Dieu ? *Ne le touche pas !* Il fronce les sourcils, comme s'il cherchait à lire mes pensées. Il ne peut *pas* voir ce que je pense. Je ne le laisserai pas faire.

— Excuse-moi.

Je me redresse en m'assurant d'éviter tout contact physique. Je préfère mentir plutôt que de passer pour une folle :

— J'ai eu un vertige.

Il prend un air sceptique.

— Un vertige ? Ça t'arrive souvent ?

Il sait. Il sait que je mens.

— Je vais être en retard… Merci… dis-je tout en résistant à l'envie de le toucher.

Ses longs cheveux tombent légèrement devant son visage.

Il me lâche les bras. Je me lance vers la sortie de la cantine menant à la section des sciences sociales et des arts du langage.

— C'est par là que je vais aussi.

Son ton est doux et plus posé que l'accent du Maine, ce qui est plutôt agréable. Sa voix est profonde. Il porte un tee-shirt noir d'un groupe de metal. Je déteste les tee-shirts noirs. Je déteste les groupes de metal.

Nous sommes parmi les derniers à quitter la cantine. Amber, la jolie fille de la chorale qui nous précède, ne nous a pas vus. Passant son bras par-dessus ma tête, Alan retient la porte avant que je me la prenne en pleine figure. On dirait Superman ; je comprends pourquoi les pom-pom girls étaient au taquet.

Je veux lui raconter mon rêve. Je veux lui parler de mes visions. J'ai envie de tout lui déballer, mais ce n'est pas moi. Je ne raconte jamais rien aux autres.

Je ne suis plus Aimee la Folle. Je suis Aimee qui sort avec Blake et fait du sport et de la peinture.

— Merci, dis-je en me rappelant les bonnes manières. Je suis désolée que Court ait été si… bizarre avec toi. C'était limite méchant.

Il hausse les épaules.

— Elle n'est pas toujours comme ça ?

— Non.

Nous remontons le couloir. Je suis obligée d'accélérer le pas pour tenir son rythme. Il semble le remarquer et ralentit.

— D'habitude, elle est gentille, même trop. Ce qui est arrivé à son père…, ça l'a un peu chamboulée.

Il acquiesce et déglutit péniblement. C'est comme s'il cherchait à me dire quelque chose.

Je décide de couper court à sa réflexion, redoutant ce qu'il a en tête.

— Ça fait super longtemps qu'on sort ensemble, Blake et moi.

—Ah…

Je ne sais plus où me mettre. Quelle idiote !

— Je veux dire… Parfois, on a l'impression que Courtney se prend pour la troisième roue du carrosse, alors ça n'aide pas. Et… c'est juste difficile pour elle. Enfin, ça doit l'être pour toi aussi, de venir vivre ici, sans foot américain, sans centre commercial…

— Ça, je m'en fiche. Pour le foot, j'avoue que c'est dur.

Il est tellement massif qu'il penche la tête quand il me parle, comme s'il craignait que sa voix ne porte pas jusqu'à moi.

— Oui, j'imagine… C'est très courageux de ta part. La plupart des gens auraient piqué une crise.

— Je ne suis pas comme la plupart des gens, alors.

Les yeux fixés sur moi, il tord le coin de sa bouche en un sourire.

— On dirait bien, je réponds en l'imitant.

Durant le cours d'anglais renforcé, je reçois un texto de Court, ce qui est totalement interdit au sein du lycée.

TU TE SOUVIENS DE LA SÉANCE ?

Elle sait très bien que je ne veux plus y penser.

C'était en cinquième. Après la séance de spiritisme, ils avaient tous décampé de chez moi en me prenant pour une folle. Tous sauf Courtney et Chuck.

Juste après, j'avais eu cette vision où Chuck mourait sur le chemin du retour, mais c'était après ce qui s'était passé durant la séance, après le départ de tout le monde.

Dans ma vision, une Saab emboutissait la Subaru de sa mère, qui attendait de tourner à gauche, devant l'épicerie *Tideway Market*. J'ai vu sa voiture se précipiter sur la voie de la camionnette transportant des homards.

J'ai vu le corps brisé de Chuck à l'arrière, sa mère en pleurs, du sang coulant sur sa chemise blanche.

Malgré son bras cassé, elle refusait, agrippée à son fils, de laisser approcher les secours.

J'avais dû pousser un cri, car Chuck, le Chuck encore en vie et en pleine forme, s'était cogné à la table basse en sursautant.

— Qu'est-ce qu'il y a ? Qu'est-ce que tu as vu ?

Je les ai dévisagés, lui et Courtney, avant de mentir :

— Rien du tout.

Il est mort. Évidemment. Exactement comme dans ma vision. Il est mort sur le chemin du retour ce jour-là. Je tente de faire disparaître ce souvenir. Mais qu'est-ce qui arrive à Court ? Elle sait très bien que je ne supporte pas qu'on en parle.

Je suis du doigt l'inscription laissée sur mon bureau : *La vie craint.* Puéril, mais profond.

Le fait que quelqu'un se soit assis à la même place que moi dans le même état d'esprit ne me soulage pas. Je glisse un regard vers Blake et Court, de l'autre côté de la salle. Ici, c'est comme en primaire, on ne choisit pas sa place. Notre prof, Mme Bloom, fait preuve d'une ferveur incroyable en tant que défenseuse des vieilles traditions.

Court me montre la tenue de Mme Bloom en faisant la grimace. En effet, notre prof porte un pull et une longue jupe en tissu écossais, qui lui donnent l'air d'un rideau, et des chaussettes marron probablement empruntées à son mari, tirées pratiquement jusqu'au bas de la jupe.

— Ma-gni-fi-que, j'articule en silence.

Court me répond de la même manière :

— J'a-do-re !

Briley Flood me dévisage. Assis juste derrière elle, Blake lui donne une pichenette dans l'épaule pour lui signifier de se retourner. Briley est gentille en principe. Je ne comprends pas pourquoi elle me regarde comme ça. Tout le monde semble tendu en ce moment, même Blake.

Mme Bloom tape soudain des mains en piaillant :

— Les enfants, je suis tellement contente ! Nous allons pouvoir reprendre notre discussion sur la pièce de William Shakespeare, *Hamlet*.

Je m'affale sur ma chaise ; autant m'achever tout de suite.

— Mademoiselle Avery, redressez-vous ! Et vous lirez les répliques d'Ophélie.

Je feins un sourire. Super. La folle. Parfait, étant donné mon état d'esprit.

Mme Bloom tire sur son soutien-gorge – qui doit la gratter – avant de se lancer dans son cours :

— Parlons d'abord d'elle. D'après vous, quel est le personnage qui manque le plus d'épaisseur dans *Hamlet* ?

Difficile. Je lève la main ; il faut que je me rattrape. Mme Bloom me désigne avec un enthousiasme dont seule une prof d'anglais tireuse de soutien-gorge peut faire preuve.

— Mademoiselle Avery ?

— Ophélie.

Je suis assez fière de moi, cela devrait lui montrer que je l'écoute et qu'elle n'aura plus jamais besoin de me reprendre parce que je suis avachie.

Mme Bloom continue son piaillement :

— Exact. Et pourquoi ça, Aimee ?

Zut. Je dois aussi assumer ma réponse, à moins qu'un lèche-botte ne s'incruste dans la conversation. Compte à rebours lancé pour le lèche-botte. *Trois... Deux... Un...* C'est Court. Sauf qu'elle me sauve les fesses plutôt que de lécher celles de la prof. Elle se donne un air décontracté, appuyée contre son dossier, les jambes tendues. Avec des petits coups de stylo sur son bureau, elle déclare :

— Ophélie a beaucoup de potentiel. Elle pourrait être une vraie héroïne tragique, mais elle se laisse sombrer dans la folie et perd tout son potentiel héroïque. Elle devient juste tragique.

— Exactement ! reprend Mme Bloom, ravie.

— Mais…

Le mot est sorti de ma bouche tout seul.

— Oui, mademoiselle Avery ? Vous voulez ajouter quelque chose ?

Je déglutis et sens mon ventre se nouer.

— C'est que… je ne pense pas qu'on puisse se laisser sombrer dans la folie. Les maladies mentales sont en principe dues à un déséquilibre chimique ou à un trouble. Il y a des prédispositions génétiques. Ce n'est pas une question de baisser les bras.

— Des prédispositions génétiques ? se moque Court, tout bas. Tu sais de quoi tu parles…

Je suis certaine que la classe entière l'a entendue, hormis Mme Bloom qui joue la sourde oreille. Quelque chose en moi éclate et me ronge. *Mais qu'est-ce qu'elle a ?* Je ferme les yeux en souhaitant qu'ils disparaissent tous. Mais l'image de ma mère surgit.

Elle sort les mains de l'eau noire de la rivière pour les tendre vers moi. Elle m'appelle, me supplie de sauver… Qui ? J'ouvre les yeux pour voir Blake jeter un regard furieux à Court, ce que j'apprécie énormément. Un bon point pour le petit copain.

— C'est exact, mademoiselle Avery !

Mme Bloom ne va plus me lâcher maintenant. Ses yeux bleus sont l'enthousiasme même. Je fais désormais partie du cercle des chouchous de la classe.

— Et pourquoi pensez-vous que Shakespeare a fait cela ?

Elle me tourne le dos et trottine jusqu'au-devant de la salle, tel un caniche lors d'un concours canin, tout fier, se pavanant la queue en l'air. Elle ne laisse à personne la possibilité de répondre.

— Parce que le choix d'Ophélie reflète celui d'Hamlet. Shakespeare a décidé de traiter d'un thème particulier dans cette pièce : la folie.

N'ayant pas conscience de mon malaise, Mme Bloom poursuit son cours. C'est incroyable comme les professeurs ne voient rien. Courtney vient de faire un doigt d'honneur à Blake, et lui agrippe sa main en lui chuchotant quelque chose à l'oreille.

Nous nous mettons à lire *Hamlet* à voix haute, mais dès qu'Ophélie n'est pas en scène, je divague et pense à ma mère, ce qui est dangereux.

Une nuit, alors que j'étais toute petite et que ma mère était encore avec nous, j'ai rêvé d'elle, flottant dans la rivière, sur le ventre, ses longs cheveux châtains serpentant autour d'elle et des poissons lui mordillant les pieds.

Son corps était tout enflé, comme s'il y avait des ballons sous sa peau, et elle avait une couleur bizarre.

Ce rêve m'a tellement effrayée que je me suis levée juste pour m'assurer qu'elle allait bien. J'ai descendu l'escalier à pas de loup, suis passée devant mon père qui s'était endormi sur le canapé et me suis rendue jusqu'à la chambre de mes parents. Le lit était vide.

Dans la classe, tout le monde tourne la page. Je fais de même et lis ma partie. Une autre page. Je parcours rapidement la pièce : pas d'Ophélie pour un petit moment ; alors, je retourne devant la chambre de mes parents.

À la manière d'Ophélie, je reviens à toutes ces choses dont il est malsain de se souvenir.

— Maman ? ai-je murmuré dans la chambre déserte. Maman ?

Mais je savais où elle était.

Mon rêve me l'avait prédit.

Cette fois, je suis passée devant mon père en courant sans m'inquiéter du bruit. Dehors, j'ai traversé le jardin et les bois à toute allure en direction de la rivière, qu'on voyait de la maison. La pleine lune était haute dans le ciel.

Une femme se tenait debout près de l'eau, au milieu des arbres. Je savais que c'était une femme par sa silhouette, tellement obscure qu'elle assombrissait la nuit. Dans la rivière, il y avait un homme qui lui faisait signe de le rejoindre. De l'eau s'échappait de sa bouche. Ses yeux, deux puits de charbon, étaient le néant même. Il la voulait.

— Maman ?

Elle n'a pas répondu.

Je courus le plus vite possible, mais ma chemise de nuit me serrait trop les jambes pour que je puisse faire de grandes foulées. Les épines et les branches de pin me lacéraient les pieds, mais je continuai ma course.

— Maman ? ai-je murmuré en me rapprochant de l'obscurité de la rivière et de l'homme, plus près d'elle désormais.

Je me suis arrêtée en l'appelant de nouveau.

Une odeur putride dominait l'endroit, comme de vieux concombres qu'on laisse moisir au frigo.

J'ai avancé d'un pas vers elle et ai tendu la main jusqu'à atteindre ses doigts, inertes l'espace d'un instant. Son visage aussi pâle que la lune avait commencé à ternir ces derniers temps. Déjà.

Elle était loin, dans le ciel, sur la lune, peut-être les étoiles, ou dans la pénombre qui les sépare.

— Maman ?

Mes doigts chauds semblaient rougeoyer d'un certain pouvoir. Lui serrant la main le plus fort possible, j'ai essayé de lui transmettre tout mon amour. C'était la première fois que je tentais de guérir quelqu'un.

Rien ne s'est produit. Soudain, ses doigts ont agrippé les miens, fort, fort, trop fort. C'est alors que j'ai compris que ce n'était pas une mère ordinaire.

Quelque chose était en train de se passer. Je ne saisissais tout simplement pas quoi.

— Aimee ?

Sa voix était aussi douce que le chuchotement du vent.

— Tu es venue me chercher ? Tu voulais t'assurer qu'il ne m'emporte pas ?

— Mhh mhh, ai-je répondu, car j'imaginais que c'était ce que j'étais venue faire.

Elle m'a soulevée dans ses bras.

— Ramenons-nous alors chacune à la maison.

Lorsque je me suis retournée vers la rivière, l'homme avait disparu sous la surface de l'eau.

C'est la seule fois qu'une vision a été bénéfique.

La seule fois. Et j'ai pu la sauver.

4

Alan

Je tente de me concentrer sur l'acte deux de *Macbeth*, mais je ne peux effacer Aimee Avery de mes pensées. Mme Carey, ma prof d'anglais, fait de son mieux pour rendre Shakespeare intéressant, et je dois avouer que ce que j'ai lu jusqu'ici est plutôt pas mal pour du Shakespeare.

J'aime bien le concept des sorcières et du complot, mais cette littérature réclame beaucoup de travail et d'attention, ce que je ne peux pas fournir en ce moment.

Pas pour Willy Shakespeare, en tout cas.

Aimee m'a dit qu'on se retrouverait plus tard. Bon, ce n'est pas comme si on avait rencard. Si ça se trouve, elle va essayer de m'éviter.

Peut-être a-t-elle a juste proposé ça histoire de me quitter poliment. Ce n'était pas une promesse. Shakespeare, lui, aurait sûrement formulé ça en un « Que Dieu te garde ».

Elle a un petit ami. Blake. La sonnerie retentit ; direction le cours d'arts plastiques. Au lieu de lire, je tiens un pinceau et fixe une toile vide. La peinture rouge sur mon pinceau me fait penser à celle sur la main d'Aimee. C'est une artiste. Est-elle douée ? Elle a les cheveux rouges.

... Red...

Saleté de rêve, il refuse de partir. Peut-être parce que je sais désormais que la fille est Aimee. Mais en principe, quand un rêve persiste autant et qu'Onawa en fait partie, c'est bien plus qu'un petit délire mental nocturne.

Ma main se met en action. Je lui laisse libre cours, ne songeant pas vraiment à ce que je fais. Je suis sur pilote automatique. Je peins et réfléchis, les deux tâches bien distinctes. Je ne peins pas souvent.

Je ne suis pas talentueux, mais j'aime ça. Des images incroyables me passent dans la tête, mais mes mains ne savent pas très bien les restituer.

Un Curly qui ressemble à Marilyn Monroe ? Je souris. Le papy et le petit frère d'Aimee ont l'air marrants. Mais qui peut bien proposer cinq cents dollars pour un Curly ?

Soudain, je me fige, mon pinceau posé en équilibre sur ma toile trente sur trente. J'ai représenté ma vision.

Aimee me regarde, ses cheveux de feu ondoyants, ses yeux verts et sa bouche grands ouverts.

Derrière elle, les yeux verts d'Onawa. Autour d'elle, les ténèbres aux ombres tournoyantes.

C'est dingue. J'imagine que personne d'autre ne les verra dans la couche de noir. Et personne ne reconnaîtra le modèle. N'est-ce pas ?

— C'est très bien, Alan.

Eh merde ! M. Burnham, juste derrière moi, se frotte le menton d'un air songeur en examinant mon travail. Proche de la trentaine, il arbore de courts cheveux bruns en brosse.

Le tatouage tribal sur son poignet gauche me laisse penser que c'est sûrement le prof le plus cool de ce lycée. Mais tout de suite, j'aimerais qu'il parte.

— Tu as remarqué que la sonnerie a retenti il y a déjà quelques minutes ?

Ça explique le calme ambiant. Je regarde tout autour de moi : il n'y a plus aucun élève.

— Je n'ai pas fait attention.

— Tu étais très concentré. Je peux écrire un mot à ton prochain professeur, mais il faut que tu enlèves ce tableau d'ici. Je nettoierai tes pinceaux.

Là, c'est officiellement le prof le plus cool.

— Dis-moi, ce sont des esprits, ces ombres dans les ténèbres ?

— Oui, j'imagine.

— Et les yeux verts ?

— Un couguar.

— Ton totem ?

Je ne sais pas quoi répondre. Je jette un œil à son tatouage. C'est tellement commun ; n'importe quel frimeur qui a envie d'avoir l'air mystique s'en fait faire un. Cela ne veut rien dire du tout.

— Vous vous y connaissez ?

— Un peu.

— Oui, c'est mon totem.

— Nous devrions tous avoir un guide spirituel. Ça nous rendrait la vie plus facile.

— Vous en avez un ?

— Non. Je sais que, du côté de ma mère, il y a eu, à une époque, du sang pentagouet, mais il n'est pas assez présent dans mes veines. Je ne suis qu'un vulgaire païen. Mais j'évite d'en parler autour de moi. Dans le coin, les gens sont assez conservateurs, si ça ne t'a pas encore sauté aux yeux.

Je hoche la tête. J'aimerais sécher le cours d'ébénisterie pour rester discuter avec lui, mais M. Burnham me prend le pinceau des mains.

— Va te nettoyer. J'ai une heure de pause. Je m'occuperai d'Aimee, de ton couguar et de tes pinceaux après t'avoir fait un mot.

— Vous la connaissez ?

— Aimee Avery est la meilleure artiste du lycée. C'est l'une de mes chouchoutes, évidemment. Tu es au courant qu'elle a un petit ami, n'est-ce pas ? C'est un Stanley.

Je lui lance un regard tellement penaud que même un aveugle aurait pu le déceler.

— C'est la seule personne qui me parle vraiment.

— C'est une gentille fille, dit-il en écrivant un mot sur un bout de papier. C'est qui, ton prof ?

Après l'ébénisterie, direction les vestiaires afin de me changer pour la course à pied. Chez moi, les Jets doivent être en train de s'entraîner pour le match de vendredi contre les Chickasha Fighting Chicks. Si les Jets gagnent, ils vont direct aux éliminatoires. Gagneront-ils sans moi ? Peut-être. Mais je préfère ne pas y penser.

L'équipe de course à pied est rassemblée devant le gymnase, autour de l'entraîneuse, Mme Treat, une femme fluette aux cheveux ternes et aux légères taches de rousseur, qui passe en revue l'itinéraire d'aujourd'hui.

Ne connaissant pas les noms des rues, je vais devoir rester près de quelqu'un qui sait où il va. Ce quelqu'un s'avère être Blake, qui se détache rapidement du groupe. Je le rattrape et prends son rythme.

— Je ne connais pas le chemin. Les noms des rues.

— Après deux ou trois fois, tu t'en souviendras.

Il n'est pas essoufflé. Ses mots sont ponctués par le bruit de ses pieds sur la route. Malgré la fraîcheur, nous sommes tous en short. Je jette un œil aux jambes de Blake : elles sont fermes, mais maigres. Il n'a pas vraiment de masse musculaire. Les muscles de ses mollets se contractent, mais ses cuisses en sont à peine dessinées. Lui, c'est le cardio, pas l'endurance. Il ne doit pas faire beaucoup de flexions. Nous courons ainsi une quarantaine de minutes sans parler davantage. Le dernier virage est encadré d'une petite supérette faisant office de station-service d'un côté et d'un drugstore de l'autre.

Le gymnase du lycée est à deux pâtés de maisons.

— Montre-moi ce que tu as dans le ventre, dis-je pour le défier.

Blake me lance un regard amusé, sûr de lui.

— C'est parti !

Il s'engage dans un sprint ; je l'imite. Derrière nous, les membres de l'équipe nous encouragent. Quelques « Allez, Blake ! » se détachent de la clameur.

Je le double sans souci et l'entends désormais lutter. Puis plus rien. Il est loin derrière. Dix mètres. Vingt.

Je longe la barrière qui entoure le terrain de foot et aperçois enfin Mme Treat, devant le gymnase, le chronomètre à la main. L'image des derniers mètres me séparant d'un essai qui enverrait les Jets aux éliminatoires me donne un ultime coup de boost. L'entraîneuse, que je dépasse en trombe, arrête le chrono et me suit du regard tandis que je commence à ralentir.

Blake finit à quatre grosses secondes derrière. Lorsque je vais lui tendre la main, il hésite un instant avant de me la serrer. Il expire des petits nuages de vapeur.

Je suis essoufflé, mais pas autant que lui. Les autres élèves arrivent au compte-gouttes. Mme Treat annonce les temps, et celui qui l'assiste les enregistre. Quand tout le monde est là, elle m'appelle.

— Tu es toujours aussi rapide ?

Je hausse les épaules.

— Je ne sais pas. J'imagine.

— Alan, tu as de grandes chances de courir dans l'équipe nationale si tu gardes ce rythme. C'est du bon travail.

Elle passe tout le groupe en revue et déclare :

— À la douche !

Dans les vestiaires, ceux qui ne m'avaient pas encore parlé viennent me féliciter. J'ai conscience d'être un bon athlète, mais tous ces compliments me mettent mal à l'aise. Je ne suis pas non plus Adrian Peterson[1], ou Barry Sanders[2]. Devant un banc coincé entre deux longues lignes de

---

1. Running back vedette de football professionnel américain.
2. Running back de football professionnel américain réputé pour son extrême vitesse.

casiers bordeaux, je tente d'emmagasiner tous ces éloges. Le sourire aux lèvres, je me penche vers le sol de béton froid pour dénouer mes lacets.

— C'est un Indien : il a l'habitude de détaler avec ses scalps pour ne pas se faire choper...

Un silence de mort emplit les vestiaires ; seul le bruit d'une douche résonne. L'air passe de glacial à bouillant, comme si la haine s'en était emparée. Une serviette tombe par terre avec un floc sonore. Les quelques personnes qui étaient devant moi décampent. Un garçon petit et maigrelet se tient debout, à côté de Blake. Je ne connais pas son nom, mais c'est de toute évidence l'auteur de la réflexion, car il me rend mon regard. Il ne doit pas faire plus d'un mètre soixante-dix et soixante kilos. Je fais au moins quinze centimètres et vingt kilos de plus.

— Qu'est-ce que tu viens de dire ? je lui lance.

Ce n'est pas la meilleure chose à faire, mais j'avance d'un pas vers lui. Ce n'est vraiment pas bien. J'avance encore d'un pas. Les autres s'éloignent davantage. Le garçon regarde Blake, mais celui-ci l'ignore. Encore un pas.

— Tu as parlé de scalps ?

— Du calme, mec, je déconnais, répond-il en levant la main pour m'arrêter.

Il recule vers un casier ouvert, où une tenue pend sur un crochet.

— Tu déconnais ? Tu racontes que je pique des scalps et que je fuis comme un lâche, et tu appelles ça « déconner » ?

— Mais ouais, mec. Tu sais, comme dans les films. Les Indiens scalpent toujours les gens..., tu vois...

— Je vois, ouais.

Je suis juste devant lui, et il m'arrive au torse. Il est obligé de lever la tête pour me regarder. Il ne constitue pas une menace. Peut-être pensait-il que Blake le soutiendrait.

— J'ai vu tous les vieux films sur les Indiens. Maintenant, je vais te dire un truc. J'ignore comment vous faites, dans le Maine, mais chez moi, quand quelqu'un nous insulte, on ne reste pas là, à lui tailler le bout de gras. On lui fout une bonne raclée.

— Sérieux, mec… Je déconnais, arrête !

Il recule d'un pas ; je le suis.

— Alan, calme-toi, Matt est un crétin. Ignore-le, c'est tout ! lance quelqu'un derrière moi.

— Il faut toujours qu'il ramène sa grande gueule, ajoute un autre.

Il y a de la peur dans les yeux de Matt. Il a eu sa dose, ça ira. Pour cette fois.

— Écoute-moi bien, visage pâle. Il n'y aura pas de second avertissement. Encore une vanne de ce genre et je te scalperai avec plaisir après t'avoir botté le cul, pigé ?

— OK, mec. On oublie tout ? répond-il en me tendant la main.

Je passe lentement de sa main à ses yeux qui me supplient. Le regard d'une personne peut vous en apprendre beaucoup. Matt est faible. Il se trouve drôle. Je hoche la tête, mais ne lui serre pas la main.

— On oublie tout.

La tension s'évapore, et tout le monde retourne se changer. Maman m'aurait tué si je m'étais déjà battu à mon deuxième jour. Je me douche, m'habille aussi vite que possible sans paraître trop pressé et pars prendre le dernier bus.

5

Aimee

Sur la route du retour, après l'entraînement, Blake est très désagréable, ce qui ne lui ressemble vraiment pas. Je suis sale et en sueur, et il s'en plaint :

— Tu dégueulasses ma voiture, Aim.

— Et toi, non, peut-être ?

Je m'appuie contre la portière.

— C'est différent.

— Première nouvelle ! Et pourquoi ça ?

Il marque une pause et sort :

— Parce que je suis un garçon.

— Non, je réponds d'un ton qui, je l'espère, sonne enjoué. Ce que tu es, c'est le Schtroumpf grognon !

Chris Paquette, à l'arrière à côté d'Eric, lance :

— Allez, faites la paix, les enfants ! Admettons que Blake est sexiste *et* grognon, et passons à autre chose.

— En fait, j'en ai juste marre, avoue Blake.

Il baisse le son de la musique afin que personne n'ait à couvrir de cris ces lourdes pulsations. Il détache les yeux de la route et les tourne vers moi :

— Tu ne comptes pas me demander pourquoi ?

J'entre dans son jeu à contrecœur. Ce que j'aime entre

autres chez Blake, c'est son côté positif. J'ai tendance à fuir tout ce qui est négatif.

— Pourquoi ?

— L'espèce de crétin de cousin de Courtney m'a battu à plates coutures aujourd'hui. On aurait dit un super-héros.

— Il lui a mis la fessée.

Eric se penche entre les sièges avant.

— Pour le relais, il sera premier. Blake, second. Moi, troisième. Toby et Dalton, quatrième et cinquième. Nous avons clairement une chance de courir en équipe et pas juste en individuels, cette année, pour la compète nationale.

— Je déteste perdre face à quelqu'un comme lui, marmonne Blake.

Eric et moi échangeons un regard étonné.

— Quelqu'un comme lui ? je répète en refaisant face à la route.

Est-ce que c'est parce qu'il est amérindien ? Ou pauvre ? Ou qu'il écoute du metal ? Aucune de ces raisons n'est acceptable. La colère et la honte brûlent en moi.

— Qu'est-ce que tu veux dire ?

— Rien, grogne Blake.

Rien ? Je me frotte le front tout en cherchant à comprendre ce qui est arrivé au Blake doux, gentil, pétri d'ambition, comment une personnalité peut autant changer. Mais il n'est pas seul dans ce cas. Tout le monde devient plus à cran, voire méchant. On sent une tension continue dans l'air. Nous passons devant l'église congrégationaliste, en direction de Bucksport Road.

— Je vais descendre ici, dis-je.

À peine ai-je un pied dans la maison que papy vient me tendre un cookie aux raisins secs et m'annonce :

— Ton frère fait des caprices.

Je mords dans le biscuit encore chaud.

— Comment ça ?

— Un sale môme l'a frappé à l'école.

Il jette un torchon sur son épaule anguleuse.

— La directrice m'a appris qu'il y avait des bagarres tous les jours en ce moment. Elle ne sait pas ce qui se passe. On l'aurait dit à deux doigts de capituler. En tout cas, j'ai conseillé à ton frère de ne pas se laisser faire. Il m'a déclaré qu'il était pacifiste. Je lui ai répondu qu'on n'acceptait aucun pacifiste dans cette maison. Va lui parler, Aimee.

— Moi ?

— Il a besoin d'une présence féminine, et tu t'es toujours montrée très douée pour calmer les gens.

Papy tente son sourire charmeur.

— Je te ferai d'autres cookies.

— Très bien.

M'occuper de Benji pourrait m'empêcher de penser à Alan et de sombrer dans la folie. Qui sait ? Ça m'évitera peut-être de me rappeler mes rêves.

Le pauvre Benji est perché dans sa cabane que nous lui avons construite pour son anniversaire l'année dernière. Elle est en forme de tipi et, à l'aide d'une échelle, on accède à une petite terrasse à la vue plutôt sympathique sur la rivière. Aujourd'hui, le vent porte le parfum salin de la mer. J'aime cette odeur.

Je craignais de le retrouver en position fœtale, en train de pleurer à chaudes larmes, mais rien de tout cela.

Debout sur la terrasse, il lance le plus loin possible des bouts de bois. Tandis que je grimpe l'échelle, l'un d'eux atterrit contre un sapin, ce qui fait paniquer un écureuil.

— Tu es un sacré petit gars, lui dis-je en m'appuyant sur la rambarde.

Il grogne. J'insiste :

— C'est vrai.

Il hausse les épaules, mais son visage se détend un peu. Il casse un bout de bois en deux et dégage du pied quelques épines qui traînent. Il se met alors à en débarrasser toute la cabane.

— Qu'est-ce qui se passe à l'école ?

— Tu t'en fiches.

— Tu as raison. C'est pour ça que je suis montée ici te regarder balayer des épines plutôt que de prendre un goûter, faire mes devoirs ou peindre.

— Tu évites papy, c'est tout.

Je m'installe par terre, les genoux tirés contre ma poitrine.

— Il est casse-pieds parfois.

— Au moins, il est là, lui, rétorque Benji avant de sortir de la poche arrière de son jean un mouchoir bien usagé pour se moucher.

— Qu'est-ce que tu veux dire ?

— Maman n'est pas là.

— Elle ne *peut* pas, Benji. Tu le sais, elle est morte.

Il se frotte le coin de l'œil comme il le fait le matin pour se les nettoyer, mais nous ne sommes pas le matin. Puis il ajoute :

— Papa n'est jamais là.

— Il a beaucoup de travail.

L'excuse semble aussi boiteuse que quand papa la donne, mais c'est vrai.

Ce n'est pas un mauvais père. Il a juste une profession très prenante. Je change de tactique :

— Tu as une sacrée bosse sur le front. Tu t'es battu ?

— Un garçon a traité maman de folle.

Je m'étrangle :

— Maman avait une maladie mentale. Elle était bipolaire. Tu t'en souviens, n'est-ce pas ?

Il hausse les épaules.

— Elle n'était pas folle, lui dis-je de la même façon que papy me l'a rabâché après sa mort. Elle n'était pas folle, mais malade. Elle était belle, bonne, gentille, mais parfois, elle ne contrôlait pas ce qu'elle ressentait.

— C'est quoi la différence entre être fou et malade ? demande Benji.

Je me rappelle comme maman était tendre, la plupart du temps. Sa manière de poser sa main sur mon front quand je ne me sentais pas bien. Le sentiment de sécurité qui m'envahissait, serrée que j'étais dans ses bras. Sa voix plus douce qu'un murmure lorsqu'elle chantait des berceuses. Seulement, certaines fois, elle était ailleurs.

Mais je ne parle pas de tout cela. Je me contente d'un :
— Je ne sais pas vraiment.

L'écureuil nous débite un discours furieux en sautillant sur une branche, nous pointant du doigt – enfin, de la patte.
— Cet animal a un sérieux problème... dis-je à Benji.

Une énorme pause suit ; le monde entier semble suspendu aux lèvres de mon frère. Il finit par déclarer :
— Je crois que notre maison est hantée.
— Moi aussi.

Son visage s'illumine.
— C'est vrai ?
— Oui. Je me demande si ce n'est pas maman qui veille sur nous. Parfois, j'ai l'impression de sentir son savon à la vanille. Ne me regarde pas comme ça, Benji, je ne délire pas !

Alors que je m'apprête à continuer, cet abruti d'écureuil me lance un gland sur l'épaule. Un gland !
— Mais c'est pas possible !

Benji est sidéré.
— Il t'a attaquée !

Un nouveau gland fonce sur nous et atterrit sur la terrasse.
— Arrête d'embêter ma sœur ! crie Benji en se mettant à jeter des bouts de bois sur le rongeur.
— Je te croyais pacifiste.

Benji lève un sourcil étonné.
— Pas quand il s'agit de toi. De toute façon, j'ai dit ça pour énerver papy.

— Regarde, il a du renfort ! je m'écrie en montrant deux autres écureuils.

— À l'attaque ! hurle Benji.

J'attrape une pomme de pin et la lance.

— Laissez-nous tranquilles !

— Bande de losers !

— Crétins !

Nous ne cessons notre charge. J'ignore ce que nous ferions si nous en blessions un, mais lutter contre le monde entier avec Benji est agréable. C'est enfin la débandade chez les rongeurs, qui disparaissent en haut de l'arbre.

— Ils battent en retraite ! s'exclame Benji en sautillant, le poing en l'air.

— On a cassé la baraque, p'tit gars.

Je lui fais le signe que tous les rockers échangent, et il me serre dans ses bras. Je ne lui demande pas s'il se sent mieux. Je n'ai pas envie de gâcher ce moment. Je *sais* qu'il va mieux.

— Ta tête te fait mal ?

— Un peu.

Il débarrasse du bout du pied les quelques épines restant sur la terrasse.

— Tu veux toucher ?

— Ça ne te dérange pas ?

— Parfois, tu soulages les choses !... lance-t-il, l'air de rien.

Je pose doucement la paume sur son front, et ma main se met à picoter. Il se détend. Je retire ma main.

— Tu as moins mal ?

— Carrément.

Il tâte sa bosse.

— Elle a diminué ?

— De moitié, dis-je en souriant.

— J'aimerais bien avoir ce don. D'après papy, maman l'avait aussi. J'ai voulu en parler à papa, mais il s'est fâché.

— Ce n'est pas grand-chose.

— Si ! Tu rabaisses tout ce que tu sais faire. Peindre, c'est pas grand-chose. Le foot non plus. Ça m'énerve !

Il me lance un regard furieux.

— Désolée, je soupire.

— Mouais… Pourquoi papa se met en colère quand on parle de ça ?

— Ça doit lui rappeler à quel point maman lui manque.

Je garde pour moi un autre doute qui doit ronger mon père : si j'ai hérité des dons de guérisseuse de maman, il y a des chances que j'aie également hérité de son trouble bipolaire… Je propose plutôt à Benji de peindre sa cabane.

Ses yeux s'agrandissent de surprise :

— Sans rire ?

— Oui.

— On pourrait faire une peinture murale, avec des dragons, des chevaliers, tout ça ?

J'étudie les planches inclinées en imaginant des scènes de chevaliers défendant l'honneur de leurs dames, de dragons crachant de longues flammes menaçantes.

— Très bonne idée !

— Je peux t'aider ?

— Bien sûr !

Je lui ébouriffe les cheveux comme le ferait n'importe quelle grande sœur Mac-américaine. L'espace d'un instant, c'est ce que nous sommes : le rêve Mac-américain.

Mais nous ne sommes pas n'importe lequel. Notre mère est morte. Notre père est aux abonnés absents la plupart du temps. Mon petit copain devient raciste, ce qui signifie qu'il ne peut PLUS être mon petit copain. Ma meilleure amie est dévorée par le chagrin.

Et moi ?

Ces derniers temps, le monde paraît peser de tout son poids sur mes épaules, me poussant vers le bas. Je me demande si c'était ce que maman ressentait quand elle était déprimée et gardait les yeux rivés sur cette rivière.

On entend un plouf dans l'eau. Un nuage assombrit le ciel.

— Aimee ? dit Benji d'un ton plein d'angoisse.

Je lui attrape la main et la serre.

— Quoi, mon chou ?

— Les fantômes ne peuvent pas nous faire mal, hein ?

Je réponds d'une voix aussi rassurante et calme que possible :

— Tu ne crains rien avec moi, OK ?

Il se mord les lèvres, puis me demande :

— OK. Mais s'ils me faisaient mal, tu me soignerais, hein ?

— Bien sûr.

Au bruit du minivan s'engageant dans l'allée, je saute de la cabane et coince mon père devant le garage.

— Salut, toi ! me lance-t-il en sortant ses longues jambes de la voiture.

Il ouvre grand les bras ; je m'y jette.

— Tu as mangé des spaghettis ce midi ? je demande en me dégageant un peu.

— C'étaient des restes. Comment as-tu deviné ?

— Ta cravate sent la sauce tomate.

Il s'empare de cette espèce de cartable de cuir qui lui sert de mallette. Je l'aide en lui donnant son courrier et son mug de voyage, puis il se tourne vers la maison.

— Comment ça s'est passé à l'école ?

— Bien.

Je lui barre le chemin et déglutis péniblement. Il me regarde et attend. Il est loin d'être bête, mon père, il sait que quelque chose ne va pas.

— Qu'est-ce qu'il y a, trésor ?

Un aigle se hisse dans le ciel au-dessus de nous en faisant des cercles.

— Tu manques à Benji.

Il fronce les sourcils :

— Comment ça ?

— Il a besoin de toi. Tu travailles beaucoup en ce moment.

Il recule d'un pas.

— Les choses sont compliquées au boulot...

Je ne le laisserai pas se défiler avec son discours habituel.

— Papa.

— Tu as raison, je n'ai aucune excuse.

Son mug balance sur ses doigts.

— Je vais essayer de me rattraper.

Je vide alors mon sac :

— C'est juste que papy est à cran ces derniers temps. Moi, je suis souvent au foot, et un crétin a frappé Benji à l'école. Il a besoin de toi, il est vulnérable.

Il se raidit.

— Aimee, nous sommes toujours vulnérables.

6

Alan

Une fois rentré, j'attrape une barre de céréales et monte mettre un pantalon de jogging et des tennis. Courtney file directement dans sa chambre en claquant la porte. Je quitte la mienne en la prévenant :

— Je vais me promener !

Elle ne répond pas. Je dévale les marches jusqu'à la porte d'entrée, que je laisse ouverte étant donné que je n'ai toujours pas la clé. J'ai envie d'explorer les bois derrière la maison. Je vais jusqu'au bout du pâté de maisons et tourne pour suivre le chemin menant aux arbres.

Dans l'Oklahoma, nous n'avons pas de bois. Pas comme celui-ci en tout cas. Pas dans la ville où je vivais. Une fois mon permis en poche, j'ai dû tirer jusqu'au lac Thunderbird, à une petite heure de route, pour trouver une vraie forêt. J'ai dit à ma mère que j'allais dormir chez Chance Botkin pour deux nuits, et suis parti dans le parc pour ma quête de vision.

Je lisais tout ce que je pouvais sur les Amérindiens en général, mais je m'intéressais particulièrement aux peuples du Sud-Ouest, et plus précisément les Navajos. J'avais appris qu'à la puberté, les garçons partaient en quête de vision, où ils découvraient leur totem.

Leur destinée leur était même parfois révélée. J'ai fait précéder mon périple de deux jours de jeûne. Une fois sur place, j'ai creusé le sol sous ma tente afin de construire un semblant de hutte à sudation. J'y suis resté assis la première matinée, toujours sans manger. Après cette expérience très intense, j'ai récité toutes les prières au Grand Esprit glanées dans des livres et sur Internet.

Le soir, j'ai mâché un petit bout de peyotl acheté en ligne. Trois jours de jeûne, une matinée dans la hutte à sudation, puis le peyotl. Après tout ça, qui n'aurait pas de visions ? Si je ne gardais pas précieusement ce qui se trouve dans ma pochette médicinale, je pourrais penser avoir été victime d'hallucinations ce jour-là.

C'est là qu'Onawa est venue à moi. Les divers totems représentent différentes choses. Le couguar est supposé être un leader, conscient de sa force, et un messager entre les humains et les dieux ou les esprits. Les personnes dont le totem est le couguar sont censées posséder ces traits de caractère. Je ne suis pas certain que ce soit mon cas.

Ma pochette cogne contre mon torse tandis que je grimpe une petite côte menant à des arbres plus épais. Tout est si calme... Les épines forment un tapis moelleux au sol. L'air est humide et lourd.

Le seul bruit perceptible est celui de mes pas qui me portent en haut du chemin. Là, au pied d'une pente douce truffée d'arbres, de l'eau scintille. Ça doit être une rivière. Je descends jusqu'à la rive après les bouquets d'arbres.

Le courant n'est pas rapide, mais l'eau paraît profonde. J'ai aperçu l'océan plus tôt. La rivière doit s'y jeter.

— Qu'est-ce que je donnerais pour avoir un canoë, tout de suite, dis-je en murmurant.

Ma voix me semble étrangère, tout comme j'ai l'air d'un étranger ici. Mais en vérité, je me sens attiré par cette rivière et ces bois. Toutefois, le football n'est pas la seule raison pour laquelle j'étais furieux de déménager.

Il y avait aussi mon père.

Je sais très bien qu'il n'a jamais essayé de me retrouver, mais en venant vivre ici, j'ai l'impression que je ne le trouverai jamais non plus.

Je regrimpe la côte, sors des bois et suis de nouveau dans la rue. La nuit tombe. Les habitations qui me séparent de celle de tante Lisa sont toutes éclairées.

À l'approche de la maison, je remarque que la chambre de Courtney est allumée. Soudain, je me fige : je distingue une silhouette à sa fenêtre.

C'est un homme.

Un homme imposant.

Tout ce que je peux voir, c'est une ombre massive de l'autre côté de ses minces rideaux roses. Elle semble regarder par la fenêtre. *Me* regarder.

Je fonce vers la maison, y entre en trombe et monte l'escalier à toute vitesse. J'hésite un instant devant la porte de Courtney, puis attrape la poignée et l'ouvre brusquement. Ça sent la charogne. Courtney est sur son lit.

Elle sursaute et tente de cacher un livre derrière son dos tout en se mettant à me crier dessus :

— Non, mais tu te crois où ? Sors de là ! Sors tout de suite de ma chambre !

Elle est toute seule.

— Je pensais avoir vu quelqu'un d'autre. Un homme. Je pensais...

— Sors ! Tout de suite !

J'obéis. Je ferme sa porte et vais me jeter sur mon lit.

— Espèce de grosse tarée satanique, je lance au plafond.

Il n'y avait pas d'homme dans sa chambre. Il n'y avait qu'elle, cette odeur de pourriture, ses affaires de fille et un livre qu'elle ne voulait pas que je voie.

Je décide de sortir des cartons ce que j'ai apporté de chez moi. Mon vrai chez-moi. Quelques minutes plus tard, mon téléphone sonne. C'est mon premier appel depuis que je vis ici. J'ai toujours l'indicatif de l'Oklahoma, bien sûr[1]. La mélodie de Danzig, *Mother*, m'indique que c'est ma mère.

— Rejoins-moi à l'extérieur, lâche-t-elle quand je décroche.

Les phares d'une voiture entrant dans l'allée éclairent ma chambre. Un second véhicule suit. Je pourrais simplement regarder par la fenêtre, mais je descends.

Dehors, maman et tante Lisa, un large sourire aux lèvres, se tiennent devant une Ford F-150 de 1972 impeccable.

— Si le pick-up te plaît, le vendeur a dit que je pouvais lui apporter ton argent demain, m'annonce maman, tout excitée. Après le coup de fil de Lisa et les photos qu'elle m'a envoyées par e-mail, j'ai su que c'était ce qu'il te fallait !

J'enlace maman avec tendresse avant d'aller me glisser sur le siège conducteur. Je vais enfin pouvoir me déplacer seul. Être indépendant. Super !

— Je vais lui faire faire un petit tour, je déclare en frôlant des doigts le gros volant, le levier de vitesse, puis le contact.

— Je ne sais pas, Alan, intervient maman. Tu n'es pas assuré. Tu n'as même pas encore ton permis du Maine[2].

— Oh ! Holly, laisse-le, la coupe tante Lisa. Alan, reste dans la ville. Si Nathan Wainscott t'arrête, dis-lui qui tu es et que tu viens juste d'acheter ce pick-up à John Farley.

— Nathan Wainscott ?

— C'est le policier de service, le soir, explique tante Lisa. Ne fais rien de mal, et il ne t'embêtera pas.

— Promis !

Après le rugissement du démarrage, le moteur prend un petit rythme tranquille. J'ai conscience du sourire idiot sur mon visage.

---

1. Aux États-Unis, les numéros de téléphone commencent par un indicatif régional, attribué par l'État où l'on achète son téléphone.
2. Aux États-Unis, chaque État a ses propres règles et délivre son propre permis.

Je ferme la porte et passe la marche arrière. Le pick-up se glisse sur la chaussée. Il a de bons freins. Je passe la première et appuie sur l'accélérateur.

La vieille Ford m'éloigne tout en douceur. Il n'y a aucun raté, aucun à-coup, aucun son bizarre et aucun voyant lumineux indésirable. Le chauffage fonctionne, la radio et les essuie-glaces aussi. Il n'y a pas d'air conditionné, mais ils n'en ont peut-être pas besoin ici.

Je me rends alors compte que la ville de Goffstown est si petite qu'elle ne doit même pas apparaître sur la carte régionale. Je parcours les différents quartiers, passe devant une épicerie, fais le tour du lycée, longe une départementale cahoteuse et finis par me retrouver devant la maison de tante Lisa. Je me gare derrière son quatre-quatre et coupe le moteur.

Terminé, le bus !

Je glisse les clés dans ma poche et rentre. Tout le monde s'affaire autour de la table.

— Alan !

Tante Lisa me fait signe de m'asseoir.

— Je vais manger dans ma chambre, annonce Courtney en me jetant un regard noir avant d'attraper son assiette et de monter.

Je l'observe tout en allant m'installer.

— Alan, c'est vrai que tu es entré dans sa chambre sans frapper ? demande maman.

Tante Lisa et elle me dévisagent, attendant une réponse.

Je hoche la tête d'un air coupable.

— Oui.

— Pourquoi ?

— Je…

J'ai cru voir le croque-mitaine à sa fenêtre. Je ne peux pas dire ça.

— Je suis allé me promener après les cours. À mon retour, j'ai cru voir quelque chose à sa fenêtre. J'étais inquiet, c'est tout.

Maman répète, comme si elle tentait de se convaincre de ma sincérité :

— Tu étais inquiet.

— Aimee a téléphoné pendant que tu étais sorti ! lance tante Lisa pour changer de sujet. Elle veut que tu la rappelles, Alan.

Elle marque une pause, ses sourcils se rejoignent pour former une ride profonde au-dessus de son nez. Elle cherche quelque chose à dire.

Aimee voulait me parler. Pourquoi ?

Maman baisse les yeux sur la table ; je l'imite. Dans diverses assiettes se trouve de quoi remplir nos hamburgers. Je tends le bras vers les pains.

— Va te laver les mains, Alan, et assieds-toi pour manger, m'ordonne maman. J'exige que tu sois très prévenant vis-à-vis de Courtney, tu entends ?

Je me lave les mains et m'installe pour mon second hamburger de la journée. J'attends quelques minutes avant de demander :

— Tu as dit qu'Aimee voulait me parler ?

— Elle sort avec Blake Stanley depuis très longtemps, lâche tante Lisa. Personnellement, je trouve que l'intelligence de ce garçon est au niveau de ses muscles.

Je repense à ma victoire contre lui, aux dix kilomètres. Si toute son intelligence est dans ses muscles, il est plutôt mal loti. Je me force à ne pas engloutir mon hamburger en deux bouchées.

Je sens les deux femmes qui m'entourent me regarder : elles se doutent que je suis bien plus excité que je ne veux le laisser paraître.

Elles discutent de leur travail à l'usine, mais leurs yeux ne cessent de glisser vers moi, et de petits sourires tirent sur leurs lèvres. Je n'en peux plus.

Je fourre le dernier quart du burger dans ma bouche et le fais descendre à l'aide d'une bonne lampée de coca.

— Je devrais la rappeler, dis-je en me levant de table.

66

— Vous allez discuter de son petit copain ? me taquine maman.

Tante Lisa pointe le téléphone sans fil du doigt et me dicte le numéro.

La sonnerie bourdonne dans mes oreilles.

— C'est son numéro de portable, au cas où ça t'intéresse, ajoute-t-elle. Et le téléphone fonctionne à l'étage, si tu veux être tranquille.

J'hésite à rester en bas juste pour leur montrer que je n'ai rien à cacher, mais je ne peux pas.

Je monte les marches deux par deux, et Aimee répond lorsque j'en suis à la moitié.

— Salut, Aimee, c'est Alan. Alan Parson. Le nouveau.

— Je sais qui tu es, Alan.

On dirait qu'elle sourit. Est-ce qu'elle sourit ? J'espère... Je grimpe les dernières marches et file dans ma chambre.

— Tu voulais me parler ?

— Oui.

— Qu'est-ce qui se passe ?

— Je voulais juste m'assurer que tu allais bien. On a discuté avec les potes sur le chemin du retour. Je n'arrive pas à croire que tu aies battu Blake.

Elle a appelé pour parler de son petit ami ?! Super ! Elle veut peut-être que je le laisse me battre ? Je garde un ton le plus neutre possible :

— Bah, ouais. Mais il est bon. Je l'ai juste distancé sur les derniers mètres.

— Il était super furax. Il est monté jusqu'à cent quarante sur le trajet du retour. Il a l'esprit de compétition. Il ne s'était pas fait battre depuis le collège.

— Oh !

— Il a besoin de compétition, mais... il semble l'avoir vraiment mal pris. On aurait dit quelqu'un d'autre...

Elle fait suivre sa phrase d'un silence, comme si elle ne parlait pas seulement de cette histoire de course.

Non, c'est stupide, je ne fais que donner des connotations à ses paroles. Tiens, connotations... Ça fait partie des mots à apprendre pour le cours d'anglais.

— N'importe quel athlète a besoin de compétition, je me sens obligé de répondre.

Un nouveau silence gênant.

— Alors, tu vas mieux ? Tu n'as pas eu d'autres vertiges ?

— Non, ça va. Désolée pour tout à l'heure. J'espère que je ne t'ai pas fait flipper. C'était vraiment bizarre. Mais je vais bien maintenant. Merci d'avoir été là.

— Pas de souci. Tu m'as sérieusement inquiété quand même...

Elle marque une pause.

— Hmm. C'est très gentil, mais je vais bien. Désolée de t'avoir inquiété.

— Ouais. Euh...

Elle a forcément quelque chose à me dire. Pourquoi a-t-elle réellement téléphoné ? Je cherche un nouveau sujet afin qu'elle ne raccroche pas :

— Est-ce que les cours de Swanson sont toujours aussi barbants ?

Elle a un petit rire poli.

— On le surnomme monsieur Monotone, à cause de sa voix tout le temps plate. Sauf quand il est en colère : là, c'est un vrai volcan en éruption ; ses yeux deviennent tout rouges. S'il l'est moyennement, il crie sur la classe entière. S'il est super méga énervé, il sort de la salle comme une furie avant de revenir au bout d'un certain temps et ne tarde pas à envoyer quelqu'un chez le directeur pour avoir reniflé ou s'être affalé sur sa chaise. Il n'est pas méchant, seulement bizarre parfois. Il paraît qu'il se roule des joints pendant ses heures de pause pour rester zen.

Encore un long silence, que je finis par briser :

— Tu m'as simplement appelé pour me prévenir que Blake m'en voulait ?

— Oh ! ce n'est pas ça. Il ne t'en veut pas à toi en particulier. Il est juste dégoûté que quelqu'un l'ait battu.

Elle hésite.

— Mais non, ce n'est pas pour ça que je t'ai appelé.

— D'accord...

Elle marque une nouvelle pause.

— Bien. Euh... En fait, j'ai vu ta peinture dans la salle de monsieur Burnham.

Mince ! J'avais oublié cette histoire. Le rouge me monte aux joues.

— C'est vrai ?

— Oui.

Est-ce qu'elle s'est reconnue ? Question stupide. Évidemment qu'elle s'est reconnue. Elle n'aurait pas téléphoné sinon.

— Je suis désolé. Je peignais en pensant à autre chose. Je laissais juste mes mains faire le travail, puis Burnham est venu me dire que je n'avais pas entendu la sonnerie. Je ne m'étais même pas rendu compte de ce que je peignais. Enfin, que je *te* peignais...

— Tu ne t'en es pas rendu compte ? lance-t-elle d'un ton sceptique.

— Non.

— Donc, tu prétends avoir brossé inconsciemment un portrait de moi en train de hurler, tandis que des fantômes s'agitent dans mon dos et qu'un couguar assiste à toute la scène ?

— Un couguar ?

A-t-elle vraiment pu reconnaître les yeux d'Onawa ? Là, ce serait bel et bien inquiétant.

— Ce n'étaient pas des yeux de couguar ?

— Si. Je ne pensais pas que tu le devinerais, c'est tout.

— Alan, j'aimerais te demander quelque chose. Tu vas sûrement me croire folle, mais quand j'ai vu ta peinture, j'ai réellement flippé.

Elle marque une longue pause.

— Non, je ne peux pas… Désolée, je ne peux pas. Je ferais mieux de te laisser.

— Je ne te prendrai pas pour une folle, je rétorque avant qu'elle ne raccroche.

— Très bien. Je sais que je vais loin, mais… tu peux me le promettre ?

— Je te le promets.

Je trouve qu'elle est beaucoup de choses, mais sûrement pas folle.

Elle retient son souffle si fort que je l'entends à l'autre bout du combiné. Puis elle lâche :

— Est-ce qu'il t'arrive de faire des rêves… prémonitoires ?

— Pas vraiment.

Ma main cherche le contact de la pochette médicinale sur mon torse. Comment lui dire, pour Onawa ?

Sa voix se fait toute basse :

— Moi, si.

L'espace d'une minute, nous restons silencieux.

— Je ne te prends pas pour une folle, finis-je par déclarer.

— Oh ! merci, c'est très gentil… Je… Je ne crois pas que tu sois fou non plus.

Elle fait un petit bruit de hoquet.

— Écoute, Alan, je n'ai pas envie de parler de ça au téléphone, mais il faut qu'on discute, car mon rêve est loin d'être rassurant et, sans vouloir passer pour une mauviette, il me fout vraiment les jetons. On devrait se voir. Pas à l'école. Trop de personnes pourraient nous entendre.

Blake serait jaloux. Je garde cela pour moi et lance plutôt :

— Très bien. Où et quand ?

— Demain. Je te tiens au courant. Que la paix soit avec toi, Alan.

La paix ?

* * *

J'ai promis à maman de ne jamais dormir avec ma pochette médicinale. Depuis mon retour du lac Thunderbird, d'où je l'ai rapportée, elle a fini par m'autoriser à la garder, mais pas au lit.

— La lanière peut t'étrangler dans ton sommeil, a-t-elle dit.

Je n'étais pas convaincu que ça arriverait, mais j'ai fait la promesse. Je suis tout de même en train de serrer ma pochette contre moi.

Et je prie, ce que je ne fais pas souvent. Évidemment, j'échange dans ma tête avec Onawa tout le temps, mais ce n'est pas pareil. Onawa n'est pas le Grand Esprit. J'imagine que ce dernier m'intimide.

Sérieusement, qui suis-je pour m'adresser à un dieu navajo, bien que ce soit celui à qui tout le monde s'adresse, mais sous un nom différent ? Je ne connais même pas mon père. Je ne peux pas m'inscrire au registre des Indiens, car maman n'est pas certaine à cent pour cent que mon père est navajo ou que le surnom qu'il lui a donné est le bon. J'ai l'impression de réclamer quelque chose qui ne m'est pas vraiment dû.

Je suis allongé dans mon lit. Tout le monde dort dans la maison. Le silence devrait être complet, mais le grattement continue sous le sol des chambres du haut. Est-ce seulement des souris ? Je n'en suis plus si sûr.

Maman a rencontré mon père lors d'une fête. Ils ont fait l'amour. Apparemment, le préservatif a craqué, et j'en suis la conséquence. Tout ce que maman a pu m'apprendre sur lui est qu'il était très charmant, grand, musclé, avec de longs cheveux et un regard intense. « Des yeux de mauvais garçon », comme elle dit. D'après elle, j'ai les mêmes. Elle était un peu ivre, mais elle a senti son regard fixé sur elle. Ils ont juste échangé quelques mots avant de se glisser dans une chambre. Il lui a appris que son nom était Cerf Blanc, qu'il était navajo et ne vivait pas à Oklahoma City. C'est tout. Ils ont couché ensemble, sont retournés à la fête, puis il a disparu. Elle ne l'a jamais revu. Elle n'a même pas une photo de lui.

Elle a stoppé les sorties lorsqu'elle a découvert que je grandissais dans son ventre. Elle ne m'a jamais dit tout ce qu'elle faisait avant, mais ce que je sais me suffit à penser qu'elle menait une vie assez difficile.

Elle a arrêté de boire, a trouvé un travail dans une usine de pneus après ma naissance et y est restée jusqu'à notre départ pour le Maine.

Elle m'a donné le nom de mon père. Alan Cerfblanc Parson. Elle voulait que le fait qu'il soit indien apparaisse sur mon acte de naissance, mais sans son nom de famille, c'était impossible.

— Nous n'avons pas besoin de leur argent de casino[1], a-t-elle conclu en me racontant cette histoire.

Je me fiche de l'argent. Qui que soit Cerf Blanc, il a sûrement sauvé ma mère en la mettant enceinte. Quand j'étais petit, j'imaginais que le Grand Esprit l'avait envoyé pour venir en aide à maman et me créer, ce qui est sans aucun doute assez prétentieux. Mais Onawa me conforte dans cette pensée. Sans ma quête de vision, j'aurais l'impression d'avoir inventé ce totem de toutes pièces afin d'en savoir plus sur mes origines. Les parents de maman, morts tous les deux, étaient les petits-enfants d'immigrés allemands. Très bien. Je suis à moitié allemand. Mais ce n'est pas la moitié qui m'intéresse.

Les seules prières que je connais ont été dénichées sur Internet. Prier est tout de même la meilleure chose à faire. Allongé sur mon lit, à écouter les grattements, je me mets à réciter en boucle un bout de prière cherokee.

— Le Calme et la Paix m'envelopperont, car je ne gagnerai rien à craindre ce monde chaotique.

Ne pas craindre ce monde chaotique. Parfois, c'est ce que nous avons de mieux à faire.

---

1. Dans l'Oklahoma, seuls les Indiens gèrent les casinos.

Je suis dans un demi-sommeil. C'est là qu'Onawa me retrouve, en principe. Je ne pense qu'à Aimee. Aimee me criant quelque chose tandis que les ténèbres se referment sur elle. Est-elle possédée ? Je l'ignore. Ses cheveux de feu volent autour de son visage. Comme sur ma peinture.

Le souvenir du tableau interrompt la vision. Onawa m'appelle. Elle a d'autres choses à me dire, mais je n'entends rien. J'ouvre les yeux et sens le rouge me monter de nouveau aux joues en imaginant Aimee devant ma peinture bâclée.

— Mais quel crétin !... dis-je tout haut.

Ça l'a tout de même poussée à me téléphoner, et elle ne semblait pas furieuse.

Le jour se lève. Je m'habille, puis descends mettre la cafetière en route et l'eau à bouillir pour le porridge. Je me retourne et tombe sur tante Lisa.

— Tu as l'air dans ton élément dans une cuisine, Alan.

Elle me fait un sourire encore fatigué avant d'ajouter :

— Je ne te traite pas de fille, hein !

— C'est le moins que je puisse faire pour la tante qui m'a déniché un pick-up aussi génial. Tu veux du porridge ?

Maman et Courtney finissent par descendre. Je cours dans ma chambre chercher mes livres et, lorsque j'en sors, le ton est monté, en bas.

— Non, je n'irai pas avec lui. Je prendrai le bus comme d'habitude, déclare Courtney assez fort pour que je puisse l'entendre de là-haut. Je ne l'aime pas.

— Pourquoi ? répond tante Lisa. Alan est un gentil garçon.

— C'est un abruti. Il est entré dans ma chambre !

— Courtney Rae Tucker ! Je t'interdis d'utiliser ce langage et ce ton dans cette maison, en particulier au sujet de la famille !

Tante Lisa est furieuse. Je me demande ce que fait maman. Logiquement, elle est encore dans la cuisine. Je me sens gêné, même si je suis toujours en haut.

— Va te faire foutre ! hurle Courtney.

Même moi, je suis choqué, alors que j'ai plutôt l'habitude d'entendre des ados insulter leurs parents. Elle traverse en trombe la salle à manger et quitte la maison, ne prenant même pas la peine de fermer la porte derrière elle.

Tante Lisa se met à pleurer. Maman lui dit quelque chose que je ne saisis pas, car au même moment, une chose pointue me percute le dos.

Une douleur soudaine et inattendue s'empare de ma colonne vertébrale. Je ne peux m'empêcher de pousser un petit cri, comme un chien qui vient de se faire marcher dessus. Ce qui m'a heurté tombe sur le sol dans un bruit de verre brisé.

Dieu que ça fait mal !

Je baisse les yeux sur une photo de Courtney sous cadre. Elle a dû être prise en début d'école primaire. Le verre est cassé, et un coin de la photo est plié. La petite Courtney me regarde avec un joli sourire édenté. Elle n'a pas l'air d'une fille qui insulterait plus tard sa mère.

J'ai mal au dos. La douleur n'est plus aussi aiguë, mais elle est toujours là, et je ne peux même pas l'atteindre des doigts afin de la calmer.

Qu'est-ce que c'était ?

Je passe le couloir en revue et tombe sur un petit rectangle au mur, plus clair que le reste. Je me tenais à au moins cinq mètres d'ici quand la photo m'a heurté.

Les poils de mes bras se hérissent de nouveau.

Cela ne peut pas être une coïncidence. Impossible.

7

Aimee

Tu es à moi. Tu es toute à moi.
Malgré cette voix stupide qui résonne dans ma tête, je décide, comme d'habitude, d'aller faire du kayak après m'être levée.

Il n'y a pas eu que la voix cette nuit. J'ai rêvé de garçons, sous l'eau, et d'un phoque qui m'observait. La rivière est calme. Le kayak glisse si paisiblement que je crois presque sentir le souffle de ma mère lorsqu'elle m'embrassait avant de me coucher, l'entendre dire mon nom. Des balbuzards forment des cercles de plus en plus larges au-dessus de moi, rattrapant les vents.

J'aimerais rester ici à jamais, mais il y a cours. Il y a toujours cours.

Je rentre me préparer et embrasse tous les hommes de ma vie ; Benji feint de vomir. Je lui donne une petite tape sur le bras de manière mécanique ; je ne suis pas vraiment à ce que je fais. Sous la douche, j'établis la liste des choses à effectuer aujourd'hui, mais la première d'entre elles me fait chanceler ; je glisse dans la cabine et me cogne au mur carrelé. Aujourd'hui, je vais devoir rompre avec Blake.

Il vient me chercher dans sa Volvo. J'entre et pose mon sac sur mes genoux. Blake se penche vers moi.

Ne pouvant pas me reculer davantage, je tourne la tête afin qu'il m'embrasse la joue.

— Comment va ma groupie préférée ce matin ? demande-t-il en quittant l'allée comme si tout allait bien.

Il monte la musique à plein volume. Il le baisse tout le temps quand il vient me chercher afin que papy n'ait pas à nous faire la leçon sur nos précieux tympans.

— Ça va.

C'est comme si ma détermination s'était défilée dans les canalisations de la salle de bains. Blake me parle de sa musique, de la course à pied, et encore de sa musique. Puis il lâche soudain :

— Il m'a battu par pur coup de chance.

— Hein ? Qui ça ?

Totalement déconnectée, je ne vois pas de quoi il parle.

— Cette espèce d'Indien. Le cousin de Courtney.

Mon cœur se met à tambouriner. La voiture descend en direction du lycée.

— Est-ce que tu viens de l'appeler « cette espèce d'Indien » ?

Je remue sur mon siège afin d'être bien assise. Mon pied atterrit sur un vieux CD du groupe Glue. Blake se penche pour l'arracher de sous mes jambes, puis il se redresse.

— Doux Jésus, tu as pété le boîtier ! Mais qu'est-ce que tu as en ce moment ?

J'ignore comment il arrive à ne pas faire d'embardée.

Je ne vais pas rester calme cette fois.

— Qu'est-ce que *j'ai* ? C'est toi qui viens de parler de quelqu'un de façon raciste, pas moi. Et en plus, tu blasphèmes !

— Détends-toi, Aimee.

Son visage se recompose un air normal, la colère semblant s'estomper.

— Ce n'est pas ce que je voulais dire.

— Mais c'est ce que tu as fait, Blake. Ces derniers temps, tu es différent.

— Je peux dire la même chose à ton sujet.

Je le dévisage :

— Comment ça ?

— Laisse tomber, Aimee.

— Laisse tomber ?

Il serre le volant si fort que ses articulations pâlissent.

— Laisse tomber.

Le nœud dans mon ventre se tord. Je coupe la musique tout en tentant de me calmer pour ce que j'ai à annoncer à Blake, que je pensais connaître, que je pensais gentil, mais qui, d'un coup, ne l'est plus vraiment. Je le dis tout simplement :

— Je ne veux plus sortir avec toi.

— Quoi ?

Je répète :

— Je ne veux plus sortir avec toi.

Il prend le ton qu'il utilise habituellement pour m'adoucir :

— Très bien. Et pourquoi ça ?

— Parce que tu es raciste.

Il arrête la voiture.

— Quoi ? Dire « cette espèce d'Indien » ne fait pas de moi quelqu'un de raciste. Tu es en plein délire.

— Je ne suis pas folle.

— Non, tu cherches juste une excuse pour me larguer.

Sa voix tendue est la colère même. Un nerf se met à tressauter sous son œil.

— Tu es raciste, Blake. Enfin, tu n'es pas que ça, évidemment. Tu es drôle, tu chantes super bien, et tout ça, mais tu…, tu…

Les mots me manquent.

— Je ne peux pas rester avec toi.

— C'est à cause de lui, n'est-ce pas ? À cause de cette espèce d'Indien ?

— Tu vois, tu le redis !

— Je m'en fous. Je sais qu'il te plaît. Il est plus rapide

que moi, alors tu veux sortir avec lui maintenant ? C'est juste un grand dadais tombeur.

La mâchoire serrée, le joyeux Blake sifflotant a disparu. Entièrement disparu. Ses yeux laissent paraître désormais quelque chose de totalement différent.

Il me dévisage et crache :

— Tu es une grosse tarée.

— Je ne suis pas folle !

Je m'éloigne au maximum de lui, appuyée contre la portière, essayant de garder mon calme. Il souffre, c'est tout. C'est pour ça qu'il balance ces choses qu'il n'a jamais dites auparavant. C'est pour ça que son visage est la rage incarnée.

— Mais qu'est-ce qui t'arrive ? Tu te comportes bizarrement en ce moment.

— C'est ça. C'est moi qui me comporte comme un taré... grogne-t-il, et, l'espace d'une seconde, il ne dit plus rien.

L'espace d'une seconde, rien ne se passe. L'espace d'une seconde, il n'y a que les voitures qui défilent. Puis il rugit, littéralement :

— C'est ce mec ! Ce putain d'Indien !

Il sort du véhicule en claquant la porte. En un instant, il est de mon côté et ouvre ma portière brusquement avant même que j'aie le temps de réagir.

Il tente de m'extirper de force.

— Sors de ma voiture. Sors de ma putain de voiture !

Mon sac s'écroule dehors.

— Attends, ma ceinture...

Je suis toujours attachée, emmêlée, déboussolée. Je suis coincée dans le véhicule. Il m'agrippe les deux bras et me tire violemment. J'arrive à me défaire de son emprise et à enfin décrocher ma ceinture. La seconde d'après, je tombe par terre, mon sac amortissant en partie ma chute. Blake se tient debout devant moi. Je sanglote :

— Essaie un peu de me frapper !

Son visage change soudain, vidé de sa rage en un clin d'œil. Ses lèvres tremblent un instant. Les yeux écarquillés, il articule :

— Oh ! mon Dieu. Oh !… Aimee… Je…, je suis désolé. Je ne sais pas pourquoi j'ai fait ça. Aimee, je suis…

Il tend la main pour m'aider à me relever. J'ai tenu cette main un million de fois, mais je sais que ça n'arrivera plus jamais.

— Ne me touche pas ! dis-je en me raccrochant à la colère afin d'arrêter de pleurer. Ne me touche pas !

Le bus passe devant nous. Je suis absolument certaine que huit cents millions de personnes nous regardent par les fenêtres. Le seul visage que je reconnais vraiment est celui de Courtney. Elle sourit. Ils sourient tous.

Je hausse les épaules et me relève, mes genoux tremblants tenant à peine sous mon poids. Le côté de mon jean est maculé de boue.

— Excuse-moi, Aimee. J'étais furieux, tente Blake. Je ne savais pas ce que je faisais. Je…, je n'arrive pas à croire que j'ai fait ça. Aim... Je…, je suis si… Je ne sais pas ce que j'ai en ce moment…

Je l'interromps d'un signe de main. Mon épaule me fait mal.

— Arrête.

J'enfile péniblement mon sac à dos et pars. À chaque pas, une douleur aiguë mêlée au chagrin tenaille ma jambe et se répand dans tout mon être.

Je m'éloigne de lui, posant machinalement un pied devant l'autre, ignorant les ordures sur le bas-côté : un vieux sac McDo, l'emballage d'un sandwich et un journal mouillé et moisi. Je boite et j'ai mal, mais c'est fini. Je vais bien. Je vais parfaitement bien.

Blake n'a jamais été comme ça. Il a toujours été un peu compétiteur, mais il ne s'est jamais montré jaloux, raciste ou sexiste. C'est le genre de garçons qui veut réussir, gagner des marathons, aller à l'université, chanter, être heureux. C'était quelqu'un de gentil. Quelqu'un de bon. Tout le monde le sait. Dans une si petite ville, chacun sait tout sur tout le monde et... sans rire, je franchis à peine les portes que les élèves parlent déjà de ce qui vient de se passer entre Blake et moi.

Leurs voix me parviennent de toutes parts, féminines, masculines, hautes, basses, inquiètes, sûres d'elles.

— Il la tirait de force de sa voiture... Ça ne lui ressemble vraiment pas. Les gens partent au quart de tour ces derniers temps. C'est bizarre.

— Blake et elle ont rompu.

— Sa mère était tarée. J'ai entendu dire que...

— N'importe quoi, c'est juste une rumeur. Ils ne rompraient jamais. Ils sont faits l'un pour l'autre. Ils passent leur temps à se mettre des petits cœurs sur leurs murs Facebook.

Les deux minutes me séparant de la classe d'espagnol me paraissent durer des heures.

Tout ce dont j'ai besoin, ce sont la sécurité de mon bureau et la conjugaison des verbes.

J'arrive à rester calme jusqu'à ce que je me souvienne qu'il y aura Alan en biologie, l'heure suivante.

Il faut que je trouve une solution pour qu'on puisse parler, même si je ne suis pas en état. Mais je n'ai pas le choix, n'est-ce pas ?

Courtney me coince à la sortie de la salle d'espagnol. Elle tient sous un bras son vieux manuel orange.

De l'autre, elle m'agrippe l'épaule et me tire vers elle pour me souffler :

— Aim, tu es sûre de ça ?

J'ai envie de lui répondre « De quoi ? », mais je me contente de hocher la tête.

— Il m'en a parlé. Attends, Aimee, toi et Blake ! Vous êtes ensemble depuis si longtemps et...

Peinant à trouver les mots, elle ferme ses yeux sombres un instant.

— Je ne pense pas que tu aies le doit de le jeter comme ça. Il est vraiment mal...

— Je sais...

Je la revois sourire dans le bus, tandis que j'étais à terre.

— Ce n'est pas grave. Et toi, ça va ?

— Moi ?

Elle s'arrête net et reprend de sa voix aiguë :

— Oh ! oui, ça va super ! Ce n'est pas comme si mon père avait *disparu* et tout le monde le croyait mort.

— Court...

Je ne sais pas quoi dire.

— Puis... mon crétin de cousin est entré dans ma chambre sans frapper.

— Ah bon ?

Étonnant. Alan est censé être correct, lui. Pourquoi ferait-il une chose pareille ?

— Oui.

Elle me lâche l'épaule et s'enveloppe de ses bras. Sa voix monte davantage dans les aigus :

— Tout le monde se comporte bizarrement, par le temps qui court, tu n'as pas remarqué ? C'est comme si les défauts de chacun ressortaient plus souvent. J'ai l'impression que les gens s'excitent, se sentent en danger, sont à cran... Enfin, je n'arrive pas à croire que tu l'as largué.

Je veux répondre, mais je ne sais pas par quoi commencer, car Courtney passe du coq à l'âne.

Elle en profite pour poursuivre en tortillant ses cheveux d'un geste nerveux :

— Ce n'est pas ça, l'important. L'important, c'est... de savoir si tu te souviens de la séance de spiritisme.

Je déglutis, mais ne réponds pas. Nos pieds nous mènent parmi une foule de lycéens accablés par le poids de leurs sacs et de leurs secrets.

Court continue :

— Tu te souviens de ce qui t'est arrivé ?

— Oui, finis-je par lancer durement.

Comment pourrais-je oublier ce stylo en feu ? Les cheveux soudain mouillés et l'impression que quelqu'un m'arrachait les bras, j'ai hurlé et hurlé jusqu'à faire fuir tout le monde.

— Pourquoi ? Quel est le rapport ?

— C'est juste… qu'il y a certaines choses contre lesquelles tu ne peux pas lutter, Aimee. Certaines choses te dépassent totalement.

Je hisse mon sac, qui est en train de glisser. Ça sent le vieux, la maison de retraite et les vêtements pas lavés.

— Et tu crois à ça, toi ?

Elle étire lentement ses lèvres en un demi-sourire qui exprime tout sauf la joie. Nous allons nous séparer, elle à gauche, moi à droite. Des élèves se saluent de la main. Nous nous frayons un chemin jusqu'à l'intersection.

Je me dirige vers mon casier pour y poser mon livre d'espagnol.

— Aim…

La voix de Court me tire de mes pensées. Je ferme le casier.

— Je veux juste m'assurer que tu sais ce que tu risques. Le fait que tu sortes avec Blake te donnait l'air plus normal.

— Quoi ? Donc, tout le monde me reprendra pour une folle si nous restons séparés ? je lui souffle d'un ton sévère.

L'espace d'un instant, elle arrive à me faire douter de ma décision, mais il n'y a pas qu'aujourd'hui que Blake s'est révélé différent. Cela s'est fait progressivement, jusqu'à ce que je me sente de moins en moins bien avec lui. L'important n'est pas à tout prix d'avoir un petit ami, n'est-ce pas ? On n'est pas non plus censé rester avec quelqu'un juste pour avoir l'air moins fou.

Courtney secoue la tête.

— Non. Ce n'est pas ça qui m'inquiète.

— Qu'est-ce que c'est alors ?

Elle déglutit et avoue :

— J'ai peur que quelque chose t'arrive, comme lors de la séance de spiritisme, avec Chuck. J'ai peur qu'il te repère de nouveau.

Mon cœur s'arrête, mais ma bouche fonctionne suffisamment pour murmurer :

— Qui ?

— L'homme de la rivière.

Le calme nous entoure soudain ; ma tête est prise de frissons.

— Il peut n'être que le produit de mon imagination.

— Aimee, nous savons toutes les deux que ce n'est pas vrai.

Son visage est le désespoir incarné. Ses yeux et sa bouche sont figés par l'angoisse ; elle sait à quel point les choses peuvent s'aggraver.

— Je crois qu'il est en train d'agir sur la ville. Il rend les gens mauvais.

— Tu veux donc dire que Blake n'a pas fait exprès d'être un gros crétin. Il s'est comporté comme ça à cause de l'homme de la rivière.

— Oui, murmure-t-elle. Oui.

Une semaine environ après cette séance de spiritisme, Court et moi avons essayé d'utiliser une planche Ouija, censée nous mettre en contact avec l'au-delà. Nous voulions savoir pourquoi Chuck était mort. Sur la planche, on doit poser ses doigts sur une « goutte » afin qu'elle compose des mots en se déplaçant sur les lettres de l'alphabet.

— Pourquoi Chuck est-il mort ? a demandé Court.

Nous nous étions mises d'accord sur le fait que je ne devais plus communiquer directement avec les esprits.

La goutte a transmis : *« Parce que je le voulais. »*

J'ai retiré mes doigts pour me mettre en boule, terrifiée.

Court ne se contenterait pas de cela.

— Encore une question, Aimee, d'accord ?

— Je ne veux pas faire ça, ai-je dit d'une voix frôlant l'hystérie. Je ne veux pas.

— Allez, Aim, juste une… a insisté Court.

Comme une idiote, j'ai replacé les doigts sur la goutte et ai demandé, d'une voix profonde et posée :

— Qui êtes-vous ?

« L'homme de la rivière. »

Hayley me rejoint devant la salle de biologie. Ses cheveux sont tout décoiffés ; elle a sport en première heure.

— Mais tu boites ! lance-t-elle en m'attrapant la main.

Je réponds d'un haussement d'épaules.

— Tu as quitté Blake ce matin, dit-elle sous forme d'affirmation.

— Oui…

Je m'arrête net ; le gigantesque Alan vient d'arriver. Mon estomac se tord. Ses yeux croisent les miens, puis remarquent la boue sur mon jean.

Sa bouche s'apprête à formuler une question, mais il la ferme tout aussi rapidement. Il me fait un signe de tête et la baisse avant de foncer dans la salle de cours, comme si rester devant moi le gênait.

— Il t'a frappée ? demande Hayley.

Sa question me prend par surprise :

— Quoi ?

— Est-ce que Blake t'a frappée ? Tu marches bizarrement. Ton jean est sale. Et… les gens parlent. Alors, il t'a frappée, oui ou non ?

— Il m'a traînée en dehors de sa voiture, je murmure, ne pouvant garder ça en moi plus longtemps.

Hayley reste bouche bée. Puis elle me tire contre elle.

— Oh ! ma pauvre… Je suis tellement désolée. Quel salaud ! Je n'aurais jamais imaginé qu'il puisse faire ça, jamais ! Oh ! Aimee…

— Ce n'est rien.

Je renifle. Elle sent la pluie.

— Non, ce n'est pas rien, insiste-t-elle en chuchotant tandis que les élèves entrent dans la salle. Ce n'est jamais rien. On pète tous un plomb de temps en temps, on est tous de mauvais poil parfois, mais te traîner en dehors de la voiture, ce n'est pas rien, Aimee.

— Je sais, ce n'est pas ce que je voulais dire. Mais… je vais bien.

Elle recule afin de me regarder dans les yeux.

— Tu pleures. Tu ne vas *pas* bien.

Je n'ai aucune répartie.

— Les filles, on vous attend.

M. Swanson ignore totalement mon visage bouffi, ce qui est très sympa de sa part. Ou alors, ce n'est qu'un symptôme de ce dont parlait Courtney.

Nous entrons dans la salle. Je boite toujours. Hayley va s'asseoir à sa place, près de la fenêtre. Je me glisse sur ma chaise, derrière Alan, qui se tourne vers moi pour me questionner de ses grands yeux profonds. Je tente un sourire, en vain.

— Ça va ? articule-t-il.

Je le rassure d'un rapide hochement de tête. Ses yeux se plissent légèrement ; il ne me croit pas. J'ouvre mon sac à la recherche d'un chewing-gum, puis sors un cahier, un stylo et écris : *Dans cinq minutes, je ferai semblant de me sentir mal. Tu m'accompagneras à l'infirmerie, OK ?*

Dès que M. Swanson se tourne vers le tableau, je fais glisser le mot par-dessus l'épaule d'Alan. Il l'attrape.

Voilà. Première étape terminée.

8

Alan

Je lis une dernière fois le mot, puis le plie avant de le coincer entre deux pages de mon livre de biologie. Je lance un œil à l'horloge. Cinq minutes. Je tente de me concentrer sur Swanson, mais je regarde dans le vide, ne pouvant me sortir Aimee de la tête.

Quelque chose ne va pas. Son jean est couvert de boue, et elle est entrée dans la salle en boitant. J'ai entendu des gens parler en première heure.

D'elle et Blake. Quelqu'un a dit qu'il l'avait vu la frapper. Quelqu'un d'autre prétendait que c'était impossible. Je me suis posé la question.

Certes, je ne le connais pas vraiment, mais il…

Aimee se lève derrière moi.

— M. Swanson. Je ne me sens pas…

Elle a déjà avancé d'un pas vers moi lorsqu'elle s'écroule. Je la rattrape en me levant. Silence de mort. Tous les yeux sont sur nous tandis que je la serre contre moi, sa joue appuyée sur ma pochette médicinale. Tout autour de moi vibre et claque, exactement comme quand nous nous sommes frôlés, hier. Des images m'envahissent : une rivière, quelqu'un me tire dans l'eau, la voix d'un homme…

Elle n'est pas aussi profonde que la dernière fois, mais elle me glace l'espace d'un instant. Je me ressaisis.

— Je vais l'accompagner à l'infirmerie, préviens-je en glissant un bras sous ses genoux pour la soulever.

Ce qu'elle est légère ! Je la tiens suffisamment haut pour que ses pieds ne touchent personne et me dirige vers la sortie.

— En face du secrétariat, me signale M. Swanson tandis que je pousse la porte.

J'imagine qu'il m'indique où se trouve l'infirmerie.

Dès que la porte se referme, Aimee murmure :

— Prends à gauche au bout du couloir et sors.

Je passe rapidement devant les portes fermées dont de petites fentes font office de fenêtres. J'ignore si on nous a vus. Comme personne ne nous arrête, je continue jusqu'à la porte bleu acier au bout du couloir. Je l'ouvre d'un coup de hanche et émerge dans l'air frais du matin.

— C'est bon, tu peux me reposer, me dit Aimee.

Je regarde son visage tout en y réfléchissant. Sa peau si pâle et parfaite, ses yeux si verts, vifs, pleins de vie... Une légère brise agite sa magnifique chevelure rouge. Je n'ai pas envie de la lâcher.

— Mais tu boitais... Je ne devrais peut-être pas te laisser marcher.

Elle me sourit. Je fonds... Je sais que ça peut paraître mièvre, mais sans rire, cette fille a un sourire vraiment communicatif.

— Je vais bien, je te jure.

Toutefois, elle ne gigote pas pour descendre.

— Moi aussi...

Bon, je dois admettre que je ne suis pas aussi entreprenant avec les filles habituellement. Mais quand je me plonge dans les yeux d'Aimee, j'y vois une certaine intensité. Nous sommes déjà liés.

— Où est-ce qu'on va ?

— Mais tu ne peux pas me porter tout le chemin ! insiste-t-elle, toujours sans bouger. Tu vas te faire mal au dos.

Je l'abaisse pour la laisser partir et réalise à quel point elle me tenait chaud. Elle croise les bras sur sa poitrine et se cambre face à la brise fraîche.

— Très bien. Mais dès que tu boites, je te porte.

— Tu es tout le temps aussi galant, aussi « chevalier dans son armure d'argent » ?

— Ça s'appelle l'autorité, je lui lance en lui rendant une fois de plus son sourire.

— Viens, dit-elle. Derrière le gymnase.

Nous traversons en courant une petite parcelle de pelouse qui mène au parking. Je la suis en me faufilant discrètement entre les voitures.

Elle boite peut-être, mais elle réussit tout de même à aller très vite. Nous longeons le gymnase tels des policiers en pleine descente et nous glissons à l'arrière, où elle s'écroule contre le mur de parpaings.

— Tu as boité !

— Oui, mais tu ne m'as pas attrapée.

Je ne peux m'empêcher de rire.

— C'est quoi, dans la petite poche ? demande-t-elle en donnant un coup de tête vers mon torse.

Je caresse le cuir.

— C'est une pochette médicinale. Un peu comme un porte-bonheur.

— Et qu'est-ce qu'il y a dedans ? Oh ! excuse-moi, tu n'es pas obligé de me le dire. Je suis trop curieuse. Ça sentait...

Elle s'interrompt, comme si continuer la gênait.

— Sûrement la sueur, je termine.

— Non. Il y avait ton odeur, mais autre chose en plus. Une odeur... terreuse.

Je palpe la pochette, le regard sur Aimee, mais l'esprit au lac Thunderbird. Ses yeux, d'un vert si clair, m'assurent que je peux lui faire confiance.

— Elle renferme une pierre, dis-je, la gorge étonnamment sèche.

Je n'ai jamais révélé le contenu de ma pochette à qui que ce soit, même à maman.

— Une pierre blanche presque aussi grosse qu'un œuf de rouge-gorge. Des poils. Et de la terre.

Ses yeux posent une question que sa bouche ne formule pas. Elle hoche la tête.

Je décide de changer de sujet :

— Désolé pour hier soir, je n'ai pas encore mon nouveau portable. Ce sera plus pratique que de m'appeler chez tante Lisa... Sinon, Courtney n'allait pas bien, ce matin. Elle a dit à sa mère d'aller se faire foutre avant de décamper. Elle ne m'aime pas.

— Ce n'est pas normal. Elle n'agit pas comme d'habitude...

Le ton d'Aimee est très sérieux.

— Elle ne dirait jamais ça à sa mère et..., et... ce qui est arrivé à son père l'a totalement transformée.

— Raconte-moi.

Un bleu s'est formé là où le cadre m'a touché ; la douleur m'élance alors que je m'assois contre le mur.

— Ils étaient très proches. Il l'aimait énormément : elle était tout pour lui, et elle l'adorait. Parfois, elle annulait nos sorties, au cinéma ou autre, pour aller se promener ou jouer au Monopoly avec lui. C'était vraiment la fifille à son papa.

J'écoute tout en pensant à mon propre père. Je ne peux m'empêcher d'éprouver un peu de jalousie. Au moins, Courtney a connu le sien pendant quinze ans.

— Elle n'accepte pas le fait qu'il ne rentrera plus jamais à la maison, dit Aimee.

Je hoche la tête.

— Mais il y a autre chose. En ce moment, elle...

Aimee s'arrête. J'avais baissé la tête vers l'herbe entre mes chaussures tout en enregistrant ce qu'elle me révélait. Je lève de nouveau les yeux et découvre le désarroi sur son visage. Sa voix triste n'est plus qu'un murmure. Elle lutte avec les mots afin d'exprimer ce qu'elle ressent. J'imagine qu'elle se demande si je vais la trouver bizarre.

— Est-ce que tu sais ce qu'est une quête de vision ? je lance.

Elle fait un petit sourire en avouant son ignorance. Je prends alors mon courage à deux mains et lui parle d'Onawa et de mon expérience au lac Thunderbird.

— Oh !

Le trouble s'est désormais installé dans ses yeux vert clair. Je connais ce regard. En principe, c'est ce qui précède : « Je dois aller promener mon chien, Alan. À plus. » Mais Aimee ne dit rien.

— Onawa m'a montré des choses. Elle m'a révélé le monde des esprits, qui n'est que ténèbres infestées de spectres. On aurait dit qu'ils tournoyaient, comme les bulles dans l'eau bouillante. Ça doit te sembler totalement idiot, mais c'est l'image qui m'est venue. Puis Onawa…

Je marque une pause et détourne les yeux.

— Quoi ? demande Aimee. Tu peux me le dire. Si tu veux…

— Elle m'a appris qu'un jour, on m'appellerait Dompteur d'Esprit. D'habitude, elle ne me parle pas. Elle me montre des choses, ou parfois…, elle émet une vibration. Ça peut paraître insensé, mais c'est exactement ça. Elle me fait passer des sensations qui ont une signification. Cette fois-là a été la seule où elle s'est adressée à moi. Elle m'a dit : « Un jour, on t'appellera Dompteur d'Esprit. » Je ne l'ai jamais confié à qui que ce soit. Pourquoi porterais-je un tel surnom ?

Le trouble a disparu des yeux d'Aimee, qui me regarde d'un air calme et lucide.

— Dompteur d'Esprit.

— Oui. Je n'arrive pas à croire que je viens de t'en parler… En tout cas, j'aurais fini par penser que ça n'avait été qu'un rêve, une vision causée par le peyotl ou la faim. Je ne suis pas idiot, je sais qu'on peut avoir des hallucinations rien qu'en étant affamé. Ajoutes-y la drogue, et tu peux voir n'importe quoi, surtout si…

Je marque une pause, mais ces grands yeux verts m'encouragent à continuer.

— Si c'est quelque chose que tu souhaites par-dessus tout.

— Je comprends, répond-elle.

Je la crois.

— Bref, j'aurais fini par considérer cette expérience comme un voyage étrange où j'aurais pris mes désirs pour des réalités, mais dans ma vision, Onawa m'a donné une pierre semblable à un œuf. D'après elle, c'était le symbole de ma renaissance. À mon réveil, cette petite pierre blanche et lisse était dans ma main.

Aimee opine de la tête.

— J'ai tout de même pensé que c'était une coïncidence. Tu sais, je titubais sous l'effet de la drogue. Quand j'ai trouvé la pierre, je l'ai associée à mon hallucination. Mais alors, j'ai aperçu ces poils bruns, collés sur un rocher, comme si un animal était venu s'y frotter le dos. Et derrière le rocher, dans la boue, il y avait une empreinte. Celle d'un gros chat. Un couguar. Je savais que c'était un couguar.

— Tu as donc rempli ta pochette des poils, de la pierre et d'un peu de boue, termine Aimee pour moi.

— Oui. La plupart des gens trouveraient ça bizarre.

— Moi, non.

Je suis certain de sa sincérité.

— Je sais. Et c'est pour ça que tu peux tout me dire. Parle-moi de tes rêves. Je ne te prendrai pas pour une folle.

— Tu seras mon dompteur d'esprit ?

Elle esquisse un vague sourire hésitant. Je dois baisser les yeux un instant avant de les reposer sur elle en tentant de m'arracher un sourire.

— Je ne sais pas. J'essaierai.

— Très bien. Si jamais Court ou qui que ce soit ne t'a pas encore raconté… Ma mère est morte, il y a quelques années.

Elle déglutit.

— Elle était malade. C'était une… maladie mentale. Un trouble bipolaire. Tout le monde dit qu'elle s'est suicidée.

J'en avais entendu parler.

— Je suis désolé.

— Après ça, j'ai fait une séance de spiritisme chez moi avec Court et d'autres amis. Elle me manquait trop, et je voulais juste m'assurer qu'elle allait bien. À vrai dire, je pense qu'aucun d'entre nous ne s'attendait à ce que ça marche. Mes rêves, ou mes « visions », ont réellement commencé après cette expérience, qui a été pour le moins très bizarre.

— Ta mère t'a parlé ?

— Non ! Ce n'était pas elle. C'était… autre chose. Quelque chose de sombre. Je l'avais déjà vu dans la rivière. Ça a la forme d'un homme, mais on dirait une ombre. Une ombre épaisse. Et tout le monde a pris peur. Je sais que ça ne tient pas debout…

Cette histoire me rappelle ce que j'ai aperçu à la fenêtre de Courtney hier soir.

— Il est grand et large. Il reste là à te fixer, jusqu'à te donner la chair de poule.

— Tu l'as vu ? lance-t-elle d'une voix étouffée.

Un nuage masque le soleil pour nous couvrir de son ombre quelques secondes. Aimee frissonne et m'attrape le bras. Je serre doucement ses petites mains fragiles.

— Je l'ai vu hier soir, à la fenêtre de Courtney.

— Oh !… Ce n'est pas vrai !

Ses mains se raidissent.

— Elle a parlé de lui aujourd'hui. Elle m'a dit de faire attention qu'il ne me repère pas de nouveau. Il… Je l'ai vu avant la mort de ma mère. Elle se tenait près de la rivière, et il était avec elle. Puis lors de cette séance de spiritisme…

Elle s'interrompt. Ses yeux s'assombrissent, comme si un nuage avait masqué l'éclat de vie qui les faisait briller.

— Alan, j'ai peur. Je suis peut-être ridicule, mais j'ai vraiment peur.

— Ça va aller.

Comme je ne sais pas quoi faire, je resserre mon emprise sur ses mains.

— Ça va bientôt sonner.

— Déjà ?

Elle retire lentement sa main gauche des miennes pour regarder sa montre.

— Il faut qu'on y aille.

Je me lève et l'aide à son tour. Sur le chemin du retour, je ne peux plus attendre davantage :

— C'est vrai, ce qu'on dit ?

— Comment ça ?

Son regard me montre qu'elle sait exactement de quoi je parle. Elle cherche à me le cacher en faisant retomber ses cheveux devant son visage.

— Que tu as quitté Blake. Qu'il t'a frappée.

— Je l'ai quitté, mais il ne m'a pas frappée.

— Alors, pourquoi tu boites ?

Elle déglutit avec peine.

— Il m'a traînée en dehors de sa voiture, ce qui n'est pas littéralement « frapper ». Mais bon, je sais que ça reste une sorte d'agression et que ce comportement est méprisable.

Machinalement, elle glisse les mains sur ses avant-bras. Je lui prends le bras gauche et soulève délicatement sa manche jusqu'au coude. À mon toucher, d'infimes étincelles passent entre nous, mais aucune vision.

Elle tressaille, mais ne se dégage pas. Les marques sur ses bras forment des traces de doigts.

— Salaud…

— Il n'a jamais été aussi énervé ou possessif. Je suis certaine qu'il deviendrait fou à l'idée que nous parlions, toi et moi. C'est bizarre. Je ne sais même plus qui il est vraiment. Courtney m'a dit qu'il ne s'agissait pas que de lui. Elle trouve que tout le monde se comporte de façon étrange, en ce moment, plus méchamment, et j'ai l'impression qu'elle a raison. Mais ça n'excuse pas ce qu'il a fait. J'ai juste le sentiment que quelque chose est en train de se produire à une plus grande échelle.

Elle attrape la poignée de la porte, mais c'est verrouillé. Aimee me lance alors un regard inquiet.

— Eh ! merde… Ça veut dire qu'on doit passer par l'entrée principale ?

Avant qu'elle puisse me répondre, la porte s'ouvre grand, nous manquant de quelques centimètres. Courtney se tient devant nous, le regard noir et un sourire satisfait sur les lèvres. Quelque chose ne va pas. Il me faut un certain temps avant de me rendre compte qu'elle est couverte de boutons d'acné suintants.

— Court, qu'est-ce qui s'est passé ? demande Aimee. Ton vis…

— Vous avez parlé de moi, nous agresse-t-elle.

Aimee s'apprête à répondre, mais Courtney se met à rouler des yeux avant de subitement s'écrouler. On dirait une marionnette dont on vient de couper les fils. Elle s'affaisse sur les genoux, puis tombe la tête la première sur le béton, à nos pieds.

— Court ! hurle Aimee en se jetant par terre.

La sonnerie retentit, et les élèves emplissent le couloir. Je m'accroupis près de Courtney pour la retourner. Du sang coule d'une entaille sur son front. La peau entourant la blessure enfle rapidement. Je la soulève.

— On dirait bien que je vais vraiment finir par amener quelqu'un à l'infirmerie…

Aimee me devance afin de nous frayer un chemin parmi les élèves. Nous devons faire appeler l'infirmière,

qui n'est pas là. En attendant, nous restons avec Courtney, toujours inconsciente. Je pose sur sa bosse une petite
poche de glace trouvée dans un frigo une fois qu'Aimee a
nettoyé la blessure, qui ne saigne presque plus désormais.

— On va croire que les couloirs ont servi à tourner une
scène d'horreur ! lance Aimee. Avec tout ce sang… Mon
Dieu, pauvre Court.

— Les blessures à la tête sont celles qui saignent le
plus. Elle a sûrement fait une commotion cérébrale. Mais
où est cette infirmière ?

— Derrière toi.

Ce n'était pas la voix d'Aimee. Aimee, elle, me regarde, la main sur la bouche.

— Bonjour, madame Higgins, dit-elle.

Je me retourne sur une petite femme aux cheveux châtains tirés à quatre épingles et au visage grave.

— Ma cousine est blessée. Elle s'est ouvert la tête en
tombant.

Mme Higgins me bouscule, soulève la poche de glace
et examine la blessure.

— Il va falloir la recoudre.

Elle s'adresse à Aimee :

— Maintiens-lui ça sur la tête pendant que j'essaie de
joindre sa mère.

Mme Higgins appelle tante Lisa au travail. La conversation est brève. Tante Lisa lui dit de faire venir une ambulance en attendant qu'elle arrive. Mme Higgins se tourne
vers nous après avoir raccroché.

— Vous deux, retournez en cours.

Nous quittons l'infirmerie, mais un homme grand, à la
peau brûlée par le soleil et à la barbe grise, nous attend à
la sortie. On dirait un ours.

Ses bras épais me laissent imaginer qu'il a forcément
dû être bûcheron plus tôt dans sa vie.

— Qui est votre ami, mademoiselle Avery ? demande-
t-il – non, *exige*-t-il.

— Alan. Il est nouveau.

— Comment vous appelez-vous, jeune homme ?

Son regard est bleu acier.

— Alan Parson.

— Suivez-moi. Tous les deux.

Il se retourne et s'éloigne d'une drôle de démarche, avec ses jambes arquées et ses bras épais balançant sur les côtés. Après un dernier tournant, il nous accueille dans un bureau en nous faisant signe de nous asseoir sur deux chaises en cuir rembourré.

Il va s'installer derrière un bureau encombré. Les murs sont couverts de photos et du fanion du Colorado Buffaloes[1]. Il nous jette un regard sévère.

— Aimee, avez-vous déjà été convoquée dans mon bureau ?

— Non.

Une plaque m'indique que nous nous trouvons devant John Everson, proviseur adjoint.

— Ce jeune homme arrive dans notre lycée et, dès sa première semaine, vous vous retrouvez tous les deux ici pour avoir séché les cours. Il n'y a pas de quoi être fiers.

— C'est ma faute, monsieur Everson, réplique Aimee. Je m'inquiète beaucoup au sujet de Courtney depuis… vous savez… Alan et elle sont cousins. Je pensais qu'il pourrait l'aider, mais je ne voulais pas lui en parler devant elle, ou la classe, ou à la cantine, alors que n'importe qui aurait pu nous entendre. Je bafouille, désolée. Je bafouille, n'est-ce pas ?

Il lui fait signe de continuer.

— Alors, je me suis dit que ce serait mieux de filer discrètement quelques minutes. Le seul endroit auquel j'ai pensé était dehors, et Alan s'est montré si gentil… Il l'a fait parce qu'il est comme ça. De toute façon, maintenant, Court est blessée.

---

1. Le Colorado Buffaloes est le club omnisports de l'Université du Colorado.

Sa voix se brise légèrement. Le regard d'acier du proviseur adjoint passe sur moi.

— C'est vrai, monsieur. Courtney Tucker est ma cousine. Elle est à l'infirmerie.

— Elle n'y était pas lorsque vous avez disparu.

Nous restons silencieux un moment avant qu'Aimee n'enchaîne :

— Non, mais elle n'allait clairement pas bien. Depuis que son père... Vous voyez, elle se comporte vraiment bizarrement.

— Je vois, répond-il en m'étudiant du regard. C'est vous qui avez battu Blake Stanley, hier ?

— Oui.

— Vous venez de l'Oklahoma, c'est ça ?

— Oui. Oklahoma City. Tout le monde est au courant pour cette histoire de course ?

— C'est un petit lycée, monsieur Parson.

Sa barbe se tord quelques instants en un sourire avant de reprendre son aspect normal. Peut-être n'est-il pas aussi sévère que ce qu'il veut bien faire croire.

— Ce n'est pas rien, de battre Blake. C'est bien vous qui avez fait une scène parce que nous n'avions pas de club de football américain ?

— Oui. Mais ce n'est pas possible, *tout le monde* est au courant de *tout* dans ce lycée ?

— Il va falloir vous y faire, répond Everson. Je jouais au football américain, moi aussi.

— Dans le Colorado ? je devine.

— Exact.

— J'avais prévu d'aller à l'Université d'Oklahoma.

— Ah ! les Sooners... dit-il en secouant la tête. On jouait contre eux à l'époque de la Big Eight Conference[1].

— Je sais.

---

1. Association sportive universitaire fondée au début du XXe siècle et dont le nom a changé quelques fois au fil des ans pour devenir Big 12 Conference en 1996 avec l'addition de quatre universités du Texas.

J'envisage de mentionner les cuisantes défaites du Colorado face à l'Oklahoma, mais je me retiens de commettre cette stupide erreur.

— Retournez en cours, tous les deux, lâche Everson. Et que je ne vous revoie plus ici, c'est compris ?

À la cantine, je décide de rester seul, ayant le sentiment que c'est la meilleure chose à faire. Aimee est avec Hayley et Eric, tandis que Blake traîne avec les gars de l'équipe de foot. Soudain, quelqu'un me jette une serviette en papier avec un mot écrit dessus : *Ne t'approche pas d'elle.*

On est en plein mélodrame... Je froisse la serviette, la jette, puis enfile mes écouteurs afin de me plonger dans mon petit monde. Je croise Aimee du regard ; elle me fait un signe de la main. Je ne peux m'en empêcher, je lui fais signe à mon tour.

Notre entraîneuse a entendu parler du conflit de la veille. Les cheveux remontés en une haute queue de cheval, elle porte un short malgré le froid. Ses jambes sont tellement pâles qu'elles doivent briller dans le noir.

— Même chose qu'hier, annonce-t-elle. Dix kilomètres. Alignez-vous ! Alan, tu cours avec moi.

Elle reste près de moi, prenant de longues foulées souples. C'est incroyable : le haut de son corps semble glisser, alors que, de mon côté, je bondis sur la chaussée d'un pas lourd.

— Tu es rapide, Alan, mais pas régulier. Ce qui est important, dans la course à pied, c'est l'endurance. Tu vas finir par t'épuiser si tu n'apprends pas à te faire plus léger. Tu perds de l'énergie à chaque pas. Fais des foulées plus grandes. Garde toujours le dos droit. Personne ne va te plaquer. Pas besoin de te pencher comme si tu visais une ligne de but.

J'essaie de mettre ses conseils à exécution, mais j'échoue en une tentative de galop. Pour une école qui n'a pas de club de foot américain, ces gens semblent tout de même bien s'y connaître.

— Une chose à la fois, Alan. Cherche d'abord à garder le dos droit.

J'obéis. Ma foulée est dans un premier temps irrégulière, mais je me reprends.

— Voilà, c'est bien. La tête dans le prolongement de la taille. Essaie de conserver cette position au maximum. Si, à l'arrivée, tu es au même niveau que quelqu'un d'autre, tu peux te pencher, et là, tu gagneras.

Nous continuons. Plutôt que de me laisser piquer un sprint final, elle me fait maintenir son rythme et laisse les garçons nous dépasser.

— Concentre-toi sur ta position, me rappelle-t-elle.

De retour aux vestiaires, je me change rapidement et sors le premier. Quelques membres de l'équipe arrivent au même moment, Blake en tête. Je sens son regard peser sur moi. Je le fixe à mon tour tandis qu'il ralentit. Mme Treat se matérialise à mes côtés tel un fantôme. Blake nous dépasse d'un pas lourd, mais je l'entends souffler :

— Elle est à moi.

9

Aimee

Cette journée n'a rien de normal, comme si les sentiments de chacun n'étaient qu'un amas de fils sombres indénouables. Les personnes habituellement agréables sont désormais sur la défensive.

Mon entraîneuse remarque immédiatement mon boitement. Une fois en short, je ne peux pas cacher l'énorme trace qui me longe la jambe.

— Pas d'entraînement pour toi, Aimee. Tu vas sur le banc de touche.

Même s'il fait assez froid, je m'assois sur l'herbe plutôt que sur le banc. C'est la rebelle en moi qui parle. Hayley me rejoint juste avant l'échauffement.

— Blake n'est plus lui-même, Aim.

— Je sais.

— Regarde ta jambe.

— Jolie, hein ? On dirait un peu Barney le dinosaure, tu ne trouves pas ?

— Ce n'est pas drôle, Aimee.

— Je sais bien…

— Tout le monde n'est pas de son côté, figure-toi. Il s'est mal comporté. Même si tu avais couché avec cet Alan, ce n'était pas la réaction à avoir.

— On ne s'est même pas embrassés ! On ne s'apprécie pas de cette façon !

À cet instant, j'ai conscience que c'est faux.

— Ah oui !… lance-t-elle d'un air dubitatif.

— C'est vrai, je marmonne.

Je culpabilise au simple fait de penser à Alan. J'essaie de me souvenir de toutes ces jolies chansons que Blake a écrites pour moi, toutes ces fois où il s'est fâché avec des garçons trop possessifs vis-à-vis de leur copine. Comment a-t-il pu autant changer ? Courtney a peut-être raison.

— HAYLEY ! RAMÈNE TES FESSES ! tonne l'entraîneuse d'un ton plus hargneux que d'habitude.

Hayley lève les yeux au ciel et part en courant.

Je les regarde se faire des passes en cercle. Ça craint, de rester là à ne rien faire. La main posée sur ma joue, assise par terre, je me contente d'exister.

J'essaie de ne pas penser à lui, car je viens tout juste de quitter Blake, mais… Cette histoire avec Alan est tellement bizarre. Quand nous discutons, nous nous comprenons naturellement, et quand il me touche, c'est comme une pluie d'étincelles...

Ça doit forcément vouloir dire quelque chose.

Quelque chose de bon dans ce monde mauvais. Je n'arrive pas à croire que Courtney ait parlé de l'homme de la rivière. Je cherche à me le retirer de l'esprit depuis si longtemps…

Je devais avoir sept ans quand j'ai rêvé d'un tout petit avion disloqué, dans les bois, entouré de petits jets de flammes. Tout était minuscule, à l'échelle de jouets.

Un homme en bleu de travail se tenait au bord de la route. Il semblait perdu. J'ai essayé de prendre la main qu'il me tendait.

Ce rêve a été le premier à se réaliser quelque temps après.

Le lendemain matin, j'ai tenté d'en parler à ma mère au petit-déjeuner. Elle aimait que je lui raconte mes rêves.

Si elle avait pu s'immiscer dans ma tête afin de savoir tout ce que je pensais, elle l'aurait fait.

— Il y avait un homme en bleu, ai-je dit.

— Trésor, ne parle pas la bouche pleine.

Elle a esquissé un sourire afin de ne pas paraître trop sévère.

J'ai terminé à la hâte ma bouchée de muffin.

— Et un petit avion, dans les bois, mais il était coupé en deux, comme celui de Benji quand il l'a fait tomber de sa chaise haute, sauf que ce n'était pas un jouet. Et il y avait du feu tout autour.

J'ai repris une bouchée de muffin. Mon ventre gargouillait d'avoir trop englouti de jus de pomme.

Maman semblait songeuse.

— Il y avait autre chose ?

J'ai fait non de la tête.

— Eh bien, c'est un rêve intéressant, a-t-elle dit, à son habitude. Je me demande ce qu'il signifie.

Plus tard, elle est sortie de la salle de bains, enveloppée d'un peignoir blanc. Ses cheveux gouttaient sur le sol à petits bruits. Elle portait le parfum de son savon au lilas. Elle s'est accroupie, a ajusté son peignoir et a posé les mains sur mes épaules.

— Parfois, je vois un homme, moi aussi.

— C'est vrai ?

Le contact de ses mains me faisait du bien, comme si elles me maintenaient en équilibre.

— Dans la rivière, a-t-elle ajouté d'un hochement de têtc.

— Sur un bateau ?

— Non.

Ses lèvres ont frémi un instant.

— Il est juste… debout, dans l'eau.

Elle a débarrassé mon épaule d'une saleté avant de se redresser. Mais je ne voulais pas qu'elle parte.

— Que fait l'homme de la rivière ? ai-je alors lâché.

Elle s'est raidie.

— Il m'appelle. Oui, il m'appelle. Il veut mon âme. Et quand il l'aura, il s'en nourrira. Il deviendra très puissant, trésor. Il quittera la rivière, s'emparera de la ville, et... tout disparaîtra.

Alors qu'Alan me ramène à la maison, nous vivons dix minutes de malaise. Nous discutons de Courtney, mais personne ne mentionne Blake. Je le remercie et file à l'intérieur aussi vite que possible.

Pendant le dîner, j'aimerais parler à papa d'Alan et de Courtney, mais Benji m'en empêche en ne cessant de jacasser au sujet des Curlys, du base-ball, de papy qui verrait une femme nommée Doris – ce serait d'ailleurs là qu'il se trouve actuellement – et du fait que les filles soient dégoûtantes.

J'essaie de ne pas lui en vouloir, car je sais qu'il est tout excité par le fait que papa dîne avec nous pour une fois, mais c'est difficile.

— Comment elles font pour courir avec ces..., ces trucs sur leur poitrine ?

Benji se tourne vers moi et désigne sans aucune gêne ce dont il parle.

— Benji ! crie papa d'un air choqué, mais les yeux rieurs.

— On appelle ça des seins, dis-je d'un ton las en pointant mon frère avec ma fourchette.

Il ramasse quelques spaghettis.

— Bah... En tout cas, elles sont dégueu, déclare-t-il avant d'enfourner une portion de pâtes débordant de sa bouche.

— C'est toi le dégueu, je lui lance.

Il agite la tête afin de faire remuer les spaghettis qui dépassent sur son menton.

— Au moins, on n'a ni pénis ni scrotum, nous. *Ça*, c'est dégueu.

— Aimee ! râle papa.

— Quoi ? « Pénis » est un gros mot ?

— C'est plus « scrotum » qui me dérange, dit-il en prenant une petite gorgée de vin.

Ses yeux brillants montrent qu'il n'est pas vraiment furieux.

— C'est comme ça qu'on appelle la peau des testicules, dis-je avec un air savant.

— Je sais ce que c'est, répond-il.

Benji nous observe en essayant de comprendre.

Au bout d'une longue minute de réflexion, il finit par demander :

— C'est le mot sérieux pour « couilles » ?

Grand éclat de rire général. Mon père recrache presque son vin par le nez, mais il réussit finalement à confirmer d'un signe de tête.

Benji se met à débiter :

— Scrotum. Scrotum. Scrotum.

Nous rions une minute, mais Benji, en bon garçon surexcité de primaire, ne sait pas quand s'arrêter :

— Scrotum. Scrotum. Scrotum.

Mon père en a enfin assez.

— Benjamin, ça suffit.

Mon frère continue ; papa passe alors en mode autoritaire :

— Benjamin, ça suffit, j'ai dit !

Benji s'arrête en boudant et plante sa fourchette dans ses spaghettis en la faisant tourner comme un fou avant de lancer :

— Pourquoi ? C'est pas un gros mot. C'est pas comme l'autre mot qui commence par « c ».

— N'importe quel mot devient un gros mot quand il est scandé sans arrêt à table, répond papa.

Il me jette un regard suppliant, mais je ne vois pas comment l'aider.

— C'est un mot assez bizarre, fais-je remarquer.

Benji pousse son assiette avec un air triste, comme s'il se sentait trahi.

— Je peux sortir de table ?

Mon père et moi échangeons un regard signifiant que l'un de nous devrait être la figure parentale, mais aucun n'en a réellement envie.

Je racle le tour de mon assiette. Papa sirote son vin. Des bruits de pas légers nous parviennent de l'étage.

Benji se raidit :

— C'est quoi, ça ?

Papa s'immobilise, le bras en l'air. Ma fourchette reste figée près d'un agglomérat de spaghettis. Papa pose doucement son verre tandis que Benji se lève.

— On dirait des bruits de pas.

Il sort en trombe de la salle à manger et heurte la bibliothèque en passant. Une petite bougie à réchaud tombe et traverse la pièce en roulant. Papa fonce derrière lui.

— Benji !

Sa chaise plie le tapis d'Orient, mais je l'ignore. J'imite mon père et les rejoins à la hâte sur le palier.

Benji ne cesse de sautiller en regardant tout autour de lui. L'angoisse s'abat sur moi.

— J'ai entendu des bruits de pas ! s'énerve-t-il. Il y a personne. Vous avez bien entendu, vous aussi ? Vous avez entendu les bruits de pas ? Et cette odeur... Ça sent la vanille !

La gorge serrée, je m'entoure de mes bras et allume.

— T'as entendu, papa ? continue Benji, les yeux écarquillés.

Papa hoche la tête.

— Notre maison est hantée !

Benji arpente le couloir en tapant du pied pour imiter les fameux bruits.

— On dirait quelqu'un qui marche. Une femme.

Je souffle tout mon espoir :

— Maman ?

— Votre mère ne hante pas notre maison, déclare papa d'une voix sentencieuse. Aimee, pourquoi lui mets-tu ces bêtises dans la tête ? Qu'est-ce qui t'arrive ?

Je reste bouche bée devant son éclat de colère. Il ne parle jamais sur ce ton.

Les yeux de Benji s'agrandissent davantage.

— Alors, c'était quoi, ce bruit ?

Papa met fin à la discussion d'un signe de main. Il regarde vers la gauche, comme s'il allait y trouver la réponse.

— C'est la maison qui craque.

Benji lève les yeux au ciel.

— C'est ça, ouais. Papy aussi pense que maman hante la maison. Tu le savais, ça ?

Il part comme une furie dans sa chambre et claque la porte.

— Benjamin Avery ! On ne claque pas les portes ici ! crie mon père, mais il semble vaincu.

Je redescends derrière lui dans la cuisine, et nous reprenons nos places.

— Papa...

Je pense à ces bruits de pas, à Courtney, à Alan et à mes rêves, et contourne le sujet :

— Tu sais quelque chose au sujet de l'homme de la rivière ?

Il se relève et traverse la cuisine de ses grandes jambes pour aller attraper une bouteille de Glenfiddich sur le plan de travail. Du scotch. S'il passe au scotch, c'est qu'il est nerveux.

— Quoi ?

J'essuie mon assiette d'un grand cercle avec mon pain à l'ail.

— Maman l'a vu avant de mourir.

— Je refuse d'avoir cette discussion avec toi, Aimee.

— Et pourquoi pas ?

Il verse le scotch dans un de ses verres spéciaux bombés et gravés. Ses mains ne tremblent absolument pas, comme les miennes. Il pourrait être chirurgien sans problème avec des mains pareilles. Ou peintre.

— Parce que.

— Parce que quoi ?

Il fait tourner le scotch dans son verre.

— Parce que je ne peux pas.

Il boit une gorgée qui fait s'agiter sa pomme d'Adam. Quelque chose brûle en moi, tout comme j'imagine que le scotch brûle lorsqu'on l'avale. C'est comme si un de mes organes vitaux se repliait sur lui-même, perdu, avant de se consumer.

— Papa, s'il te plaît…

— Ta mère a fait une fausse couche, m'annonce-t-il d'une voix plate et morne. Elle n'était pas enceinte de beaucoup de mois. Cette expérience…, ça l'a poussée à bout, Aimee. Suite à une hallucination, elle n'a plus pensé qu'à vous protéger, tous les deux. Elle restait éveillée la nuit, comme toi, disait entendre de lourds bruits de pas et des grattements de souris. Elle disait qu'elle sentait la mort, pas la vanille.

— Je ne dis pas ça, moi ! je laisse échapper.

— Non. Mais tu entends des bruits de pas.

— C'est le cas de tout le monde ici !

— La maison craque, elle est vieille.

Il se frotte les yeux.

— Elle transformait les choses pour qu'elles deviennent inquiétantes. Elle avait besoin d'attention, comme toi.

— Papa ! Ce n'est même pas moi qui ai parlé des bruits de pas, c'est Benji !

Je recule ma chaise. Cette journée n'aurait pas pu être pire. Courtney est malade. Blake et moi avons rompu. D'après mes rêves, quelqu'un est en danger, mais je reste impuissante. J'ai vécu un trajet en voiture hyper gênant avec Alan.

Et maintenant, ça ? Ça ? Il me compare à ma mère. Je ne peux contenir ma colère. Je ne suis *pas* folle, je ne suis *pas* la seule à avoir entendu des bruits de pas, et c'est injuste.

— Très bien. C'est toi qui nettoies. Moi, j'ai préparé le dîner.

Je m'éloigne de la table.

— Aimee…

— Papa ?

Le mot sort avant que je puisse le retenir.

Mon père fait de nouveau tourner le liquide ambre dans son verre. Il est si grand et semble si fort. Pourquoi est-il si faible ?

— Ne fais pas croire à Benji que votre mère est ici.

— Ce n'est pas moi, c'est papy.

— Je lui parlerai également.

— Nous n'allons pas être comme maman, papa. Nous ne sommes pas elle. Tu ne vas pas nous perdre, nous aussi.

— Arrête, Aimee…

Je serre les poings, mais abandonne. Je vais le laisser croire ce qu'il veut, ce qu'il a besoin de croire.

Même si mon cœur est un brasier ardent, je parcours le plancher de notre cuisine jusqu'à lui et me dresse sur la pointe des pieds pour l'embrasser sur la joue.

Je ferai comme si je n'avais pas besoin d'un père pour me venir en aide. Je ferai comme si j'étais normale.

Il est faible, c'est comme ça.

Il a plus de Blake que d'Alan en lui. D'ailleurs, le monde entier est davantage comme Blake.

— Je t'aime, tu sais, je murmure.

C'est vrai. Je l'aime malgré tout.

— Moi aussi, dit-il.

C'est alors que je remarque le couteau sur la cuisinière. C'est le gros dentelé que j'ai utilisé pour couper le pain. Je le pointe du doigt, mais ma main n'est pas comme d'habitude. Elle tremble.

Papa se retourne. Son bras libre m'agrippe la taille et me plaque contre lui. Ses paroles sont plus un juron qu'une prière.

— Mon Dieu !

Le couteau à pain, d'une quarantaine de centimètres, se tient en équilibre à la verticale et tourne lentement sur lui-même.

10

Alan

Je ralentis l'allure du pick-up à l'approche de la maison de tante Lisa…, enfin, de chez moi. Aimee m'en a parlé durant le trajet, elle m'y a appelé ; alors, je vais dire que c'est chez moi. Le quatre-quatre de ma tante est dans l'allée. Pratiquement toute la maison est éclairée. J'examine la fenêtre de Courtney, à l'affût d'une silhouette masculine derrière ses rideaux roses. Sa lumière est allumée, mais je ne vois aucun homme-ombre.

Je me gare derrière tante Lisa et éteins le moteur. Je ne peux m'empêcher de jeter un nouveau coup d'œil à la fenêtre de Courtney. Il y a une silhouette.

Une forme sombre se tient debout et me regarde. Mais les rideaux sont entrouverts, et je me rends compte que c'est celle d'une femme. Tante Lisa. La porte de la maison s'ouvre. Maman m'attend ; je la rejoins.

— Tu vas bien, Alan ? demande-t-elle en venant à ma rencontre.

— Oui. Et Courtney ?

— Ça va aller. Quelques points de suture et une légère commotion cérébrale. Qu'est-ce qui s'est passé ?

J'examine maman un instant, étonné qu'elle me pose cette question.

— Qu'est-ce qu'elle a raconté, elle ?

— Elle ne se souvient pas. Quelqu'un à l'école a dit à Lisa que tu l'avais amenée à l'infirmerie.

— Oui.

Je marque une pause et détourne le regard. Ne sachant pas exactement quoi dire, j'aimerais me dérober, mais je finis par tout lui déballer.

Lorsque j'ai terminé, elle vient me serrer dans ses bras.

— Tu ne sèches plus aucun cours, Alan Cerfblanc Parson. Entendu ?

J'opine de la tête. Maman soupire.

— Elle est en haut. Le médecin nous a demandé de la garder éveillée jusqu'à minuit.

— Allons la voir.

Courtney et tante Lisa sont assises sur le lit.

— Salut, Alan ! lance ma cousine.

— Salut. Tu vas mieux ?

— J'ai mal à la tête. Merci de m'avoir amenée à l'infirmerie.

Elle me sourit. J'imagine qu'elle ne m'en veut plus pour hier soir.

— C'est normal. Aimee s'inquiète beaucoup à ton sujet.

— Je devrais l'appeler.

— Plus tard, intervient tante Lisa. Tu l'appelleras plus tard.

— Dites, le pick-up m'a coûté un peu moins cher que ce que je pensais, j'annonce. Il me reste de l'argent. Et si je vous invitais au restaurant ? Par contre, interdiction de manger du homard ! Beurk…

Tante Lisa est gênée, mais je balaie son doute de la main. Elle finit par se tourner vers Courtney :

— Tu te sens d'attaque ?

— Carrément, répond ma cousine. J'ai envie de rondelles d'oignons frits !

J'envoie tante Lisa et maman se préparer en bas.

— Tu es sûre que ça va ? je demande à Courtney.

— Oui.

Il n'y a aucun sarcasme sur son visage. Aucune méchanceté. Elle ressemble à une fille normale. Enfin, une fille normale avec des points de suture sur le front et une bonne irruption d'acné. Au moins, ses boutons ne suppurent plus.

* * *

Carl's Cone Corner est un endroit plutôt démodé, comme ces restaurants qu'on voit dans les films des années 1950. Un gros juke-box orne la salle, et, affublées de tenues roses et de minijupes, les serveuses, parmi lesquelles je reconnais deux élèves du lycée, apportent les commandes en rollers. La nourriture y est assez bonne, et aucun homard ne nous fixe de son regard mort. Notre conversation au sujet des photos de stars parcourant les murs finit par s'estomper et précède une longue pause. Courtney est assise en face de moi, à côté de tante Lisa.

— Vous allez à l'église ? je lâche enfin.

Bien joué pour quelqu'un qui ne veut pas mettre les pieds dans le plat.

Courtney semble reculer devant la question. C'est sa mère qui répond :

— Non. Nous n'y sommes pas allées depuis… quelque temps. Pourquoi ?

— Alan…

Une frite devant la bouche, maman prononce les deux syllabes de mon prénom d'une voix montant crescendo vers la menace.

— Simple question. Est-ce que les gens vont à l'église ici ?

— La plupart, oui.

Tante Lisa regarde maman d'un air soupçonneux.

— Et vous ?

— Non, répond maman en me faisant taire d'un petit coup de coude.

Tante Lisa s'en aperçoit.

— Si Alan veut aller à l'église, on peut lui en trouver une. À quelle sorte t'intéresses-tu ?

— Ce n'est pas ce que tu penses. Alan croit aux « dieux indiens », dit maman en plaçant des guillemets imaginaires à la fin de sa phrase.

Courtney observe sa nourriture en silence.

— En *un* dieu, je la corrige. Qui se manifeste sous diverses formes. Mais ce n'est pas où je voulais en venir.

— Et où voulais-tu en venir ? insiste tante Lisa.

Elle remue sa paille dans son verre, visiblement mal à l'aise. Je dois enterrer le sujet.

— Je me demandais, c'est tout.

— Non, il y a bien une raison.

Tante Lisa ne me lâchera pas. On dirait bien qu'elle a beaucoup de points communs avec sa sœur.

— Je pensais aux bruits dans la maison. Tu sais, les grattements ?

Je fourre une frite dans ma bouche comme si ce que je venais de lancer n'avait pas grande importance.

— Les souris ? demande-t-elle.

— Oui. Enfin… si ce n'étaient pas des souris ?

— Et qu'est-ce que c'est, d'après toi ?

Ses doigts pincent encore le bout de sa paille, mais elle ne la remue plus. Ses yeux sont rivés sur moi.

Maman nettoie le ketchup sur ses lèvres à l'aide d'une serviette en papier qu'elle pose brutalement sur la table, à côté de ma main.

— Je ne sais pas, je réponds.

C'est la vérité.

Nous rentrons à la maison vers vingt heures. Aucune silhouette n'apparaît à la fenêtre de Courtney.

Je commence même à me demander si je ne l'ai pas imaginée la première fois. Tante Lisa coupe le moteur ; j'ouvre la portière arrière.

— Attendez une minute, lâche maman.

Je ne bouge plus, la main sur la poignée, la regardant chercher des yeux tante Lisa.

— On ferait mieux de le leur dire, maintenant.

Ma tante se tourne vers nous.

— L'usine a un nouveau poste. Ils ont demandé des volontaires pour en effectuer la moitié du temps de travail en attendant qu'ils embauchent. Nous avons accepté.

— Ça va faire beaucoup d'heures supplémentaires, ajoute maman. Et donc pas mal d'argent.

— D'accord.

— Nous ne serons pas à la maison avant vingt et une heures, demain. Et ce sera le cas les jours suivants, annonce tante Lisa.

— Vous ne serez pas à la maison ? glapit Courtney.

Tante Lisa lui glisse la main dans les cheveux et se retrouve prise dans un nœud qu'elle tire distraitement.

— Je ne devrais peut-être pas faire ça. Pas maintenant…

Elle regarde maman, qui pose les yeux sur moi. Je sais ce qu'elle veut. Nous n'avons jamais eu beaucoup d'argent. Notre déménagement lui a coûté toutes ses économies.

— Ça va aller. On peut se débrouiller tout seuls, Court et moi. Et j'ai le pick-up, si jamais on a besoin de se déplacer. Ça ira.

— Ça te va, Court ? demande tante Lisa.

Ma cousine fait un haussement d'épaules à peine perceptible.

— Ouais, ouais. Je sais qu'il nous faut cet argent.

— Tu es sûre ?

— Oui, dit-elle sans grande conviction.

— Je m'occuperai bien d'elle, je promets en lui tapotant le genou.

Aimee me trouverait sans aucun doute condescendant. Le fait que je sache déjà cela à son sujet me tire un sourire. Mais ça me semble être la réplique adéquate, et Courtney ne manifeste aucune opposition. Personne n'ajoute quoi que ce soit, et au bout d'un moment, nous sortons du quatre-quatre, tante Lisa en tête, en direction de la maison.

L'odeur de pourriture nous frappe de plein fouet à l'ouverture de la porte. Pris d'un haut-le-cœur, nous reculons tous, sauf Courtney, qui reste immobile dans l'entrée.

Je couvre ma bouche d'une main et entoure ses épaules de l'autre bras pour la tirer vers moi.

— Qu'est-ce que c'est que ça ? s'écrie tante Lisa entre deux quintes de toux.

— Tes souris sont peut-être mortes.

Je sais que je ne suis pas sympa d'afficher un tel sarcasme, mais c'est plus fort que moi.

Tante Lisa opine de tout le haut du corps.

— C'est sûrement ça. J'ai mis des pièges et du poison ce matin. J'imagine qu'on en a attrapé une.

— Une bonne douzaine, vu l'odeur, rectifie maman.

Je suis certain que nous ne trouverons aucune souris morte.

— Je vais ouvrir les fenêtres.

Tante Lisa, la main toujours devant la bouche, se rue dans la maison tel un enfant prenant son élan sur le plus haut plongeoir d'une piscine. Maman lui emboîte le pas.

— Je ne veux pas retourner là-dedans, murmure Courtney. Il est là.

— Qui ça, Court ? Dis-moi.

Elle tourne son visage pâle vers moi, le regard envahi d'une profonde tristesse.

— Pas papa.

Je secoue la tête.

— Non. Mais qui ? Tu le sais ?

— Pas papa.

Je la serre contre moi.

— Non, ce n'est pas ton père. Mais ça va aller. J'ai quelque chose dans ma chambre qui va nous être utile.

* * *

115

La maison est glaciale, avec toutes ces fenêtres ouvertes. Mais l'odeur s'atténue rapidement.

Trop vite, même. Ce n'est pas naturel. Tante Lisa vérifie ses pièges et les placards où elle a laissé du poison : aucune souris morte à l'horizon.

— Elles ont dû ingurgiter le poison et mourir dans les murs, explique-t-elle.

Maman adhère à son hypothèse. Je ne dis rien, mais reste près de Courtney.

— L'odeur a disparu, remarque tante Lisa.

Nous nous mettons à fermer les fenêtres.

— Viens, Court, on va s'occuper de celles de l'étage.

Je lui fais signe de monter. Elle me suit docilement dans chaque pièce.

Nous finissons par la mienne.

— Reste un peu ici, d'accord ?

Elle acquiesce et s'assoit sur le lit. Je vais farfouiller dans une pile de cartons et déniche une vieille casquette de l'Université d'Oklahoma que j'ai depuis des années. Le pourpre est désormais rose pâle, la couture du sigle est effilochée, et elle sent la transpiration rance.

— Tiens.

Je reviens vers Courtney et lui pose la casquette sur la tête.

— Un petit souvenir de chez moi...

Je retourne à mes affaires, bien que, du coin de l'œil, je la voie retirer la casquette, l'examiner, la renifler et plisser le nez, mais elle se la revisse sur la tête en se coinçant les cheveux derrière les oreilles.

Dans le troisième carton au sol, je retrouve mon vieux sac à dos en nylon et en cuir de mes années collège. J'ouvre la poche principale : ça sent bon l'herbe malgré le fait que tout soit bien scellé dans des sachets en plastique. J'en sors quelques-uns et les balance sur le lit.

— C'est du cannabis ? demande Courtney.

— Non. Je ne garderais pas ça chez toi.

116

Celui qu'elle examine contient une épaisse tresse d'herbe séchée formant plusieurs boucles.

— C'est du foin d'odeur. Il faut le brûler, pas le fumer.

— C'est indien ?

— Oui.

Le grattement reprend sous nos pieds. Je jurerais sentir ma peau frissonner sur mes os. Courtney se redresse, l'air terrifié. Je ne peux qu'éprouver de la peine pour elle.

— Ça va aller. Accorde-moi encore une petite minute.

Je trouve au fond du sac à dos des sachets de cônes d'encens et un petit porte-encens en laiton. Je m'empare du sachet sur lequel est noté « SAUGE » en grosses lettres noires et place un cône sur le porte-encens, que je pose sur la commode. Une poche latérale du sac à dos contient quatre ou cinq briquets en plastique. J'en sors un et allume le cône. La fumée s'échappe doucement. L'odeur est un mélange de dinde farcie et de cannabis.

— Ça sent… bon, dit Courtney.

Elle ne semble pas vraiment détendue.

Je fourre tout ce qui ne me sert pas dans le sac à dos, les cônes en dernier.

— C'est de la sauge. On l'utilise pour… purifier les lieux.

Le grattement se fait plus fort et plus rapide sous le plancher.

— Courtney ? Alan ? Vous allez bien ? appelle tante Lisa d'en bas.

— Oui, oui. On est dans ma chambre.

— Tape par terre pour effrayer ces satanées souris !

Je m'exécute, mais le grattement continue.

— Je vais devoir faire appel à un dératiseur, j'entends dire tante Lisa. Ça va me coûter une bonne partie de ces heures supplémentaires.

— Courtney.

Je retourne vers elle et la prends par les épaules pour la forcer à me regarder :

— Courtney, écoute-moi. Si quelque chose te dérangeait, te harcelait, quelque chose de maléfique, comme un esprit, voudrais-tu t'en débarrasser ?

Le grattement s'amplifie. On dirait que ce qui le provoque est à deux doigts de traverser le plancher. Je sens Courtney trembler sous mes doigts. Ses yeux glissent vers le sol, mais je la secoue afin qu'elle reste focalisée sur moi. Cela dit, je ne suis pas certain qu'elle me voie.

— Est-ce que tu veux t'en débarrasser ?

Elle acquiesce.

— Dis-le-lui, j'ordonne. Dis-lui de disparaître. Il faut que ça vienne de tes tripes.

— V... V... Va-t'en, murmure-t-elle.

— Plus fort !

— Va-t'en ! crie-t-elle. VA-T'EN ! VA-T'EN ! VA-T'EN ! VA-T'EN !

— Ne t'arrête pas, je lui conseille en espérant que ce soit la bonne chose à faire.

Je soulève délicatement le porte-encens et fais le tour de la chambre afin d'en diffuser la fumée et l'odeur.

— Va-t'en ! Va-t'en ! Va-t'en ! Va-t'en ! Laisse-moi tranquille, continue Courtney, presque en pleurs.

Sous nos pieds, le grattement s'interrompt soudain, faisant place à une longue plainte gémissante. J'entends les pas lourds de maman et tante Lisa dans l'escalier.

Elles seront là dans quelques secondes. Maman va piquer une crise.

— Onawa, aide-moi, je murmure. Grand Esprit, aide-moi.

La plainte se coupe net.

— Va-t'en ! Va-t'en ! Va-t'en !... psalmodie toujours Courtney.

Au moment où maman et tante Lisa apparaissent à la porte, je pose la main sur l'épaule de ma cousine.

Elle se tait et lève de grands yeux vers moi, mais la peur y est moins présente désormais.

— Qu'est-ce que c'était que ce bruit ? s'écrie tante Lisa. C'est Courtney qui criait ?

— C'est quoi, cette odeur ? interroge maman.

Je me tourne vers les deux femmes.

— Le bruit, aucune idée. L'odeur, c'est de l'encens. J'ai pensé que ça aiderait à nous débarrasser de *l'autre* odeur. Ça ne te dérange pas ? je demande à tante Lisa.

Son visage est dévoré par l'inquiétude.

— Ce n'était pas toi ?

Elle regarde le petit porte-encens brûlant encore dans ma main.

— Ce n'est que de l'encens ?

— Oui, de la sauge.

— Attention, alors, à ne pas te brûler.

Sa voix est distante, soucieuse. Elle ne me croit pas quand je prétends ignorer la provenance du bruit.

Me croirait-elle si je tentais une explication ? Je ne sais pas, mais je ne suis pas prêt à tout raconter, et j'ai au moins repoussé cette chose pour ce soir.

— Ça va, ne vous inquiétez pas. Si vous devez travailler tard demain, vous feriez mieux de dormir. Je garderai Court éveillée jusqu'à minuit. C'est bien à cette heure-là qu'elle pourra aller se coucher ?

— Oui, minuit. Tu es sûr ? demande tante Lisa.

— Mais oui, allez-y. Je ne sais pas ce qu'était ce bruit, mais il a cessé maintenant. Et on n'entend plus les souris.

— Tu es un brave garçon, Alan ! lance-t-elle d'une voix un peu plus détendue. Ta mère t'a bien élevé.

— J'imagine, je réponds avec un faible sourire. Court et moi allons rester un petit peu ici à déballer quelques cartons peut-être.

— Ne dépassez pas minuit. Vous avez cours tous les deux demain, dit maman.

— Pas de souci.

Dès leur sortie, je me tourne vers Courtney :

— Tu vas bien ?

— Non.

— Ça va passer.

Elle frissonne.

— Je ne pense pas. Il va revenir.

Courtney me fait brûler un autre cône d'encens avant de s'endormir, assise contre la tête de lit, ma casquette sale toujours vissée sur le crâne. Je ne lui ai jamais vu un air aussi paisible depuis mon arrivée dans le Maine.

— Qu'as-tu donc fait, cousine ? je murmure tout en la glissant dans une position plus confortable sous une couverture. As-tu invité cette chose ?

Je considère ses boutons d'acné. Grâce à la magie de Google et de Wikipédia, je sais désormais que le processus de possession comprend quatre étapes.

La première, c'est l'invitation.

De toute évidence, quelque chose a été invité ici. En tout cas, cela saute aux yeux de quiconque de moins de trente ans ne travaillant pas dans une usine à papier.

La seconde étape, l'infestation, se manifeste en principe par la présence d'un esprit frappeur.

Je lance un œil au cadre brisé sur ma commode.

La troisième étape, l'obsession, implique des changements physiques chez la personne concernée. Comme des boutons. La dernière étape…, c'est la possession totale.

Ceci est la version chrétienne. Les Navajos l'appellent le « mal des fantômes ».

Appelez cela comme vous voulez, je pense que Courtney en est atteinte.

11

Aimee

Je pousse le bras de mon père, atteins en deux enjambées la cuisinière et m'empare du couteau. Puis je fonce vers le lave-vaisselle, fourre le couteau dans le bac à couverts et claque la porte de la machine. Nous restons muets. Papa me fait signe de m'asseoir, mais je ne peux pas : tout cela est trop angoissant. Il a l'air horrifié.

— Aimee !

Encore sous le choc, j'ai du mal à respirer.

— Quoi ?

— Comment as-tu fait ça ?

— Attends, tu penses que c'est moi qui l'ai fait tourner ?

Le lave-vaisselle est toujours fermé. Même hors de moi, je préfère vérifier.

— C'est la seule explication logique ! lance-t-il, le regard vide.

— Papa !

La douleur s'abat sur moi. Il pense réellement que j'ai fait ça ? Pour lui, je suis folle et menteuse au point de faire tourner un couteau ? Ne sachant même pas comment j'arrive à contenir une insulte, je pars comme une furie dans ma chambre.

— Trésor, je suis désolé, mais si ce n'était pas toi, c'est… Ça ne peut pas…

Il m'appelle, mais je ne cède pas. Mon côté pacificateur a ses limites.

Un peu plus tard, je reçois un texto. C'est Blake : JE SUIS VRAIMENT DÉSOLÉ. NE GÂCHE PAS TOUT STP.

Ignorant quelle réaction adopter, je passe la plus grande partie de la nuit à peindre. Je sais que ce n'est pas normal. L'odeur âcre du diluant envahit toute la maison, mais personne ne se réveille.

Personne ne vient s'assurer que je vais bien. J'aimerais faire comme si ça ne me dérangeait pas, mais ce n'est pas le cas. J'aimerais regarder la rivière par la fenêtre, mais j'ai peur de ce que je pourrais y voir.

C'est pour ça que je ne dors pas. J'ai peur de ce que je pourrais voir en rêve. Pourtant, à trois heures dix du matin, la fatigue triomphe de moi. Je ferme les yeux, mais reste assise contre mon lit afin de barrer la route aux rêves.

Ça ne sert à rien.

Je suis sous l'eau. Il y a un canoë, à la surface, et quelqu'un qui nage. L'eau est glacée. Un phoque me lance un regard triste et inquiet tandis que je cherche à atteindre la surface. Soudain…, des mains agrippent mes jambes et me tirent vers le fond. Mes poumons sont sur le point d'éclater. Mon corps se débat, se tord dans tous les sens. J'arrive enfin à voir qui me tient. C'est un homme. Il me fixe avec des yeux liquides et un sourire qui n'en finit pas.

Tu es à moi…

Le cauchemar m'a tellement épuisée que je dors comme une morte le restant de la nuit. Pas de rêves.

Pas de crainte. Le lendemain, je descends prendre mon petit-déjeuner sans aller faire de kayak avant.

Je ne fais pas confiance à la rivière aujourd'hui.

Nous sommes tous les quatre autour de la table. Si on enfilait une robe à papy, on pourrait passer pour une parfaite petite famille. Au menu, céréales et jus d'orange pour tout le monde. Bizarre...

— Papa ne pense pas que la maison est hantée, déclare Benji.

Tous les yeux se tournent vers lui, puis vers papy, qui balance sa cuillère entre ses doigts.

— Ton père ne croit pas aux fantômes.

Il plonge la cuillère dans son lait.

Benji se redresse sur sa chaise et cambre le dos, les sourcils plissés, prêt à en découdre.

— Comment peut-il ne pas y croire ? On a entendu des bruits de pas, là-haut, et *il n'y avait personne* !

— Je n'ai rien entendu, moi, répond papa, la bouche pleine.

Il ne parle jamais la bouche pleine.

Silence général. Hier soir, il m'a dit qu'il ne pouvait pas croire en ces choses-là. Je pense que ça lui ferait trop de mal, qu'il se sentirait incapable de nous protéger, comme il n'a pas pu protéger maman. J'ai de la peine pour lui. Je tente de briser le silence :

— Alors, où en est cette vente de Curly ?

— On a atteint huit cent cinquante dollars, annonce papy, le regard fier.

Benji pousse un petit cri de joie, et papa s'étrangle avec son jus d'orange.

— Tu plaisantes ? Je m'étonne. Huit cent cinquante dollars ?

Papy lève la main droite.

— Parole de boy-scout.

— Tu comptais me le dire quand ? s'écrie Benji en versant du sucre sur ses céréales avant que papa ne le lui retire des mains.

— J'attendais que tu sois moins grincheux, déclare papy.

Il aspire bruyamment son lait, les yeux brillants. Ces temps-ci, il adore taquiner Benji sur son sale caractère, et c'est réciproque.

Benji prend un air outré en se désignant :

— Moi ? Mais c'est pas moi, le grincheux !

— Vous me fatiguez avec vos histoires, lâche papa d'une telle façon que la conversation s'arrête.

Je cherche quelque chose à dire, mais n'y arrive pas. Je jette un œil à mon père ; pense-t-il lui aussi à l'épisode du couteau ?

— Tu ne vas pas à la rivière, Aimee ? demande papy. C'est bien, le kayak, pour toi. C'est physique et relaxant à la fois.

— Non, pas aujourd'hui, je réponds en frissonnant.

— Il faut que tu dormes davantage. Tu t'épuises. Je l'ai découverte en train d'errer dans la maison cette nuit. J'ai dû aller la coucher.

Papa délaisse son jus d'orange pour son café.

— Ah bon ?

J'ai soudain la tête qui tourne.

— Je ne m'en souviens pas…

— Évidemment, tu dormais, ajoute papy dans le silence gêné qui l'entoure.

Super. Encore un indice appuyant la théorie « Aimee est folle » de mon père, qui change de sujet.

— Les urgences sont surchargées en ce moment. Il y a de plus en plus d'agressions…

Je détache mon attention lorsqu'il se met à parler de la campagne de financement en faveur d'une nouvelle salle des urgences. Benji articule en silence « Bla, bla, bla… », ce qui me fait glousser.

Papa est encore là quand le pick-up d'Alan s'arrête devant la maison.

— C'est lui, le cousin de Courtney ? demande-t-il en enfilant, la tête tournée vers la fenêtre, sa veste de costume.

— Ouais.

Je le tire par le bras.

— Écarte-toi de la fenêtre, papa.

— On a vu mieux comme pick-up, se plaint-il.

— C'est bien suffisant.

— Il sort. Blake, lui, ne sort jamais.

— Il sort ?

Je me jette à la fenêtre. En effet, il se dirige vers la maison. Oh ! mon Dieu… Il est si grand… On dirait qu'il va sourire. Mon cœur commence à s'emballer, mais je m'efforce de le calmer afin de ne pas paraître totalement ridicule.

— Les garçons ne sortent pas de voiture, en principe, quand ils passent vous prendre… je lance d'un air gêné.

— Ils le font quand ils veulent faire des bisous-bisous, la ramène Benji en jetant un coup d'œil dehors. Dis donc, il est super grand ! Il va falloir que tu grimpes sur une chaise pour l'embrasser…

— Benji !

— Elle est toute rouge ! jubile-t-il. Les filles rougissent seulement quand un garçon leur plaît, pas vrai ? Toute leur chaleur monte dans les joues. C'est papy qui me l'a dit.

Papa se tourne vers moi avec de grands yeux.

— Il a les cheveux longs !

— Ça lui va bien.

— Il ne trouvera jamais de travail avec une telle coiffure.

— Tais-toi, papa. Ne sois pas si coincé.

J'attrape mon sac et fonce vers la porte pour devancer Alan. Lorsque j'ouvre, il est là, le bras levé, prêt à appuyer sur la sonnette. Mon corps entier se détend rien qu'à sa vue. Je ne peux m'empêcher de frôler du doigt la bosse que forme sa pochette médicinale sur son torse.

— Salut, j'articule en rougissant davantage.

Je n'arrive pas à croire que je viens de le toucher, comme ça, naturellement. Il sourit.

— Salut.

Benji se matérialise derrière moi.

— Papa, ils se sont dit « salut ». Ils ont franchi une première étape, mais comme la plupart des adolescents, ils ne trouvent rien d'autre à se raconter. C'est le coup de foudre qui les rend muets. Le coup de foudre ! Le coup de foudre !

Je fais volte-face et mon sac à dos tape l'encadrement de la porte.

— Arrête, Benji ! On dirait papy !

Il arbore un grand sourire diabolique.

Je me retourne vers Alan en essayant de m'excuser.

— C'est mon petit frère...

— Je l'avais deviné, vu votre différence de taille, sa façon de t'embêter et le fait que vous soyez tous les deux dans la même maison dès le matin. J'hésitais entre ça et le fait que tu loues des enfants pour avoir l'air plus équilibrée, ce qui me va parfaitement...

— Très drôle. À CE SOIR ! je crie en fermant la porte derrière moi.

Tandis que nous descendons l'allée, je lui donne un petit coup de hanche.

— Équilibrée, hein ? Je devrais peut-être porter des nattes, un tablier et une robe vichy, qu'est-ce que tu en penses ?

— On dirait Dorothy, dans *Le Magicien d'Oz*, en version coquine.

Je frémis.

— Ouh... Pas terrible.

— Elle n'est pas aussi sexy que la Méchante Sorcière de l'Ouest, toujours à enfourcher son balai, mais... ce n'est pas loin.

Il m'ouvre la portière côté passager.

— Comment va Courtney ? je demande avant qu'il ne ferme la porte.

— Mieux...

Il lance un regard vers la maison.

— Pour le moment, en tout cas, j'imagine. Sa mère a insisté pour la conduire au lycée.

Le pick-up a déjà son odeur : un mélange agréable de déodorant et de terre.

— Je suis content que tu ailles bien.

— Tu craignais le contraire ?

— J'étais inquiet à ton sujet hier soir, avoue-t-il en passant la marche arrière.

Le pick-up pousse une petite plainte.

— Je n'ai pas réussi à te joindre sur ton portable.

— Il était déchargé, désolée.

Nous demeurons silencieux un instant. Je tente d'ignorer ce sentiment d'angoisse qui s'abat peu à peu sur moi. Puis Alan m'annonce ce qu'il a appris sur la possession. Je lui parle du couteau et du fait que mon père pense que je suis derrière tout ce qui se passe d'étrange à la maison.

— Mais toi, tu crois que c'est ta mère ? demande-t-il en garant le pick-up.

Nous restons assis un moment. Je dois sûrement avoir l'air terrifiée, car il me prend la main et dit :

— Ça va aller, Red.

Je déglutis péniblement en hochant la tête.

— Je ne veux pas devenir folle.

— Tu ne l'es pas.

Je détache mes yeux de son sourire pour les poser sur nos mains entrelacées.

— Si tu l'es, alors moi aussi.

— Ce n'est pas très rassurant...

Ma remarque le fait rire.

— On devrait y aller, dit-il.

Il lâche alors ma main, et nous sortons du véhicule. Au contraire de Blake, il ne le verrouille pas. Enfin, je ne cherche pas à les comparer... Oh ! mon Dieu, on s'est tenu la main. Ça n'a duré que quelques secondes. Peut-être est-ce une coutume dans l'Oklahoma.

Ça ne doit rien vouloir dire. Blake le tuerait si ça voulait dire quelque chose.

Pour mon heure de pause, je me rends à la bibliothèque plutôt qu'à la salle d'arts plastiques. J'allume mon ordinateur portable. Mme Hessler, la gentille documentaliste, me sourit. Elle se penche par-dessus la table tout en détournant volontairement les yeux de mon écran.

Elle fait toujours en sorte de s'immiscer le moins possible dans notre vie privée.

— N'hésite pas, si tu as besoin de quoi que ce soit, Aimee.

Les grenouilles sur ses oreilles balancent contre les boucles brunes de ses cheveux courts.

— Merci, lui dis-je en souriant.

— Tu as un très joli sourire.

Elle se redresse.

— Le même que ta maman.

Elle s'éloigne, visiblement satisfaite de sa remarque. J'entre dans la barre de recherches de Google « CONTRE-SORT » et obtiens des histoires d'attaques de jeux de rôle.

— Super… je marmonne.

J'en profite pour regarder les enchères sur le Curly. La photo mise en ligne par papy rappelle bel et bien Marilyn Monroe. Bizarre... Je retourne au moteur de recherches et tape : « SE PROTÉGER DU MAUVAIS ŒIL. »

Bingo. Le premier site proposé est celui d'une chapelle médiévale anglaise luttant contre le mauvais sort.

On y lit que les personnes vulnérables à la possession sont à la base méchantes et manipulatrices. Mais il y a une tout autre catégorie de gens vulnérables : ceux dotés d'une personnalité bienfaisante, qui vouent beaucoup d'attention, de compassion et absorbent en quelque sorte les émotions de ceux qui les entourent.

Nous organisons des ateliers ! indique le site. *Inscrivez-vous.*

— Ça fait un peu loin, l'Angleterre, je marmonne en descendant sur la page jusqu'à une section consacrée aux techniques empêchant la possession.

L'une d'elles consiste à créer un champ protecteur d'énergie, comme une lumière blanche.

— OH !

C'est exactement ce que je fais quand j'essaie de guérir les gens.

Deux élèves de seconde lèvent le nez de leurs ordinateurs avec un air amusé.

— Tout va bien, Aimee ? chuchote Mme Hessler.

— Oui, oui, ça va super. Merci.

Je baisse la voix jusqu'à atteindre le volume requis dans un tel endroit.

— Désolée d'avoir fait du bruit.

Elle me gratifie d'un sourire enthousiaste :

— C'est bien, d'être contente, dans une bibliothèque.

Je lui tends un pouce complice, puis parcours rapidement la page avant de retourner sur Google pour y taper « HERBES PROTECTRICES ». Je compte faire tout mon possible pour protéger les gens que j'aime.

Eh oui, homme de la rivière… Aimee Avery te déclare la guerre. On a tendance à penser que je suis toujours « peace and love ».

C'est vrai, mais je suis ainsi, car je veux protéger les autres des conflits, de la méchanceté, des hommes qu'on trouve dans les rivières…

Le problème, c'est qu'à part avoir guéri quelques petits bobos chez Benji, je n'ai jamais mis en pratique mon don de guérisseuse. J'ai toujours eu l'impression qu'il me rapprochait trop de ma mère et de sa folie.

Comme il me reste un peu de temps, je tape « ALAN PARSON ». La plupart des 2 190 000 résultats traitent de The Alan Parsons Project, qui m'a tout l'air d'être un vieux groupe de rock. J'affine ma recherche à « ALAN PARSON FOOTBALL AMÉRICAIN OKLAHOMA ». Tout un tas d'articles apparaît. Un clic me mène à la version en ligne du quotidien *The Oklahoman*. Le gros titre annonce : « LE PRODIGE PARSON CONDUIT SON ÉQUIPE À LA VICTOIRE. » Il y a même des photos de lui courant sur le terrain, le ballon plaqué contre son torse, les muscles de ses cuisses tendus sous sa tenue. Il m'a serrée contre lui.

Je ferme mon ordinateur. Je suis ridicule. Allez, on respire…

Je pousse un petit gémissement. Tout cela est trop rapide et trop électrisant…

— Ça va, Aimee ? demande Mme Hessler.

J'opine de la tête.

— J'ai entendu dire que Courtney s'était sentie mal hier. Comment va-t-elle ?

— Aucune idée, je réponds en toute honnêteté. Elle est censée être là aujourd'hui ; je ne l'ai pas encore vue. Mais à vrai dire, depuis quelque temps, elle n'est pas vraiment…

— … elle-même ?

— Oui. Exactement.

La sonnerie retentit. Les élèves de seconde bondissent de leurs chaises et rassemblent leurs affaires. Je les imite.

Mme Hessler me tapote l'épaule avant que je n'atteigne la porte.

— Aimee ?

Je me retourne, craignant d'avoir enfreint une règle de la bibliothèque.

— Quand Courtney s'est évanouie, est-ce qu'elle a fait quelque chose de bizarre ?

— Elle a roulé les yeux.

Je frissonne. Je déteste me repasser cette image.

— Oh !… Oh !…

Elle a l'air étrangement mal à l'aise.

— Est-ce que… Est-ce qu'elle a été prise d'une crise d'acné subite ?

Je sers mon ordinateur contre ma poitrine.

— Oui. Pourquoi ?

Elle tortille ses doigts nerveusement.

— Pour rien. Je réfléchissais, c'est tout. Il te faut un mot ? Je t'ai mise en retard ?

— Non.

Son comportement me laisse perplexe.

— Non, ça ira. Merci, madame Hessler.

— Attends une minute, Aimee.

Elle se dirige vers son bureau pour m'écrire tout de même un mot, puis s'empare d'un dossier rose avant de revenir vers moi.

— Lis ça, tu veux ?

J'hésite un instant, mais elle me le met entre les mains en ajoutant :

— S'il te plaît. Ce sont des informations que j'ai rassemblées. C'est... Lis-le et tu en tireras tes propres conclusions.

Déboussolée, je prends le dossier.

— Merci.

Je quitte la bibliothèque à la hâte, tandis qu'elle me salue de la main. Je me retourne un peu plus loin : elle est toujours debout près de la porte et me regarde d'un air triste.

J'ouvre le dossier en cours de maths, je ne peux pas attendre plus longtemps. La première page est constituée de tout petits articles découpés dans un vieux journal.

Ils ne sont même pas signés. Mme Hessler en a entouré un au stylo rouge. Il date de 1876.

MORT DANS UNE RIVIÈRE - La soirée organisée hier à East Goffs Town par l'association « Le Port de Goff » a battu son plein et s'est déroulée sans encombre. L'essai de Mme Joshua Petengale, très apprécié, est l'illustration parfaite d'un long travail de recherches. Toutefois, après la soirée, M. Emulus Black, malgré le rhume et la fièvre dont il souffrait, a assuré qu'il pouvait rentrer seul chez lui, près de l'Union River. Il semble s'être fourvoyé. Tôt ce matin, des morceaux du corps de M. Black ont été trouvés au bord de la rivière par Mme Louise Goodale. La cause de sa mort n'est pas encore établie, mais il sera probablement inapproprié qu'elle soit connue en détail des personnes du sexe faible.

Je lève les yeux, prise d'un frisson. M. Block est en plein discours. Le papier suivant, également une microfiche, semble être un article de tête.

VILLE MAUDITE ? – Avec la mort récente de M. Emulus Black, l'ancienne rumeur païenne selon laquelle East Goffs Town serait maudite a refait surface. Pour ceux qui l'ignorent, on raconte que les estimés fondateurs de notre ville ont provoqué la colère des esprits indiens de la forêt en construisant cette respectable communauté sans faire de sacrifices aux arbres et à la rivière. Il est de l'opinion de ce journal que croire en de telles légendes est moralement dangereux et criminel.

Il faut que j'aille chercher Alan. Mais je ne peux m'empêcher de passer à la page suivante : un autre article sur une microfiche, entouré de rouge.

AGRESSION MYSTÉRIEUSE – Le Dr M. S. Hutton, résidant au 24, Maple Avenue, a fait irruption dans la Première Église congrégationaliste, dimanche matin, dans un état second, quinze minutes environ après le début du service. Il n'a pu dire grand-chose, mais l'on rapporte qu'il ne cessait de répéter : « L'homme dans la rivière. » Un examen rapide a suffi à découvrir que cet estimé citoyen avait été violemment frappé à la tête et portait de profondes griffures autour des poignets et des chevilles. Malgré l'empressement des témoins de l'emmener chez le médecin le plus proche, son collègue le Dr Llewellyn Allan, à Blue Hill, la victime est morte rapidement de ses blessures, ou suite au choc. Un groupe d'hommes de l'Église a tenté de repérer un individu blessé dans la rivière, mais en vain. Personne n'a disparu dans la ville. Ce qui est arrivé à ce bon docteur reste encore un mystère à l'heure où nous publions.

Trois autres articles dans la même semaine rapportent la disparition de deux femmes. On les a vues pour la dernière fois près de la rivière. L'un des corps est enfin retrouvé, démembré sur la rive. La ville est en émoi. Les gens ont l'interdiction de s'approcher seuls de la rivière. Le journal dévoile une photo de la femme en question. Elle a un joli visage fin et de grands yeux.

Elle me rappelle ma mère.

La prochaine page porte la date de 1936. Des gros titres annoncent de nouvelles morts mystérieuses dans la rivière. Je parcours rapidement encore quelques pages.

Les mêmes histoires reviennent tous les vingt ans.

Les gens meurent. On les retrouve démembrés.

Je pose la main sur mon front comme pour remettre de l'ordre dans mes pensées. Je tourne une page. L'article parle de ma mère, mais il ne donne pas son nom.

Une femme de Goffstown est morte dimanche matin dans l'Union River. Les gardes-côtes, la police locale et le capitaine de port se sont rendus sur les lieux. L'hypothèse d'un acte criminel est écartée.

Je pose la tête sur mon bureau.

J'ai la gorge serrée, mais je ne pleurerai pas. Le bureau est froid contre mon front. Il sent le produit nettoyant au citron. Si je ferme les yeux, l'obscurité m'entoure – l'obscurité et le néant. C'est ce que je veux être. Tout de suite. Le néant.

— Mademoiselle Avery ? m'appelle M. Block, avec sa mèche rabattue sur sa calvitie naissante et ses grosses joues rouges. Mademoiselle Avery ? Vous êtes avec nous ?

Tout le monde s'esclaffe.

Je lève la tête et cligne des yeux, aveuglée par la lumière.

— Pas vraiment.

Les autres rient davantage, comme si je venais de faire une super blague, mais ce n'est pas le cas.

M. Block s'accorde un rapide sourire, puis il remonte son pantalon vert en velours côtelé et se gratte le crâne. Il s'assoit du bout des fesses sur son bureau et fait tomber un stylo, qu'Emily ramasse.

— Merci, mademoiselle Portman, dit-il avant de reporter son attention sur moi. Mademoiselle Avery, pouvez-vous nous parler du théorème fondamental de l'analyse ?

Oh non, pas ça.

J'empêche de toutes mes forces ma tête de retomber sur le bureau. Elle est si lourde… Mais je finis par sortir de ma torpeur :

— L'intégration et la dérivation sont des opérations réciproques.

— Réciproques ?

Je cligne des yeux.

— Complémentaires. Je voulais dire « complémentaires ».

Il hoche la tête d'un air satisfait.

— « Réciproques » me va très bien. Parfait, Aimee.

Il sourit de nouveau, et je sais qu'il me lance une bouée de sauvetage, mais je ne peux pas bouger pour l'attraper. Il se soulève du bureau d'un mouvement rapide et fluide pour aller griffonner sur le tableau :

$$Fba\ F(x)\ dx = F\ (b)\text{-}F(a)$$

Il se tourne vers la classe en souriant :
— Les enfants, voici le secret de l'Univers.
Si seulement c'était si simple.

Avant sa mort, maman remuait tout le temps les pieds. Quand elle s'asseyait, ils tapaient par terre comme pour contester le fait de ne pas pouvoir bouger, comme s'ils devaient être perpétuellement en mouvement.

Ce jour-là, il n'était même pas dix heures et nous déjeunions déjà. Benji était dans son siège-bébé, que maman utilisait aussi dans la voiture.

Elle l'avait posé sur la table, à côté d'une pile de livres que nous venions d'emprunter à la bibliothèque.

Il dormait en se balançant, son doudou serré contre lui. Mon repas consistait en des macaronis au fromage bio et du jus de pomme. Maman s'asseyait. E
lle se relevait. Elle s'asseyait. Ses pieds ne cessaient de taper le sol. Elle dit :

— C'est difficile de rester assise. Je te jure que c'est parfois très difficile pour maman, Aimee. On a tout le temps pour ça quand on est mort.

Elle a alors émis ce petit ricanement sec qui m'est resté en travers de la gorge au point de me couper l'appétit.

— Je devrais plutôt dire qu'il est temps de ne plus bouger quand on est mort. Oh ! mais qu'est-ce que je veux dire, en fait ? Je n'en ai absolument aucune idée ! La mâchoire des gens est très intéressante, tu ne trouves pas, Aimee ? On peut presque imaginer leur squelette en observant leur mâchoire.

La sienne était pointue et fine. Elle était également irritée.

— Tu seras une grande artiste, Aimee, et il faut que tu apprennes à dessiner d'abord la mâchoire des gens, car c'est ce qui te donne la structure du visage. Oh ! on dirait que je parle d'une maison, non ? La structure d'un visage. La structure d'une maison. La structure d'un cœur.

Elle s'est levée en me regardant. Son visage lisse n'exprimait rien.

— Je vais sortir abattre quelques arbres. Je n'aime pas ceux qui penchent vers la maison. C'est dangereux. Je ne veux pas que ma famille soit en danger. Elle est sous ma responsabilité.

Elle a foncé vers la porte. Nous étions en mars.

Elle ne portait ni manteau ni bottes. La neige recouvrait tout dehors. Elle a dit :

— Surveille Benji pendant mon absence. Garde le en sécurité.

Et elle est partie pour de bon.

Je l'avais rêvé, la nuit précédente. Je l'ai vue avancer vers la rive, un lourd objet à la main. J'ai vu, debout dans la rivière, un homme dont le visage n'était qu'un squelette. Il l'attendait. Je crois qu'il nous attend aussi, désormais.

12

Alan

Lorsque j'arrive à la cantine, Aimee m'attend avec Hayley au bout de la queue afin que nous puissions nous asseoir ensemble. Sa chevelure ressort comme le feu dans un monde de brume. J'ai envie d'aller y enfouir ma main pour l'ébouriffer un peu avant de faire courir mes doigts dans son dos.

Je jette un œil aux plateaux autour de moi. Au menu d'aujourd'hui : bâtonnets de poulet et macaronis au fromage.

Le petit visage ovale d'Aimee devient presque aussi rouge que ses cheveux.

Elle acquiesce à une messe basse d'Hayley. Je cherche quelque chose à dire et lance fièrement :

— Comment va le Curly ?

— Les enchères étaient montées à huit cent cinquante dollars ce matin.

Je stoppe dans la queue.

— Tu plaisantes ? Pour un Curly ?

— C'est pourtant vrai.

— Je vais peut-être trouver John Wayne dans un de ces bâtonnets, je dis d'un air songeur.

Je passe la cantine en revue. Blake, assis à sa table

habituelle, nous dévisage. Super… Je me demande si le simple fait de parler à Aimee est une offense punissable.

Aimee ne le remarque pas. Elle rit et lance :

— Je vais chercher Bouddha dans mes macaronis.

— On pourra arrêter l'école et vivre de notre fortune, j'ajoute.

Hayley sourit :

— Ce serait génial.

Aimee s'apprête à surenchérir, mais elle s'interrompt en regardant derrière moi. Je me retourne et aperçois Courtney pour la première fois de la journée. Elle est au bout de la queue, visiblement mal en point. Son visage enflé est couvert de boutons, pour la plupart purulents. Les gens la pointent du doigt en s'éloignant d'elle. C'est étrange : elle semble furieuse et amusée à la fois. Ses yeux sont trop brillants, comme si elle avait de la fièvre.

— Lâchez-moi, gronde-t-elle.

Oui, elle gronde carrément. Elle tourne la tête brusquement et repère un grand garçon au pull à l'effigie des Boston Red Sox[1]. Le garçon pâlit. Courtney tourne de nouveau la tête et s'arrête cette fois sur une petite brune au tee-shirt proclamant « Conseil d'élèves – lycée de Goffstown ». Elle avance vers elle en titubant ; la fille recule, paniquée.

Je me fraie un chemin pour aller la chercher. Aimee m'emboîte le pas.

Courtney se tourne vers nous, et ses lèvres sèches et craquelées se fendent en un sourire mauvais.

Je m'immobilise. Ce n'est pas la fille qui s'est endormie sous ma casquette hier soir.

Ses yeux étudient Aimee.

— Court, murmure Red. Tu vas bien ?

Ma cousine ouvre la bouche, mais aucun son n'en sort.

— Viens, Courtney, dis-je en lui tendant la main. Je te ramène à la maison. Ça n'a vraiment pas l'air d'aller.

---

1. Club professionnel de base-ball.

Avant même de m'en rendre compte, je voltige par-dessus la barrière bleue séparant la queue du reste de la cantine. J'atterris sur une table et glisse jusque sur les genoux de deux élèves.

Le contenu de leurs assiettes est éparpillé sur mes vêtements. Il règne un silence de mort dans la salle.

— Court ! crie Aimee. Court, tu m'entends ?

Soudain, comme hier, ma cousine se plie en deux, comme une poupée de chiffon, et commence à tomber. Mais Aimee est là, et cette fois, elle la rattrape. Elle n'a pas la force de la tenir debout, mais elle ralentit sa chute afin que Courtney ne s'écrase pas de nouveau au sol.

Everson et des professeurs accourent vers elles tandis que je tente de m'extirper des genoux sur lesquels j'ai atterri. Blake rit sous cap tout en parcourant l'allée à grandes enjambées. Couvert de morceaux de poulet et de macaronis collants, j'arrive enfin à me lever.

— Désolé, dis-je avant de foncer vers Aimee et Courtney.

Blake est déjà là, le bras autour des épaules de Red, comme si elle lui appartenait.

— Ne la touchez pas ! hurle Everson. Dégagez ! Que tout le monde retourne à sa table !

Il décroche une radio de sa ceinture et y crache :

— Il nous faut tout de suite une ambulance à la cantine. Une fille est à terre.

Blake éloigne Aimee et lui dit quelque chose que je n'entends pas. Je braque les yeux sur Courtney tout en repensant à hier soir. J'essaie de me frayer un chemin jusqu'à elle.

— C'est ma cousine, j'insiste.

Everson et d'autres adultes me retiennent. Le proviseur adjoint est aussi solide qu'un roc. Quel était son poste dans l'équipe du Colorado ? Linebacker ? Défenseur ? En tout cas, il ne bouge pas d'un pouce.

— Calmez-vous, Alan, m'ordonne-t-il.

— Elle va bien ? Elle respire ?

— Oui, elle respire.

Il pose les mains sur mon torse.

— Les secours arrivent.

Une soudaine bouffée de violence me donne envie de balayer l'homme de mon chemin. Mais elle disparaît tout aussi vite. Ça ne se fait pas de frapper les profs et les proviseurs. En particulier ceux constitués de briques.

— Elle a une commotion cérébrale, j'explique.

— Je sais. Il lui faut un médecin. L'ambulance arrive. On va s'occuper d'elle.

Il me passe en revue.

— Allez demander à madame Murillo de vous prêter un tee-shirt propre et essayez de nettoyer votre pantalon aux toilettes.

Je pose à nouveau les yeux sur Courtney, allongée par terre, dans les pommes, telle une coquille vide.

— Ça va aller, insiste Everson.

— Viens, Alan, je t'accompagne.

Aimee est là, elle me prend la main et me tire. Blake, à l'écart, nous observe. Everson acquiesce d'un coup de tête.

Je suis Aimee jusqu'au secrétariat, où elle signale qu'il me faut un haut propre. La secrétaire sort d'une armoire un tee-shirt bleu à l'effigie du lycée. Je marmonne un merci, et Aimee m'entraîne jusqu'aux toilettes les plus proches.

— Va te changer et te nettoyer. J'ai quelque chose à te montrer après.

Je sors des toilettes, mon tee-shirt « Motörhead » en boule dans une main et le jean humide, mais plus aucun morceau de fromage dessus. Aimee est toujours là ; elle m'attend. Je me demande si elle s'est réconciliée avec Blake, et si elle me l'avouerait, le cas échéant.

— Ils viennent d'emmener Court sur une civière. Elle était réveillée. Je suis allée lui tenir la main et lui dire qu'on l'aimait. Elle avait l'air dans les vapes, mais pas… Tu vois…

Je baisse les yeux. La gorge serrée, je sens les larmes monter. Je connaissais à peine ma cousine il y a une semaine, mais hier soir, nous sommes devenus une vraie famille. Je me reprends et décide également d'oublier Blake.

J'attrape Aimee, l'écrase contre moi et embrasse ses cheveux. Je ne la connaissais pas non plus, il y a une semaine. Aujourd'hui, c'est mon ancre de salut dans un monde qui part à la dérive de minute en minute.

— Il faut affronter cette chose, je souffle dans sa magnifique chevelure rouge qui sent le soleil, les fleurs et la raison.

— Je sais, répond-elle, la voix assourdie contre mon nouveau tee-shirt.

Je réalise à quel point je l'étouffe, je desserre un peu mon étreinte, mais sans la lâcher. Les larmes menacent encore de poindre dans mes yeux, et je ne veux pas qu'elle me voie pleurer.

— Qu'est-ce qu'on peut faire ? demande-t-elle.

— Je ne sais pas.

Mais je pense que si. La vraie question, c'est : puis-je le faire ? Suis-je assez fort ? L'espace d'une seconde, j'aimerais que mon père soit là pour me le dire, pour me soutenir, mais j'élimine cette pensée.

Étant donné les circonstances, j'imagine que maman comprendra. Nous retournons au secrétariat, et je préviens Mme Murillo :

— Je vais voir ma cousine à l'hôpital.

— Moi aussi, déclare Aimee. C'est mon chauffeur aujourd'hui.

Mme Murillo a une voix guillerette et des cheveux courts et rebelles. Il semble clair qu'elle a entendu toutes les excuses possibles et imaginables.

— Je ne peux pas vous laisser quitter l'établissement sans l'accord d'un adulte.

— Désolé, m'dame, mais j'y vais quand même, je réponds. Je ne veux pas paraître insolent, mais sérieusement, ce n'était pas une question. Je voulais juste que quelqu'un soit au courant.

— Laissez-moi appeler votre mère pour voir si elle est d'accord, suggère-t-elle en tendant la main vers le téléphone.

— Je ne peux p...

— Alan, c'est mieux comme ça, dit Aimee. Je suis sûre ça ne posera pas de souci à ta mère et ça t'évitera des ennuis.

— Vous pouvez me donner son numéro ? demande Mme Murillo.

J'inscris mon nom sous ceux des autres élèves autorisés à sortir. Il y a une case à faire signer par l'adulte. Je la laisse vide tandis que la secrétaire raccroche.

— Aimee, je vais appeler votre père, dit-elle.

Quelques minutes plus tard, nous sommes dans mon pick-up, et Aimee m'indique la route de l'hôpital.

13

Aimee

— C'est là ? demande Alan.
— Oui.

Je me frotte les yeux en essayant de voir la situation comme lui, de ne pas penser à la douceur de Blake à la cantine, à sa façon de me consoler. On aurait dit qu'il était soudainement redevenu le gentil Blake. Je déteste ça. La vie serait tellement plus simple si les gens étaient inflexibles au lieu de passer sans cesse de bons à méchants, de furieux à tendres.

Le Memorial Hospital du Maine est un bâtiment de briques atypique plus ou moins tentaculaire. Il est toujours difficile d'obtenir suffisamment de fonds pour y ajouter une nouvelle aile maternité ou une salle des urgences.

Ici, on ne trouve pas de parking à étages ou d'autres fantaisies de ce genre.

— Je sais qu'il n'est pas énorme, mais c'est un bon hôpital, je te le promets. Ils vont bien s'occuper de Courtney… Enfin, ils vont faire de leur mieux, mais…

— Ce n'est pas quelque chose que peuvent régler un stéthoscope et une analyse de sang, me coupe-t-il.

— C'est vrai… Tu peux te garer là, entre la Mini Cooper du docteur Mason et la Sedan de Doris Bailey. Elle, c'est la secrétaire de mon père. Ça fait cinquante ans qu'elle est ici. Elle a soixante-huit ans et n'a jamais travaillé ailleurs. Elle fait des super tartes. Ça y est, je commence à bafouiller… Désolée. C'est juste que… je m'inquiète tellement pour Courtney.

Il se gare, se détache et m'attire dans ses bras. Je me demande si les gens de l'Oklahoma adorent les câlins en général, ou si c'est seulement lui. Est-ce que ça veut dire quelque chose ? Il finit par murmurer :

— Je sais. Moi aussi.

C'est notre deuxième câlin. Sa douce odeur parvient à mes narines, même si elle a quelques relents du fromage de la cantine.

Son souffle caresse mes cheveux, qui baignent dans le bonheur.

— Je sais…

Je dégage ma tête et déballe tout :

— Je m'inquiète pour Court, mais j'ai également peur d'entrer là-dedans. J'ai peur de ce qui pourrait arriver. J'ai peur d'elle, enfin… de ce qu'il y a en elle, tu comprends ?

Sa main frôle ma joue.

— Moi aussi.

— C'est vrai ?

Il hoche presque imperceptiblement la tête.

Je prends mon courage à deux mains :

— Blake m'aime encore.

Ses bras se raidissent autour de moi.

— Et toi, tu l'aimes ?

Je réfléchis à deux fois avant de déclarer :

— Non.

Nous restons là encore quelques instants. Une voiture de police s'arrête devant les urgences. Le sergent Farrar déplie son corps gigantesque du véhicule et entre dans le bâtiment. Il a l'air affairé, inquiet, nerveux.

D'après quelqu'un – je ne me souviens pas qui –, la police ne sait plus où donner de la tête en ce moment.

— Tu veux bien me dire à quoi tu penses ? demande Alan.

Je fais non comme une petite fille, mais finis par lui céder :

— J'ai toujours eu peur d'être de nouveau regardée de travers, comme après la séance de spiritisme. J'ai toujours eu peur que les gens me croient folle, comme ma mère. Mais ce n'est pas moi qui le suis. C'est Courtney. Enfin… Elle est en train de devenir ce que j'ai toujours craint, moi, de devenir… Et Blake ? Il n'est pas dans cet état, mais il a changé tout de même. Il est mauvais, il nous a menacés et… Je ne peux plus l'aimer, Alan. Ce n'est pas…

Je ne trouve pas le mot adéquat. Ce n'est pas… sûr ? bien ? le bon moment ?

Il me regarde de ses yeux sombres et pénétrants qui ne rappellent en rien la rivière.

— On ne peut pas tout le temps contrôler ses sentiments.

Il inspire profondément.

— Tu es prête ?

Ils ne nous laissent pas la voir. Nous allons parler à Doris, mais elle nous apprend qu'ils effectuent des IRM et des scanners afin de vérifier que Courtney n'a pas de tumeur au cerveau. Notre présence n'est pas autorisée pour l'instant. Sa tante ne veut pas qu'il assiste à ces examens ou qu'il voie Courtney dans cet état. D'après elle, ce serait trop perturbant. L'angoisse d'Alan est palpable, mais ce n'est qu'une fois dans le pick-up qu'il éclate :

— Ma place est auprès d'elle !

Il s'appuie contre son siège avec une telle violence qu'il le fait trembler.

— Je peux leur être utile. Ils ne trouveront pas de satanée tumeur.

— Je sais.

Je tente de le calmer en lui tapotant le bras ; en vain.

— Je n'arrive pas à croire qu'ils essaient de *me* protéger. C'est moi qui devrais les protéger !

J'inspire profondément.

— Alan, l'amour et la protection, ce n'est pas que dans un sens.

Il me regarde d'un air surpris. Je l'empêche de me couper d'un signe de la main et m'explique :

— Sérieusement. Tu les aimes et tu veux les protéger, c'est très bien. Mais il faut également que tu respectes le fait qu'elles t'aiment et veulent te protéger.

— Mais elles ne peuvent pas me protéger de…, de cette chose !

L'air est électrique. Avec furie, il frappe du poing son volant, faisant trembler le pick-up. Deux voitures de police de la ville s'arrêtent, suivies d'une ambulance.

C'est sûrement une agression. Rob, un infirmier dont la masse de cheveux bouclés rappelle les rock stars des années 1970, nous tend son pouce avant de beugler :

— Ça va ?

Je lui rends son salut et tente un sourire poli. Une fois l'infirmier disparu, Alan me regarde d'un air penaud.

— Je t'ai fait peur ?

— Un peu.

Sa main enveloppe la mienne, puis il m'attire contre lui.

— Je ne te ferai jamais de mal, Red.

— Je sais, je marmonne.

Mais je n'aurais jamais pensé que Blake ou Court puissent un jour m'en faire, et c'est pourtant ce qui s'est passé.

— Je ne te ferai jamais de mal non plus, dis-je plus clairement.

Alan s'écarte légèrement afin de voir mon visage.

— Je te crois.

— Bien, je réponds en riant afin de détendre l'atmosphère. Et si nous allions chez moi ? Je te montrerai la rivière.

Il accepte, mais il est évident que c'est difficile pour lui de s'éloigner de l'hôpital.

— Elle est entourée de médecins. Ça va aller. Ils vont faire de leur mieux pour l'aider, ta tante et ta mère aussi... Et nous reviendrons. Dès que ta mère appellera. Allez, tu sais que tu détestes cet endroit. Ça te fera du bien de partir d'ici. Ça *nous* fera du bien. Tu as ton portable, tu seras tenu au courant.

Il frissonne légèrement, comme si prendre cette décision était terrible, mais il finit par nous faire quitter le parking.

— C'est impressionnant ! lance-t-il en grimpant dans la cabane.

Il frôle du doigt les planches de bois que nous avons peintes, Benji et moi, et trouve immédiatement le chevalier aux longs cheveux bruns.

— C'est moi, là ? demande-t-il avec un sourire.

J'acquiesce, gênée. Je me retourne, m'approche de l'entrée de la cabane et pointe la rivière du doigt.

— Là-bas, ce sont nos kayaks. Normalement, j'en fais tous les matins, mais en ce moment..., la rivière me fait peur.

Je m'arrête. Alan me tourne vers lui.

— Aimee...

Mes mains, que je ne contrôle visiblement plus, vont se poser sur son visage. Qu'est-ce qu'il est grand... Il soupire à mon toucher. Je l'imite. Il attrape l'une de mes mains et en embrasse chaque doigt.

— Tu es nerveuse.

— Je bafouille quand je suis nerveuse, je réponds immédiatement d'un ton blagueur.

Je suis obligée de prendre les choses à la légère : ce que j'éprouve est trop intense, trop réel.

C'est comme s'il était un magnet géant contre lequel j'aurais envie de me plaquer.

147

— Ce n'est pas vraiment bafouiller, puis c'est mignon.

Son souffle caresse ma main à chaque mot. Il se redresse légèrement ; je le suis.

— Je te rends nerveuse ?

— Oui. Non. Un peu. Pas parce que j'ai peur de toi, mais parce que… c'est… Oh !…

Je perds mes mots, car il couvre mes doigts de nouveaux baisers.

— J'ai encore des traces de peinture…

Il retourne ma main et l'embrasse pile sur un peu de bleu ciel séché.

— J'aime ça. J'aime tout chez toi.

Mes genoux sont à deux doigts de me lâcher. Je me retiens à lui.

Il rit doucement. Je n'arrive pas à croire qu'il ait fait ça. Je n'arrive pas à croire à ce que j'éprouve. C'est tellement différent d'avec Blake, tellement plus intense. Je me force à prendre un air taquin, comme si mes sentiments n'étaient pas un sac de nœuds complet :

— Tu ne vas pas prétendre que tu n'as jamais fait flancher une fille ?

— Je flanche aussi.

— C'est vrai ?

— Je te le jure.

— Allons à l'intérieur. Il faut que je te montre quelque chose. Je voulais le faire ce midi, mais avec ce qui s'est passé… J'avais même pensé en parler à Court, parce qu'elle allait mieux… Enfin…

Nous entrons dans la cabane. Comme Alan ne peut pas se tenir droit en position assise à moins d'être pile au centre, il s'allonge sur le côté, appuyé sur un coude. Je lui tends le dossier.

— Mme Hessler m'a donné ça. C'est la documentaliste du lycée. Elle était amie avec ma mère. Elle m'a demandé si Court avait des boutons. Je pense qu'elle sait quelque chose.

Je m'apprête à quitter la cabane. Alan me frôle la cheville.

— Où vas-tu ?

— Je ne veux pas t'embêter pendant ta lecture.

Sa main caresse mon pied, puis ma jambe, faisant parcourir mon corps de délicieux frissons. C'est ridicule. Je n'ai jamais éprouvé cela avec Blake.

Il ne m'a jamais donné l'impression que le monde entier était bourré d'électricité statique.

— Qu'est-ce qu'a dit Doris quand tu t'es excusée de demander des nouvelles de Courtney ? « Tu ne m'embêtes jamais. » Je partage son avis.

Il attrape ma cheville et la tire doucement. Je m'affale à côté de lui en riant. Il se redresse un peu, et je me pelotonne contre lui, les yeux fermés, les oreilles à l'affût du danger, du moindre signe de malice.

Le problème, c'est que je n'ai aucune idée de ce que je suis censée entendre. Le mal a-t-il un son distinctif ?

Alan m'entoure l'épaule de son bras. Sa voix rauque et douce me fait fondre :

— Ça va, c'est confortable ?

— Oh oui !

C'est le moins qu'on puisse dire.

— Lis ça, tu veux ? Ça ne te dérange pas au moins ?

— Bien sûr que non, répond-il en embrassant ma chevelure.

Durant ce temps, j'essaie de ne pas penser à Courtney pour ne pas m'inquiéter davantage. J'essaie de ne pas penser à Alan non plus, ni à son odeur, car voyons les choses en face : ce n'est pas le bon moment.

En tout cas, pas dans la cabane de mon petit frère.

14

Alan

Je me sens bien, Aimee nichée contre moi. J'ouvre le dossier en tentant de ne pas trop me laisser distraire par son parfum, l'odeur de son shampoing et de sa féminité. Mon bras l'entoure, mon avant-bras est posé contre sa poitrine, et ma main, sur son épaule. Je ne me suis jamais senti aussi à l'aise avec une fille.

J'ai du mal à croire que nous ne nous connaissions que depuis quelques jours. Nous sommes si bien ensemble que, l'espace d'une minute, je me laisse à imaginer que tout est normal, que nous pouvons être un couple ordinaire. Mais je ne peux pas y songer sérieusement.

Aimee vient de quitter son petit ami, le père de Courtney vient de mourir, et… il se passe trop de choses pour l'instant.

Je décide plutôt de me concentrer sur le dossier ouvert devant moi. On dirait de vieux articles de journaux. Je lis le premier et quelques autres qui suivent.

L'un d'eux est bien plus récent, et je sens Aimee tressaillir lorsque je le dévoile. Je le lis rapidement.

— C'est ta mère ?

Elle acquiesce silencieusement. Je parcours encore quelques pages, toutes rapportant diverses morts qui ont un lien avec la rivière. Je finis par fermer le dossier et pose un baiser sur ses cheveux.

— Ça va ?

— Mhh mhh.

Elle se blottit davantage contre moi ; je meurs d'envie de l'embrasser, mais c'est trop tôt, beaucoup trop tôt. Je m'éclaircis la gorge et dis :

— C'est cette rivière ? Là où il y a tes kayaks ?

— Oui.

— J'y suis allé, l'autre jour, avant de voir la silhouette derrière la fenêtre de Courtney. L'endroit m'a paru si paisible…

— En principe, il l'est. La rivière subit des marées, mais sa source remonte vers divers lacs du comté. L'océan n'est pas loin. C'est là que le père de Courtney est mort.

Nous restons silencieux un moment, plongés dans nos pensées. Aimee tourne soudain la tête vers moi ; nos bouches ne sont plus qu'à quelques millimètres l'une de l'autre.

Elle recule légèrement :

— La ville entière croit que ma mère s'est suicidée, qu'elle était folle. Quand j'étais petite, les gens s'amusaient à me traiter de folle, moi aussi.

J'ai tellement envie de l'embrasser, de sentir au moins une fois ses lèvres contre les miennes.

— Tu n'es pas folle, Red.

Ma voix me surprend ; elle est beaucoup plus grave que d'habitude. Son visage est si proche...

Elle fait cligner ses yeux humides comme pour retenir ses larmes.

— On ne devrait pas faire ça, dit-elle. Enfin, j'en ai envie, mais nous… C'est… J'aimerais…

Je déglutis si péniblement que ma pomme d'Adam semble coincée en plein milieu de ma gorge. Aimee prend un air coupable.

— C'est juste que ce n'est pas bien, insiste-t-elle.

Elle se mordille les lèvres et change de sujet. Elle a souvent tendance à passer du coq à l'âne.

— Tu penses que c'est lui, l'homme de la rivière ? Cet Emulus Black ?

— Non, je réponds sans hésiter, ce qui nous surprend autant l'un que l'autre. Certains endroits attirent le mal. Certaines choses de la nature ont des âmes mauvaises, tout comme les gens. Cette rivière a peut-être un esprit maléfique.

— Comme une nymphe, mais sous la forme d'un homme.

J'ai envie de m'imprégner de son souffle chaud et parfumé.

— Oui, j'imagine.

— Donc, cette chose pourrait être là depuis toujours ?

— C'est possible. Ou bien quelqu'un a pu l'invoquer et la lier à cette rivière. Peut-être a-t-elle simplement trouvé cet endroit et y est restée, vu qu'il était habité.

— Elle semble affecter tout le monde. Les gens sont hargneux, agressifs. C'est comme un virus qui se propage…

Elle secoue la tête avec un soupir :

— Qu'est-ce qu'on peut faire ?

— C'est là toute la question. Ce serait tellement plus simple de se décharger de ce problème en le confiant à quelqu'un qui sait ce qu'il fait.

— C'est quoi, l'autre option ? demande Aimee.

Ses yeux, si proches, si verts, sont un gigantesque pré inondé de soleil.

— Est-ce qu'on peut débarrasser Courtney de cette chose ? Est-ce qu'on peut la faire disparaître à jamais afin qu'elle ne blesse plus personne ?

— Je l'ignore.

Je lui parle des différentes étapes de la possession.

— L'acné ? demande-t-elle.

J'acquiesce d'un hochement de tête :

— C'est l'obsession, et elle semble être de plus en plus importante. Je pense qu'hier, quand Courtney a ouvert la porte, elle était totalement possédée. Puis elle s'est évanouie. L'esprit avait peut-être dépensé toute son énergie à la posséder avant qu'elle n'ait cédé à l'obsession. C'est pour ça qu'elle a paru normale le reste de la journée. La chose n'était plus assez forte pour la tourmenter.

— Et maintenant ? Qu'est-ce qui s'est passé aujourd'hui ? Elle est complètement possédée ?

— Je ne pense pas. Elle a des moments de calme. Une fois la possession complète, elle ne sera plus elle-même. Plus jamais.

— Est-ce qu'il… la tuera ?

— Aucune idée. Il pourrait propager son mal à travers elle encore longtemps. Peut-être pas…

Nous discutons de la façon que la chose semble affecter les autres autour de nous. C'est comme si leur mauvais fond était exacerbé. Ce n'en est pas au même point que Courtney, mais les gens se font arrêter pour violence conjugale, des bagarres éclatent dans les écoles…

Des gens honnêtes, selon Aimee, qui n'ont jamais eu de souci auparavant. D'après elle, ça expliquerait peut-être même les constantes disputes entre son frère et son grand-père, le fait que son père rentre si peu à la maison en ce moment, et la réaction violente de Blake.

— Qu'est-ce qu'on peut faire ? demande-t-elle en se blottissant de nouveau contre moi.

— Je t'ai dit avoir peur, tu te souviens ?

— Oui, répond-elle d'une voix grave.

— Je me demande s'il n'y a pas une raison à ma présence, autre que le fait que maman ait voulu venir vivre avec sa sœur. Le Grand Esprit a pu m'envoyer ici pour affronter cette chose.

— Tu crois ?

— Oui. C'est peut-être n'importe quoi, voire arrogant de penser pouvoir combattre cette créature…

— Tu le peux ?

— Honnêtement, je n'en ai aucune idée. Je n'ai jamais fait une telle chose. Tous les Amérindiens ne sont pas de grands shamans mystérieux…

Je lui raconte mon histoire. Je lui fais part de ce que j'ai toujours su et de ce qui reste flou pour moi.

— Je ne suis qu'un bâtard métis qui ne peut même pas obtenir une carte d'identité indienne. Le peu que je sais au sujet du mal des fantômes, de la danse des esprits et des plantes guérisseuses, je l'ai appris sur Internet ou dans des livres, et aucun Amérindien qui se respecte ne publiera jamais ce qui importe réellement.

— Mais ton guide t'a appelé Dompteur d'Esprit.

— Oui, mais je n'ai pas besoin d'entraînement avant ?

— C'est peut-être une vocation. Quelque chose que tu as au plus profond de toi et qui se révélera le moment voulu.

— Cela paraît trop simple.

— Qu'est-ce que c'est, exactement, un dompteur d'esprit ? Un exorciste ?

— Je pense que c'est plus une sorte de shaman, quelqu'un qui enchante aussi bien qu'il exorcise. Mais… je ne sais pas. Qui suis-je pour faire ça ?

— Si tu tentais quelque chose, qu'est-ce que ce serait ?

Je ne peux réprimer un sourire devant sa tactique.

— Si je te disais ce que je tenterais si j'étais vraiment shaman, tu me conseillerais de le faire.

— Tu m'as eue, répond-elle en me rendant mon sourire.

Eh ouais. Bien essayé, docteur Avery.

— Alors, qu'est-ce que tu ferais ? Dans l'hypothèse où tu tenterais quelque chose…

Je réfléchis un instant.

— Deux ou trois choses, j'imagine. Quand j'ai fait brûler le cône de sauge hier soir, le grattement a cessé, et Court s'est endormie. Je pense qu'on devrait purifier la maison de tante Lisa.

— Purifier ?

— C'est…

Je m'interromps et recule un peu afin de voir son visage. Elle semble sérieuse, mais je suis tout de même gêné.

— Tu veux vraiment que je t'explique ? Parce que ça peut passer pour une grosse blague aux yeux de quelqu'un qui n'y croit pas.

— Alan, j'ai vu ma meilleure amie se transformer en espèce de monstre. Elle t'a balancé, toi, un joueur on ne peut plus costaud qui a fait gagner de nombreuses fois son équipe d'Oklahoma selon le journal local, à travers la cantine. Ce n'était pas Courtney Tucker. Oui, j'y crois.

— Très bien. On est sur la même longueur d'onde alors.

Je résiste toujours de toutes mes forces à la tentation de l'embrasser. Elle s'allonge en gigotant, son visage sous le mien.

— Oui. La même longueur d'onde, répond-elle évasivement. Qu'est-ce que c'est, « purifier » ?

— Il faut parcourir la maison avec une poignée de sauge séchée que l'on brûle et dont on propage la fumée partout à l'aide de plumes. Des plumes de hibou, je crois. Et il faut demander au Grand Esprit de bénir la maison et de la débarrasser de tout esprit malfaisant.

— C'est tout ? Ça fonctionnera ?

— Je ne sais pas.

Je penche un peu la tête.

— Je n'arrête pas de dire ça, hein ? « Je ne sais pas. » C'est vrai. Mais je pense que la purification ne suffira pas. Au mieux, elle nous fera gagner du temps, nous donnera quelques jours pour essayer autre chose. Quelque chose d'extrême.

— Quoi ?

— L'exorcisme.

— Vraiment ?

— Oui.

Elle lève des yeux graves vers moi. J'aimerais lui dire des phrases profondes lui promettant que je peux le faire et que tout le monde ira bien après, que la vie reprendra son cours, mais je me contente de lui sourire comme un gars tentant de cacher qu'il vient de se déchirer un ligament.

— Comment vas-tu t'y prendre ?

Je ne peux pas répéter que je ne sais pas. Alors, je m'éclaircis la gorge :

— Je vais faire quelques recherches. Il y a peut-être certaines prières à connaître. J'imagine que je vais devoir jeûner et me construire une hutte à sudation afin de me purifier.

— Tu seras pur comme neige alors ? Es-tu pur, Alan Parson ? demande-t-elle avec un grand sourire.

Mon Dieu qu'elle est belle.

— C'est quoi, ça ? s'inquiète-t-elle soudain.

Nous restons immobiles et silencieux un moment. On perçoit au loin comme le bruit d'un camion arrivant à toute vitesse.

Mais ce n'est pas un camion. Nous le savons tous les deux. Ses mains tremblent.

Mon cœur bat la chamade. Mais nous nous redressons pour y faire face.

Par l'entrée de la cabane, nous apercevons, poussé par un vent violent fonçant sur nous de façon totalement anormale, un nuage de feuilles mortes et de poussière remonter la rue.

— On devrait descendre ! je lance alors que des mèches de cheveux me fouettent le visage.

— Pas par l'échelle.

Je me penche par-dessus la rambarde. Non, nous risquons de nous faire emporter en sortant. Je plonge sur Aimee afin de la protéger du mieux possible avec mon corps tandis qu'une vague de feuilles et de détritus va s'écraser à l'autre bout de la cabane.

J'entends Aimee crier. Le vent est si puissant que je crains qu'il ne vienne nous attraper par en dessous pour nous projeter de notre abri.

— Onawa ! j'implore dans la bourrasque. Grand Esprit, protège-nous !

Le vent a désormais une voix. Il mugit autour de nous, roulant dans les moindres recoins de la cabane jusqu'à faire gémir et se tendre le bois.

Des planches commencent à se craqueler.

L'arbre se secoue dans tous les sens, tel un fan survolté dans un concert de Slayer. Dans ma tête, le vent hurle et me provoque.

Un rire démoniaque éclate soudain dans la cabane avant d'être emporté par la bourrasque, qui s'échappe vers la pente menant à la rivière.

Le sol est jonché de bouts de bois et de cailloux. Des feuilles et un morceau de journal déchiqueté voltigent autour de nous avant de tomber comme des oiseaux morts.

J'entends Aimee pleurer. Je me redresse et la tire contre moi. Elle m'agrippe, en larmes. Je suis à deux doigts de l'imiter ; j'ai rarement eu aussi peur.

Mon téléphone sonne. Je retire mes bras d'Aimee et le sors de la poche de mon jean. C'est la sonnerie de maman.

— C'est ma mère. Elle va sûrement nous annoncer que Courtney va mieux et qu'elle se repose.

Aimee hoche la tête.

— Je sais. Nous avions tort. On dirait qu'il se recharge en elle jusqu'à obtenir l'énergie nécessaire pour faire ce genre de chose, puis qu'il revient tout lui pomper.

Pas terrible, en effet. J'appuie sur le bouton pour accepter l'appel.

— Alan, où es-tu ? demande maman.

— Chez Aimee.

— Qui ça ?

— Aimee. L'amie de Courtney.

157

— Ça va ?

— Je vais bien, maman.

J'ai juste failli me faire dégager d'une cabane par un esprit malfaisant…

— Comment va Courtney ?

— Elle se repose enfin.

Maman a l'air épuisée. Je regarde Aimee. Elle a entendu, elle est rassurée.

— Elle s'est calmée d'un coup, n'est-ce pas ? je demande.

— Euh… oui. Comment le sais-tu ?

— Tu ne vas pas te fâcher ?

Elle ne répond rien.

— Maman, je ne pense pas que Courtney ait une tumeur ou une quelconque maladie. D'après moi, c'est autre chose. Une sorte de fantôme l'a…

— Alan, s'il te plaît. Je t'en prie, arrête. Je t'ai laissé lire ce que tu voulais, faire comme si tu étais amérindien, même porter cette pochette répugnante autour du cou, mais tu ne peux pas… Ce n'est pas toi qui es concerné, Alan.

Vu l'air sincèrement désolé d'Aimee, j'imagine qu'elle a tout entendu.

— Très bien.

C'est tout ce que j'arrive à dire.

— Sérieusement, Alan, continue maman. Tu penses quoi ? Qu'elle est possédée ? Comme dans les films ?

— Non, je dois me tromper, dis-je en ravalant ma colère.

— Que je n'apprenne pas que tu en as parlé à Lisa. Tu m'as bien comprise ?

— Oui.

— Si ça ne te dérange pas, je vais rester ici un petit moment. Lisa est encore dans tous ses états et à deux doigts de la crise nerveuse. Les médecins envisagent même de la mettre sous sédatif, elle aussi. C'est ce qu'ils ont fait à Courtney. La pauvre, ils l'ont gavée de tranquillisants jusqu'à ce qu'elle arrête de se débattre.

— Est-ce qu'elle était agressive ?

— Alan… me prévient-elle.

— C'est juste une question.

— Ce n'est pas un jeu.

— J'en suis conscient, maman.

— J'ignore quand ils laisseront sortir Courtney. S'ils la gardent cette nuit, et j'imagine que ce sera le cas, Lisa veut rester. Il faudra que tu viennes me chercher.

— Pas de souci. À tout à l'heure.

Je glisse mon téléphone dans ma poche.

— Je suis désolée… murmure Aimee.

Je balaie cela d'un geste, mais elle sait que je suis blessé. Elle me prend la main et la serre fort dans les siennes, minuscules. À son toucher, je ne ressens pas ce qui précède les visions habituelles, mais seulement sa chaleur, une chaleur revigorante.

Je me rappelle soudain ce qu'elle m'a révélé au sujet de ses rêves, cette première fois, au téléphone.

— Tu vois des choses, n'est-ce pas ? Des choses qui se sont passées ou qui vont arriver ?

— Parfois.

Sa voix est empreinte de peur, ce qui ne me rassure pas.

— Qu'est-ce que tu vois pour Courtney ? Pour moi ? Pour nous ?

Elle secoue la tête :

— Je ne peux pas te dire. Je vois de mauvaises choses, mais rien…, rien de précis. Juste des menaces, jusqu'ici.

Ses yeux glissent sur la rivière. Elle lance dans un frisson :

— Rentrons.

— Et si on le mangeait et le remplaçait par un autre Curly ? Tu penses qu'ils le remarqueraient ?

Nos devoirs sont étalés sur la table de la cuisine, mais

nous y avons à peine jeté un œil. Qui peut bien travailler en présence d'un Curly si précieux ?

Aimee me retire le sac congélation des mains en riant, comme par peur que je mette ma menace à exécution.

— Je crois bien qu'ils en connaissent le moindre détail.

Elle le regarde une dernière fois avant de le reposer sur le frigo. J'ai du mal à imaginer que je tenais un Curly qui vaut déjà plus que ce que j'ai payé pour mon pick-up.

— Tu peux dîner avec nous, propose-t-elle.

— Ça ne dérangera pas ton père ?

— Bien sûr que non.

Je hausse les épaules d'un air décontracté, comme si le fait de le rencontrer ne me rendait pas du tout nerveux. Autre chose me vient soudain en tête.

— Comment as-tu su, pour ces articles de journaux parlant de moi ?

— Je t'ai peut-être bien googlé…

— Ouh ! la vilaine…

— Papa serait bien plus facilement impressionné, si tu m'aidais à préparer le repas… et restais manger avec nous.

— Je ne sais pas. Si j'avais une fille aussi sexy que toi et qu'en rentrant à la maison, je la découvrais en train de jouer au papa et à la maman avec un mec qui l'aide à faire la cuisine, je lui ferais sûrement la peau, au gars.

— Je ne suis pas sexy.

Je ne peux retenir un éclat de rire.

— C'est papy qui sera là en premier. Le mercredi, il va voir ses amis à la maison de retraite. Puis ce sera le tour de Benji. Papa rentre toujours tard, mais il s'améliore ces temps-ci.

— Super…

— Quoi ?

— J'ai droit à deux essais. Si ton grand-père ne me jette pas dehors et que je survis au regard noir de ton petit frère, il faudra que je brave les soupçons de ton père.

160

— Pourquoi aurait-il des soupçons ?

— Sur mes intentions vis-à-vis de sa fille.

— Et quelles sont tes intentions ?

Son sourire taquin me donne de nouveau envie de me jeter par-dessus la table pour l'embrasser.

— C'est toi, le médium, dans notre équipe d'exorcistes. J'imagine que tu les connais...

15

Aimee

Papy entre avec animation sans même tiquer sur Alan, en train de faire ses devoirs sur la table, ses bras et ses jambes gigantesques dépassant de partout.

Il accroche son chapeau au portemanteau, retire ses chaussures et se glisse dans ses sabots Crocs jaune vif, clairement hideux. Puis il Crocs-marche vers moi, m'embrasse sur le crâne et dit :

— Eh bien, qui avons-nous là ?

Alan se lève et se cogne la cuisse, faisant bouger la table et les feuilles qui se trouvent dessus. Il tend la main.

— Alan Parson, monsieur.

Une partie de moi a envie de rire, mais l'autre est très fière de le voir aussi poli.

Papy lui serre la main.

— Ravi de te rencontrer. Je demanderais bien si tu es là pour donner des cours particuliers à Aimee, mais je sais qu'elle n'en a pas besoin. C'est elle qui t'en donne ?

— Non, monsieur… Je…

Alan me jette un regard suppliant.

— On traîne ensemble, c'est tout ! je lance.

Papy a un petit rire.

— Qu'est-il arrivé à l'ancien ?

— J'ai découvert qu'il était raciste, finis-je par avouer.

Papy ingère l'information assez rapidement et demande à Alan :

— J'imagine que c'est de ta race qu'il était « iste », pas vrai ? Tu es amérindien ?

Alan agite nerveusement les doigts.

— En partie. Navajo.

— Bien. Bien. Cette maison est trop blanche à mon goût, de toute façon ! lance papy en se dirigeant vers le frigo.

Alan le regarde faire avec un grand sourire bête. Il est clair qu'il apprécie papy.

— C'est le cousin de Court. Ils viennent tout juste d'emménager, lui et sa mère. Ils sont de l'Oklahoma, j'explique avant de me sentir soudain stupide. Désolée, je parle de toi comme si tu n'étais pas là.

Alan élargit davantage son sourire et se contente d'un haussement d'épaules.

— Aimee t'a parlé de notre Curly ? C'est le sosie de Marilyn Monroe.

Il se retourne brusquement :

— Tu connais Marilyn Monroe ?

— Oui, oui.

Alan se rassoit et étend ses jambes sous la table en entourant les miennes de ses mollets.

— C'est incroyable de voir ce que les gens sont prêts à payer pour ça.

— Je vais te dire ce qui est incroyable.

Papy nous laisse dans l'expectative en se servant un verre d'eau.

— Ce qui est incroyable, c'est d'avoir eu un paquet de Curly dans cette maison, avec mademoiselle Bio ici présente, dit-il en me désignant.

Alan s'éclaircit la voix :

— Elle ne doit pas être si stricte que ça, pour qu'il y ait des hamburgers au menu de ce soir.

— Tu restes avec nous ? propose papy.

Alan hoche la tête et se tourne vers moi.

— Si ça vous va.

— Ça nous va ! lance mon grand-père. Maintenant, tu lui dis ce que nous mangeons ?

— Des burgers, je réponds innocemment.

— Pas des hamburgers traditionnels, avec de la viande. Non, des burgers végétariens. Tu connais ? lui demande papy.

— Euh…, non. Je suis de l'Oklahoma. On ne mange pas ce qui ne saigne pas, là-bas.

— Parfaitement !

Papy lui donne une tape dans le dos.

— Voilà un garçon comme je les aime ! Ton frère est rentré ?

Je ne réalise pas tout de suite que c'est à moi qu'il s'adresse.

— Benji ? Non… Je crois que les Vachon le déposent à la maison.

Papy ricane.

— Il va te tester, ne te laisse pas faire. C'est encore un nain, mais il sait mettre mal à l'aise, l'escroc.

— Pas de souci, répond Alan.

La porte s'ouvre brusquement sur Benji, qui reste là, bouche bée, à pointer son doigt sur Alan :

— C'est lui !

Silence général.

Mon frère se rue vers Alan.

— Ouah, c'que t'es grand ! Ils mesurent au moins deux mètres, tes cheveux ! T'as des fourches ? Aimee se plaint toujours des siennes.

— Benji, intervient papy. Va enfiler une tenue propre.

— Quoi ? Pour laisser ces deux tourtereaux tout seuls ? claironne Benji.

— Oui.

Papy le fait sortir de la cuisine en souriant :

— Exactement. Tu as remarqué que les tourtereaux faisaient leurs devoirs ? Tu devrais prendre exemple.

À ce moment précis, je me demande si j'ai jamais autant aimé quelqu'un que papy.

Une fois à table, même Alan avale son burger végétarien. Papa travaille tard, et il n'est toujours pas là quand Alan doit rentrer. Je l'accompagne à son pick-up.

— Je n'ai pas envie que tu partes, lui dis-je.

Il me frôle la joue du bout des doigts, et je reglisse dans cet état de plénitude incontrôlable. Je sens qu'il va m'embrasser, mais il n'en fait rien. Il laisse tomber sa main. J'ai l'impression d'avoir tout imaginé.

— Je sais, répond-il.

— Tu seras en sécurité, hein ?

J'inspire profondément.

— Rien ne va t'arriver, d'accord ?

— Rien ne va m'arriver.

Il m'enlace rapidement, conscient que Benji nous observe sans aucun doute de la fenêtre.

— Tu m'appelles, si tu as besoin de moi.

— Toi aussi.

Je déteste le fait de devoir quitter ses bras. Je déteste ce froid qui m'entoure, sans lui.

— Tiens-moi au courant, si tu as des nouvelles de Courtney. Ça marche ?

— Ça marche.

Son pick-up s'éloigne, et soudain la nuit paraît bien plus sombre et bien plus sinistre. Une branche craque dans les bois. Le vent dépose une feuille sur mon pied.

Je file à l'intérieur, mais honnêtement, je ne suis pas certaine que l'endroit soit plus sûr.

Papa rentre à la maison en s'excusant et en expliquant que Courtney semble un peu plus calme, bien qu'ils la gardent sous sédatif au moins toute la nuit.

Je lui réchauffe à manger et monte peindre un peu.

Mais comme je n'arrive pas à me concentrer, je joue la fille obsessionnelle et tape de nouveau le nom d'Alan dans Google, cliquant sur photo après photo, match après match.

Je ne connais rien au football américain. Et je ne sais rien au sujet d'Alan. S'il me cachait quelque chose ?

Si Courtney avait bel et bien une tumeur au cerveau ? Si ces tempêtes de poussière n'étaient *que* des tempêtes de poussière ?

Un vent froid souffle par la fenêtre. Frissonnante, je saute sur mon lit pour la fermer.

Il y a quelque chose sur le rebord. C'est une pierre. Un mot est peint en jaune, dessus. *Maman.*

Je frôle la pierre de la main. Elle est froide, grise, ronde et fait la moitié de ma paume.

Mon doigt glisse vers le mot.

La peinture est encore fraîche.

— Papa ! je hurle d'une voix perçante.

Je regarde le bout de mon doigt ; il arbore une petite tache jaune.

— PAPA !!!!

Il se précipite dans l'escalier, mais Benji arrive avant lui, debout dans l'encadrement de la porte, en pyjama et les cheveux en pétard.

— Aimee ? dit-il en frottant ses yeux ensommeillés.

Papa déboule dans la chambre, se jette sur mon lit et me prend dans ses bras.

— Qu'est-ce qui se passe, trésor ?

Il me berce comme un bébé, croyant peut-être que cela suffira à me calmer. J'ai les yeux rivés sur le tee-shirt gris qu'il porte toujours au lit.

— Aimee ? me parvient la voix de papy. Tu as fait un cauchemar ?

Je m'écarte des bras de papa et réponds en faisant comprendre à papy que je mens :

— Oui.

Ses yeux s'arrêtent sur Benji. Après un signe de tête à mon intention, il pose la main sur l'épaule de mon frère et dit :

— Allez, petit, au lit. Il n'y a rien à voir.

— Je fais tout le temps des cauchemars, moi, marmonne Benji. Et je réveille pas la maison pour autant.

— Benji ! insiste papy.

Papa me resserre contre lui. Il est encore tout chaud d'avoir dormi sous les couvertures.

— Je m'inquiète beaucoup pour toi…

Sa voix est comme un cheval à bascule brisé cherchant le repos et la stabilité.

Je m'écarte et lui déclare, tout en désignant la pierre :

— J'ai trouvé ça sur le rebord de ma fenêtre en allant la fermer.

— Une pierre ? Tu as hurlé pour une simple pierre ?

— Ce n'est pas moi qui l'ai mise ici.

— C'est Benji peut-être ?

— Regarde-la, papa. Il y a de la peinture dessus. C'est écrit…

Il allonge son grand corps sur mon édredon et examine la pierre.

— C'est toi qui as peint ceci, Aimee ?

Je tire les genoux contre ma poitrine.

— Papa ! Non !

— Ce n'est pas elle, dit papy.

Je ne l'ai pas entendu revenir dans la chambre. Il croise les bras et continue :

— Tu le sais.

— Papa ! Tu as bien vu un couteau tourner sur notre cuisinière, hier ? Je ne suis pas une espèce de génie qui a ces capacités-là. Et tu as bien entendu des bruits de pas à l'étage ? On aurait dit maman ! Je sais que tu penses la même chose !

Je m'écarte d'eux au maximum jusqu'à m'appuyer contre le mur.

— Je sais que tu penses que je suis aussi folle qu'elle, mais ce n'est pas vrai !

Ma voix trahit le fait que je cherche à me convaincre. Silence.

Mon père finit par souffler froidement :

— Ta mère n'était pas folle.

— Fiston… intervient papy.

— Elle ne l'était pas !

Papa se lève brusquement du lit et fonce vers lui tel un grizzli furieux :

— Ne commence pas avec ça, papa !

— Ce n'est pas la question, je le coupe. Il y a une pierre au bord de ma fenêtre, et ce n'est pas moi qui l'ai posée ici !

Mon père détend ses épaules et se redresse. Papy l'observe un instant avant de lui passer devant en l'ignorant totalement. Il s'approche de moi.

— Où est-elle, cette pierre ?

Je la pointe du doigt.

Il l'attrape par les côtés en prenant soin de ne pas étaler la peinture. Mes yeux passent de lui à mon père. Deux hommes aux traits tirés par le sommeil, aux corps impulsifs et avec le même menton et le même crâne chauve. Sveltes et forts, mais épuisés.

— Parle-nous de ce qui est arrivé à Courtney, Aimee, dit papa. Sa mère nous a laissé entendre que tu pensais que quelque chose clochait, mais elle ne croit pas à tout ça.

— Et toi, tu me croiras ?

— Je vais essayer.

Je sors le dossier rose de mon sac à dos.

— Commence par lire ça. C'est madame Hessler qui me l'a donné.

— Madame Hessler ?

Papa fait de grands yeux.

— Tu comprendras mieux en lisant.

Je choisis mes mots avec précaution en cherchant à paraître calme :

— Je crois qu'un esprit provenant de la rivière tente de posséder Courtney. Je crois qu'il est en train de se produire quelque chose de très mauvais.

Ils finissent par retourner tous les deux dans leur chambre. J'entends mon père vérifier que chaque porte, chaque placard et chaque fenêtre sont bien fermés.

Essayer de s'endormir est trop difficile. J'ai les oreilles à l'affût du moindre bruit de pas anormal. Je me lève pour peindre. Quelques minutes plus tard, Alan m'envoie un texto : ÇA VA ?

Je réponds : OUI. ET TOI ? TU M'APPELLES ?

C'est tellement pratique qu'il ait finalement changé de portable. Nous murmurons au sujet de Courtney, de la pierre, de l'homme de la rivière et de ce qui est arrivé dans la cabane, ce qui semble plus facile à faire au téléphone que face à face.

— Il cherche simplement à nous effrayer, dis-je en étudiant les deux paires d'yeux sur mon tableau.

Elles ont la même forme, mais pas le même regard, pas le même dessein.

Je continue de peindre tout en écoutant Alan m'expliquer ce qu'il a appris à propos des exorcismes. La plus grande part de ces informations provient d'Internet, mais il a également un livre qui en parle succinctement.

S'il tente d'exorciser Courtney, il devra être seul, insiste-t-il. Cela fait partie du rite, du processus. J'en ai la chair de poule.

— J'aurais aimé que tu n'aies pas à faire ça tout seul.

— Je peux y arriver.

De ma main libre, j'essaie de nettoyer un pinceau avec du diluant, mais l'ocre s'accroche obstinément.

— Je sais, je réponds en finissant par laisser tremper mon pinceau dans la bouteille.

— Ce que je crains, c'est qu'il cherche à t'atteindre quand je ne suis pas là.

Je quitte mon tableau et retourne devant mon ordinateur, où les photos d'Alan occupent encore l'écran. C'est lui qui m'inquiète.

— Il ne me fera pas de mal. Il ne peut pas.

— Comment peux-tu en être sûre ?

— Je le sais, c'est tout.

— Red…

— Écoute, il n'est pas armé, d'accord ? Qu'est-ce qu'il a fait jusqu'ici ? Il a possédé Courtney, t'a jeté quelque chose et a créé une espèce d'énorme tempête de poussière. Il y avait une pierre à ma fenêtre, mais ce n'est peut-être pas lui. Benji a pu vouloir me jouer un tour, je suis peut-être somnambule, ou un autre fantôme l'a placée là. Laisse tomber, il n'y a vraiment pas de quoi s'inquiéter.

Je baisse l'écran de l'ordinateur et vais m'affaler sur mon lit en enserrant mon tigre géant. C'est papy qui me l'a ramené de Princeton. Il fait nuit noire derrière la fenêtre. Je ne vois ni la cabane de Benji, ni la rivière, ni quoi que ce soit de tapi dans l'ombre. Mais ça ne veut pas dire qu'il n'y a rien. En baissant le store, mes doigts frôlent l'endroit où se trouvait la pierre. J'ai beau chercher à paraître courageuse, le fait parfois de penser à la pénombre, à la rivière, la nuit, à ma mère s'y tenant immobile, cette fameuse fois… Je ne suis pas si forte que ça.

— J'aimerais que tu sois là, dis-je.

— Moi aussi.

Je réfléchis un instant.

— Viens.

— Quoi ?

— Viens. On se protégera l'un l'autre. Tu pourrais grimper l'arbre, et je te ferais entrer en douce.

— Ton père va piquer une crise.

Je ne réponds pas.

— Et si ton grand-père m'attrape, il me tuera !

Toujours pas de réponse.

— Aimee ?

J'attends encore tout en pensant : *Sois fort pour moi, Alan.* J'attends. Je ferme les yeux, mais il fait trop noir ; alors, je les rouvre et les pose sur mon tableau, de l'autre côté de la chambre. Il faut que j'y ajoute quelque chose.

Il a encore besoin de profondeur, mais on commence tout de même à voir ce qu'il est censé représenter.

Deux femmes.

Identiques.

Mais différentes.

Cette différence se lit dans leurs yeux.

— J'ai peur, dis-je.

J'agrippe la patte d'un vieil ours en peluche. Il en a vu, des choses. Il m'a vue changer.

— C'est vrai ? me demande Alan d'une voix rauque.

Je pense à ce que Courtney a dit. Je pense à ce que j'ai pu hériter de ma mère. Je pense à l'homme de la rivière qui nous hante. Je me sens si seule, et j'aimerais que quelqu'un vienne m'entourer de ses bras. Bon, pas n'importe qui...

Je prends une toute petite voix :

— J'ai vraiment peur, et... il faut que je te parle d'autre chose...

— OK. J'arrive.

Mon téléphone m'informe que j'ai un nouveau message.

JE SUIS LÀ.

Une minute plus tard, il est devant ma fenêtre. J'éteins mon ordinateur. Alan se glisse dans la chambre.

— Dis-moi que Blake n'a jamais fait ça, murmure-t-il.

— Je te rassure, il ne l'a jamais fait.

Alan me tire dans ses bras et m'embrasse le haut du crâne. J'essaie de me mouler sur lui, comme si nous étions deux sculptures d'argile censées ne faire qu'une.

— Aim…

Mes doigts s'étirent dans son dos. Il recule un peu afin de me regarder :

— Aim… Tu veux bien me dire ce qui se passe ?

Même si c'est difficile, je me dégage de ses bras et vais m'asseoir sur mon lit.

Il traverse la pièce en tentant de rester le plus discret possible. Il se pose à côté de moi et me prend la main. Le lit s'affaisse sous son poids ; j'aime ça.

Il désigne le tableau.

— C'est ta mère et toi?

J'acquiesce tout en cherchant mon souffle.

— Aim ?

Je sais qu'il attend de moi une réponse. Je sais qu'il en mérite une après avoir fait l'effort de débarquer ici en pleine nuit. J'essaie de lui en fournir une :

— J'ai peur de lui, mais ce n'est pas ce qui m'effraie le plus.

— Qu'est-ce que c'est alors ?

Je montre le tableau.

Alan prend une profonde inspiration, ses doigts serrant davantage les miens.

— Tu as peur d'être comme ta mère ?

Le mot sort tout seul.

Le mot sort, même si je ne le veux pas.

Le mot sort, et c'est « Oui ».

— Aimee…

Il me réconforte et me berce comme un bébé tandis que je sanglote :

— Ça va aller. Tu vas bien. Tu vas bien.

— Je sais, je hoquette. Je sais.

Je me frotte le visage et tente de respirer normalement, mais en vérité, qu'est-ce qui est normal ? Les ronflements de papy résonnent dans la maison.

De temps à autre, une souris trottine sur le toit en grattant, à la recherche de nourriture ou d'une cachette.

172

— Courtney pense que je suis folle. Elle l'a suggéré en cours d'anglais, l'autre jour.

— Ce n'était pas elle, mais lui. Tu le sais. Il façonne tes peurs.

— Je ne veux pas être folle.

Papa me l'a suggéré, lui aussi.

— Tu n'es pas folle.

Alan serre les lèvres avant de les rouvrir :

— Ce mot est ridicule.

— Je sais. À vrai dire, « ridicule » est un mot ridicule.

— Tu vas bien, Aim.

Je détends mes doigts en tentant de comprendre. Je jette un nouveau regard au tableau. Maman et moi. C'en est trop.

Je cache mon visage dans son tee-shirt, qui sent le dentifrice et le propre.

— Je ne pense pas être folle, dis-je.

— Très bien.

Je me dégage. Il n'est pas furieux. Ses yeux ne lâchent pas les miens.

— Quoi qu'il arrive, on s'en sortira, Red.

Le bruit court que ma mère s'est suicidée. Elle est entrée dans une rivière, une hache à la main. Elle était atteinte d'une maladie mentale appelée trouble bipolaire. Parfois, elle était normale. Parfois, non.

Mais ça pourrait être faux, en partie du moins. De toute façon, une chose est sûre :

— Elle m'a abandonnée. Ma mère m'a abandonnée.

— Je sais, répond Alan. Mais elle n'avait pas le choix. Toi, tu l'as, Aimee. Tu peux choisir. Nous allons mener cela à bien.

— « Mener cela à bien », je répète avec un petit rire. Tu parles comme un avocat.

Il remue les sourcils. Il est si gentil…

— Je sais.

Je déglutis au moins cinq fois. Il me tient serrée contre

lui tout en pressant ses lèvres sur mes cheveux. C'est comme s'il y pressait des promesses.

— Merci.

— Pour quoi ?

— De me faire confiance, finalement.

— Alan, on dirait deux cruches…

Il hausse les épaules et me serre plus fort :

— C'est vrai.

Je fais mine de lui donner des petits coups de poing, mais je n'ai pas vraiment le cœur à cela.

— Est-ce que tu angoisses à propos de tout ça ?

— Ça viendra sûrement demain, répond-il en reniflant. Quand je serai rentré et que tu n'auras pas besoin de moi. OK ?

Je me blottis davantage contre lui.

— OK.

— Je vais rester jusqu'à ce que tu t'endormes, murmure-t-il. Puis je filerai par la fenêtre.

Nous nous allongeons sur le lit. Il glisse un bras sous mon épaule, se met en boule contre moi et m'entoure la taille de son autre bras.

— Tout va bien se passer, dit-il d'une voix endormie.

— Tu es sûr ?

Je rêve toute la nuit. Je vois un kayak retourné, des mains me lacérer, l'eau, Alan roulé en boule par terre. Mon rêve se poursuit, et la voix de l'homme de la rivière résonne, me disant que nous serons tous à lui.

C'est Alan qui me réveille le lendemain matin. La lumière du jour emplit la chambre.

— Eh ! merde ! Merde, merde, merde, marmonne-t-il.

Je me redresse tout en essayant de comprendre ce qui se passe. Il ouvre grand la fenêtre et s'apprête à filer, mais quelque chose de l'autre côté de la pièce le stoppe dans son élan.

— Aim... murmure-t-il d'un ton inquiet.

Je ne veux pas regarder, mais je me résigne. Mon cœur s'arrête littéralement. Puis il reprend son rythme avec difficulté. Alan m'attrape le bras et me serre contre lui, mais c'est trop tard, j'ai vu.

Quelqu'un, quelque chose, a badigeonné mon tableau d'une peinture rouge suintant sur nos visages, à ma mère et moi, gouttant comme le sang des films d'horreur.

Mais ce qui est pire, c'est l'écriture en pattes de mouche qui recouvre le tout : *Il n'a rien à faire ici.*

16

Alan

— J'aimerais réellement croire que c'est l'œuvre de Benji, dis-je en serrant Aimee contre moi.

— Il ne ferait pas une chose pareille.

— Je m'en doute.

C'est bien plus qu'une simple blague de petit frère chercheur d'histoires.

D'un autre côté, aussi étrange que cela puisse paraître, un tel acte semble si médiocre de la part de ce qui nous a attaqués dans la cabane.

— Aimee, quelqu'un d'autre a-t-il pu faire ça ?

— Papy ? Non, il ne…

— Pas lui. Je pensais à… ta mère, peut-être ?

Elle lève vers moi ses grands yeux verts écarquillés, mais ne répond pas.

— Si c'était notre ami de la rivière, tu ne crois pas qu'il aurait fait quelque chose de plus… démonstratif, comme dans la cabane ? Ça peut paraître tordu, mais si l'esprit de ta mère voulait te signaler quelque chose ?

— J'y ai pensé aussi. Mais je ne vois pas pourquoi elle dirait que tu n'as rien à faire ici. En plus, la peinture rouge rappelle le sang. Elle aurait sûrement utilisé une autre couleur, comme du bleu.

— En tout cas, j'ai vu que tu avais laissé le tube de rouge ouvert quand je suis entré.

Le regard qu'elle me jette montre clairement qu'elle est à deux doigts d'éclater, alors je tente de soulager la tension de mon mieux.

— Peut-être sait-elle que je dois partir d'ici avant de te causer des soucis. La mienne risque aussi de piquer une crise, si elle ne me voit pas à son réveil. J'ai aperçu un marchand de donuts sur la route. J'en rapporte chez moi, mange un morceau et viens te chercher.

— Pour aller au lycée ?

Elle fait une grimace en plissant son petit nez parfait, ce qui me fait presque éclater de rire.

— Je pense qu'on devrait maintenir un maximum notre routine afin que nos parents ne soupçonnent rien. Ils n'apprécieraient sûrement pas ce qu'on va tenter. Il faut se comporter normalement et faire rentrer Courtney. Là, nous pourrons affronter cette chose.

— OK.

Elle me regarde partir vers la fenêtre.

— Peut-être veut-elle parler de lui, dire que l'homme de la rivière n'a rien à faire ici.

— Tu devrais cacher ce tableau avant que quelqu'un ne tombe dessus.

Je parcours, le plus léger possible, le petit morceau de toit avant de sauter à terre. Tête baissée, je fonce vers le pick-up, espérant que personne chez Aimee n'a jeté un œil dehors au même moment.

Je roule jusqu'au petit marchand de donuts, en prends tout un assortiment et file à la maison.

Maman et tante Lisa sont déjà levées, mais depuis peu, visiblement.

— Où étais-tu passé, Alan ? demande maman. Je te croyais encore au lit.

— Je n'arrivais pas à dormir. Je me suis levé tôt et suis sorti acheter le petit-déjeuner.

Je pose les donuts sur la table. Tante Lisa est toute pâle, et des cernes noirs entourent ses yeux humides.

— Vous avez des nouvelles ?

— Elle était réveillée ce matin, dit-elle. Elle semble être redevenue elle-même. Elle m'a parlé de toi.

— Ah bon ?

— Oui.

Tante Lisa hésite à en dévoiler davantage.

— Qu'est-ce qu'elle a dit ?

Ses yeux passent sur maman, puis reviennent vers moi.

— Elle m'a demandé de te dire d'être courageux. De faire ce qui doit être fait.

J'ai soudain la chair de poule.

— Elle a dit ça ?

— Alan, qu'est-ce qui se passe ? s'affole maman. De quoi parle-t-elle ? Qu'est-ce que tu fabriques ?

Je reste pensif un instant. J'ai déjà essayé de lui expliquer, mais elle n'a pas voulu m'écouter. Me croirait-elle, désormais, suite au message énigmatique de Courtney ? Probablement pas. Je me contente d'un haussement d'épaules.

— Je ne sais pas de quoi elle parle. Elle a sûrement fait un mauvais rêve.

— C'est ce qu'a suggéré l'infirmière, déclare tante Lisa.

— Vous allez travailler aujourd'hui ?

Les deux femmes hochent la tête.

— Lisa, tu ne devrais pas, lui conseille maman. Repose-toi et retourne à l'hôpital.

— Ils m'ont dit que je ne pouvais rien faire là-bas. On a besoin de cet argent. Si les choses tournent mal…, je prendrai un arrêt-maladie.

— Elle va s'en sortir, je lui promets.

Elle opine de la tête et vient me serrer dans ses bras.

— Merci, Alan. Merci, me dit-elle d'une voix rauque. Je ne sais pas ce que je ferais sans toi et ta mère.

— Tu viendrais vivre dans l'Oklahoma pour me regarder jouer au foot ? je réponds afin de lui arracher un sourire tout en lui rendant son étreinte.

Je m'empare d'un donut et d'une bouteille de jus d'orange avant de filer, faisant mine de ne pas entendre tante Lisa dire à ma mère que je suis un garçon extra.

C'est le père d'Aimee qui m'ouvre la porte. Il n'est pas si impressionnant que ça… Enfin, il est grand, mais pas immense. J'imagine que je suis simplement intimidé par le fait que ce soit son père. Il me fait signe d'entrer.

— Bonjour, Alan. Désolé pour hier soir, j'aurais aimé rentrer à temps pour te rencontrer. J'ai appris que tu as avalé l'un des burgers végétariens d'Aimee. Ça doit être le grand amour…

— Hmm…

Clairement, je ne m'attendais pas à ça. Le père d'Aimee s'esclaffe devant mon air ahuri avant de me tendre la main. Je la serre mollement. Il rit de plus belle.

— Je plaisantais. Mais je dois t'avouer qu'Aimee semble très éprise. En tout cas, c'est gentil de ta part de venir la chercher et d'être resté hier soir pour connaître sa famille.

— Ça m'a…, ça m'a fait plaisir, j'arrive à balbutier. C'est une fille géniale.

Il acquiesce avant de prendre un air soudain sérieux.

— Elle traverse une période difficile. Elle fait beaucoup de cauchemars, entre autres. J'ignore ce qu'elle t'a dit au sujet de sa mère. Nous l'avons perdue il y a quelque temps, et Aimee est très fragile depuis.

— Elle m'en a parlé.

Il me regarde d'un drôle d'air, comme surpris du fait qu'Aimee m'ait déjà confié cela.

— Ah oui ?

— Oui. Nous…, nous avons beaucoup discuté.

— Je vois… Très bien.

Il marque une pause et plisse le front. Il porte une chemise blanche et un pantalon noir. J'imagine qu'il ne va pas tarder à enfiler une cravate et une veste.

— Alan, tu veux bien me promettre quelque chose ?

— Oui.

— Sois… gentil avec Aimee, d'accord ?

— Entendu. Je ne comptais pas faire quoi que ce soit qui la blesserait.

— C'est juste que tu es nouveau ici, et je ne te connais pas. Ça n'a rien de personnel. J'ai confiance en son jugement et, comme je te l'ai dit, elle semble très éprise de toi. Donc, j'imagine que tu es un brave garçon. Tu en as tout l'air. Mais comprends que c'est encore ma petite fille…

— Je sais. Je vous promets que rien de mal ne lui arrivera tant que je serai avec elle.

Il me regarde bizarrement, et je me rends compte de ce que je viens de sortir. Ce n'est pas du tout ce que je voulais dire.

Il attend juste de moi que je n'aille pas au-delà de sa petite culotte.

— Enfin… Ne vous inquiétez pas, monsieur Avery. Aimee ne craint rien avec moi.

— C'est ce que je voulais entendre, me dit-il en me retendant la main.

Cette fois, je la lui serre comme un homme, avec deux petits coups secs.

— Vous vous êtes mis d'accord sur quoi ? demande Aimee du haut des marches. Tu viens de m'échanger contre une chèvre et quelques poules, papa ?

— Tu vaux bien plus que ça, trésor, répond M. Avery en me lâchant la main.

— J'ai carrément dû rajouter une vache ! je lance. Ton grand-père avait envie de steaks.

Son père laisse échapper un petit rire avant de le couvrir rapidement d'une main en me faisant un clin d'œil. Aimee me tire la langue.

— Ton côlon me remerciera un jour pour ce burger végétarien, tu sais. Et pour tous ceux à venir.

— Vous feriez mieux de filer au lycée, déclare son père.

— Est-ce que vous pouvez me dire quelque chose au sujet de ma cousine ? Tante Lisa m'a appris qu'elle était réveillée et qu'elle parlait ce matin.

— Désolé, Alan, je ne peux pas dévoiler grand-chose. Le règlement est strict.

Son visage affiche clairement son désarroi de ne pas pouvoir m'en dire davantage.

— Mais je te promets que nous ferons tout notre possible pour lui venir en aide.

Aimee est désormais en bas, à côté de moi, son sac à dos par terre, une sangle pendant dans sa main. Je le soulève et le jette par-dessus mon épaule.

— Je peux porter mon sac, proteste-t-elle.

— Je sais. Mais ce burger végétarien m'a donné tellement d'énergie que mon côlon m'a ordonné de m'en occuper pour te remercier.

Son père rit de nouveau :

— Il va falloir que tu imposes ta vision féministe avec ce jeune homme, Aim.

Elle me donne un petit coup dans les côtes ; je tressaille malgré moi.

— Je pense pouvoir y arriver. Allons-y, Alan. J'ai entendu Benji se brosser les dents. Ou les affûter pour dévorer ce que papa aura bien voulu laisser de toi.

— Ravi d'avoir fait votre connaissance, monsieur Avery ! je lance en ouvrant la porte à Aimee.

Elle ne semble pas considérer ce geste comme un affront à son côté féministe, mais son père ne peut s'empêcher de me sourire. Je le salue de la main et suis Aimee.

J'aimerais passer un bras sur ses épaules, mais je me contente de lui demander si tout va bien.

— Désormais, oui.

— Tante Lisa m'a dit que Courtney parlait ce matin.

— C'est vrai ?

Je lui rapporte les paroles de ma tante.

— Faire ce qui doit être fait ? répète-t-elle.

— Oui, j'en ai eu la chair de poule.

— Tu crois qu'elle a compris ce qui se passait ?

— Sûrement. Je ne sais pas. Peut-être. Je pense qu'elle a conscience parfois qu'un esprit prend possession d'elle. Lui a-t-il conseillé de se tenir éloignée de moi ? Sait-elle qu'il me voit comme une menace ? Je n'en ai aucune idée. Mais étant donné ce qu'elle a dit, j'imagine que oui. D'après moi, elle ressent quelque chose.

— Il pourrait essayer de te faire du mal ?

Je cherche une place libre sur le parking du lycée.

— Tu veux dire du genre me projeter à travers la cantine ?

— Ou bien pire.

— Je m'inquiète davantage pour toi.

Je glisse le pick-up entre une Camaro et une Saab, puis coupe le moteur. Nous demeurons silencieux un moment.

— Je ne vais pas réussir à rester concentrée aujourd'hui, dit-elle.

— Moi non plus… On est en retard, on ferait mieux de se dépêcher, je réponds en sortant.

Nous approchons de l'entrée principale quand une voix lâche derrière nous :

— Tiens, la traînée et son chef peau-rouge qui s'est défilé à l'entraînement hier.

Aimee et moi nous figeons. Nous savons très bien qui c'est.

— Ignore-le, m'implore Aimee dans un murmure. Il n'est pas lui-même, je t'assure. Il ne dirait jamais ça dans son état normal.

— Aimee, on va en venir aux mains, de toute façon, je lui réponds.

Je commence à me retourner, mais elle m'agrippe le bras avec force. Finalement, je n'ai pas à faire d'effort.

Blake et deux de ses amis se tiennent désormais devant nous.

— C'est quoi, ton problème, Parson ? Ta traînée de visage pâle t'a déjà fait fouetter ? demande-t-il.

Ses comparses éclatent de rire. L'un d'eux est avec moi en algèbre. L'autre doit être dans mon cours d'allemand. C'est un garçon costaud à la mâchoire carrée. Le premier est comme Blake, grand et svelte.

— La ferme, Blake, lâche Aimee. J'ai du mal à croire que tu sois devenu un tel crétin. Qu'est-ce qui t'est arrivé ?

L'air vibre d'une chose mauvaise.

— Aimee, tu en as marre des Blancs, soudain ? demande le gars du cours d'algèbre.

La bouche de Blake se tord lentement en un large sourire, et je visualise mon poing s'abattre sur ses lèvres grandes ouvertes. Il y aurait tellement de sang…

— Tu es ridicule, Chris. Il est gentil d'habitude, me murmure-t-elle. Vraiment. Ils ne se comportent pas normalement.

— Toi pas parler anglais, aujourd'hui, Tonto[1] ? me provoque Blake.

— Ne fais pas ça, Alan, prévient Aimee, sentant la tension de mon corps sous ses doigts.

— Pas ici.

C'est tout ce que je peux promettre. Me faire exclure du lycée ne me dérange pas. Ce ne serait pas la première fois. Mais je ne peux pas faire ça à maman. Pas si tôt dans un nouvel endroit. Pas avec Courtney à l'hôpital.

— Lui parler anglais ! s'exclame Mâchoire Carrée.

— Est-ce que Lauren est au courant que tu te comportes comme un abruti, Noah ? demande Aimee. Ou alors tu as peur qu'elle se mette à préférer Alan, elle aussi ? Tu es jaloux ?

---

1. Ami amérindien du Lone Ranger, de la série américaine du même nom.

— Je n'ai pas à être jaloux de qui que ce soit, en particulier d'un Indien géant, répond Noah d'une voix tendue qui prouve qu'il ment.

— Viens, Alan.

Aimee me tire par le bras. Je dévisage Blake, ignorant ses hommes de main, et suis Aimee à contrecœur. À Oklahoma City, les filles que je connaissais auraient exigé de moi que je me batte dans une situation pareille.

Tout cela est franchement déroutant… et frustrant. Je suis certain que j'aurais dégommé Blake sans même verser une goutte de sueur.

Aimee veut se frayer un chemin entre eux pour entrer dans le lycée. Ils la laissent passer, mais ils referment leur cercle sur moi.

À cet instant, je ne doute plus que nous allons en venir aux mains, mais une nouvelle voix m'en empêche.

— Que je ne retrouve aucun de vous dans mon bureau pour un billet de retard, déclare M. Everson.

Je ne l'ai pas vu sortir du bâtiment. Il se tient à dix mètres de nous. Le visage de Blake s'empourpre jusqu'à la naissance des cheveux. Il recule d'un pas.

— Ça n'arrivera pas, répond-il.

Ses comparses ont l'air de moutons piégés en plein milieu de l'autoroute.

Aimee me tirant toujours par le bras, je la suis. Nous passons devant le proviseur adjoint, qui nous emboîte le pas pour nous ouvrir la porte.

La première sonnerie retentit.

— Va en cours, dit Aimee en me repoussant. On se voit en bio. Mais ce qui vient de se passer n'est pas normal. Ils ne sont pas comme ça d'habitude.

Impossible de me concentrer en cours d'algèbre. Il faut que j'arrête de scotcher sur l'ami de Blake, assis à trois rangées de moi. Tout en gardant un œil sur le prof et mon livre ouvert à la page des problèmes que je suis censé résoudre, je me mets à écrire un mot à Aimee, car je n'ai pas envie de me faire prendre avec mon portable.

Il va nous falloir de la sauge et du foin d'odeur. Et des pierres, mais pas de rivière. Non pas parce qu'elles viendraient de la sienne, *mais parce que ces pierres contiennent des poches d'air et peuvent exploser au contact de la chaleur. Où peut-on trouver du granit ? Et le reste ? J'ai déniché un endroit, dans les bois, où construire une hutte à sudation et allumer un feu.*

Je plie le papier avant de le glisser sous la couverture de mon livre de biologie, placé sous celui d'algèbre.

Puis j'essaie de me concentrer sur le problème de maths. Je ne vois toujours pas l'intérêt de cette matière, mais Aimee ne peut pas sortir avec un loser qui n'a pas réussi son examen d'algèbre.

Dans l'Oklahoma, mon prof d'anglais de première nous avait fait lire une nouvelle appelée *La Mariée s'en vient à Yellow Sky*[1]. Ça parlait d'un shérif de l'Ouest américain qui revenait en ville avec sa femme et refusait de se battre contre le bandit du coin.

— L'homme est foncièrement barbare, avait dit M. Walker. Les femmes favorisent la civilisation. Quand l'une d'elles entre en jeu, les hommes se comportent différemment. Même Scratchy Wilson[2] le reconnaît.

À l'époque, je n'avais pas compris. Ce n'était qu'une histoire idiote à mes yeux. Mais désormais... Je fixe la nuque de Chris et pense à la façon dont je l'aurais écrasé, mais aussi Blake et l'autre gars, Noah, si Aimee ne m'en avait dissuadé. Est-ce que je deviens civilisé ?

La sonnerie retentit enfin, et nous sommes libres de sortir de cette salle pour nous traîner jusqu'à la suivante. J'y arrive avant Aimee. Elle me sourit en franchissant la

1. Écrit par Stephen Crane.
2. Le bandit en question, dans la nouvelle.

185

porte, et je lui glisse mon mot quand elle passe devant moi pour aller s'installer. Je l'entends le déplier, puis écrire quelque chose à son tour.

Elle me rend le papier.

On trouvera sûrement la sauge et le foin d'odeur séchés à Craft Barn. *On s'en sert pour faire des pots-pourris, en principe. Ils auront peut-être du granit aussi. Sinon, à* Bergerman's Lumber, *ils vendent des pierres que les gens utilisent en déco de jardin. Il y en aura peut-être.*

La sonnerie n'ayant pas encore retenti, je prends le risque de me retourner avant l'arrivée de M. Swanson.

— Ça me paraît bien. Je vais également avoir besoin d'une sorte de bâche. Quelque chose qui maintiendra la chaleur. Une toile lourde.

— Tu habites dans une ville où la pêche représentait tout, à une époque, répond Aimee. Je pense qu'on peut facilement trouver des toiles utilisées pour les voiles. Ça irait ?

— C'est par ici que ça se passe, Alan, déclare M. Swanson. Nous aimerions tous écouler l'heure à contempler mademoiselle Avery, mais cela ne nous apprendrait pas grand-chose sur la photosynthèse.

— Je suis sûre qu'il en apprend beaucoup sur la biologie avec elle ! lance une fille, de l'autre côté de la classe, d'un ton blagueur.

La plupart des élèves s'esclaffent. Je ne ris pas, et je sais qu'Aimee non plus. Je parie même qu'elle est toute rouge.

— Blake va le tuer, marmonne un garçon.

M. Swanson calme le brouhaha ambiant et entame une discussion sur les filtres plantés de roseaux rejetant les eaux usées dans les rivières.

— La morale de l'histoire, conclut-il lorsque la sonnerie annonce la fin de notre temps ensemble, c'est qu'il faut vivre aussi proche que possible de la bouche d'une rivière.

Je prends la main d'Aimee alors qu'elle est piégée parmi la foule d'élèves se poussant pour atteindre la sortie.

— On se voit à la cantine ! lance-t-elle avant qu'on ne se sépare.

Noah-Mâchoire Carrée ne me crache pas un mot en cours d'allemand. Je m'attendais assez à ce qu'il me provoque, mais il semble calme, normal, voire un peu gêné. Blake, Chris et lui doivent sûrement partager la même paire de roubignoles, ce qui les oblige à être ensemble pour agir. Ou alors, Aimee a raison, et quelque chose affecte réellement les gens. Quelque chose de puissant. De très puissant. En tout cas, l'heure se déroule sans encombre, tout le monde répétant les phrases que nous souffle Fräulein Gray.

Au niveau de la cantine, personne ne me questionne sur ce qui s'est passé hier, mais les gens me regardent en chuchotant sur la façon dont ma cousine toute frêle a réussi à me projeter à travers la salle. Soudain, Aimee m'agrippe le bras, et nous rejoignons la queue.

Une fois au niveau de la nourriture, elle s'empare d'une salade, et je tends mon plateau pour y recevoir un amas de purée grumeleuse, des bâtonnets de poulet frits et un épi de maïs.

— Je devrais peut-être prendre une portion de plus pour ton grand-père, je la taquine.

— J'arriverai à te faire manger sainement, promet Aimee. Ce n'est qu'une question de temps.

Je repense à la mariée rendant tous les hommes civilisés une fois à Yellow Sky.

— Sûrement, admets-je avec un soupir. Je crois bien que je ferais n'importe quoi pour toi.

Elle rit et nous mène vers une table vide.

Les élèves circulent autour de nous. Certains saluent Aimee, mais aucun ne vient s'asseoir avec nous. Hayley se trouve à une table toute proche pleine de personnes que je reconnais vaguement. Est-ce que, nous croyant en couple, ils nous laissent un peu d'intimité ? Bien sûr que non. C'est à cause de Courtney. Quelque chose cloche chez elle, *en* elle, et ils le savent tous. Et nous sommes trop proches d'elle. C'est comme si la chose qui l'a infectée nous avait atteints, nous aussi.

— Pourquoi a-t-on besoin que Court sorte de l'hôpital ? demande Aimee. Pourquoi ne peut-on pas simplement aller à la rivière pour faire… ce que tu dois faire ?

— Un esprit maléfique doit être concentré quelque part, j'explique. Confiné. Je ne sais pour quelle raison il a choisi Courtney. Elle en est le foyer. Nous devons donc l'avoir avec nous pour pouvoir nous débarrasser de cette chose.

— Je me demande pourquoi il l'a choisie, elle ! lance-t-elle en piquant une tomate dans sa salade.

Puis elle ajoute :

— Cette fois.

— Je ne sais pas. J'imagine que ça a un rapport avec le fait qu'elle n'accepte pas la mort de son père.

Je pousse mon plateau.

— Je ne peux pas manger, je dois jeûner. J'aurais dû m'en souvenir. Ici, j'ai l'impression d'être un chien qui doit faire telle ou telle chose au retentissement d'une sonnerie.

— Alors, tu ne vas plus rien manger du tout ?

— Non. Je ne boirai que de l'eau. Il faut que je sois prêt.

— Tu penses que ça ne va pas tarder ?

— Oui. Il faut qu'on obtienne tout ce dont j'ai besoin aujourd'hui. Tu peux venir chez moi après le lycée ? J'aimerais faire un tour dans la chambre de Courtney avant que quiconque ne rentre.

— Pour chercher des indices ?

— Oui.

Je l'observe mâchouiller sa salade. Elle est très sexy quand elle fait ça.

— Quoi ? demande-t-elle devant mon regard insistant.

— Rien, dis-je avec un sourire. Je vais essayer d'envoyer un texto à tante Lisa.

Je l'abandonne pour aller aux toilettes derrière la cantine.

Assis sur une cuvette, le pantalon relevé, j'envoie à ma tante : DES NOUVELLES ?

Quelques minutes plus tard, elle me répond. ELLE SEMBLE ALLER MIEUX. ON ATTEND DES RÉSULTATS DE TESTS. RESTE À L'ÉCOLE !

Je lui envoie : D'ACCORD et me lève en glissant mon téléphone dans ma poche. Puis j'ouvre la porte des toilettes.

Le poing qui s'écrase sur mon visage ne m'a pas parfaitement bien visé, mais il suffit à me déstabiliser. Je trébuche sur les toilettes et me cogne contre le mur. Avant que je puisse me redresser, ils sont déjà trois sur moi à me rouer de coups. Je distingue le visage de Blake, tellement tordu de rage que j'ai du mal à le reconnaître. Je n'arrive pas à garder mon équilibre, à rester debout sous l'attaque. Je ne peux que couvrir mon visage de mes mains, mais il a déjà pris plusieurs coups, et on dirait bien qu'au moins l'un de mes assaillants porte une chevalière.

J'entends soudain au loin : « Une bagarre ! »

La pluie de coups continue tandis que des élèves affluent dans les toilettes, criant à pleine gorge et jouant des coudes afin de mieux voir la scène.

J'arrive enfin à me redresser, et ils en profitent pour me marteler le côté droit. Heureusement, l'espace confiné les empêche de donner de vrais coups élancés. Je bouscule le premier garçon devant moi et plonge mon poing dans la figure de Blake. Son nez éclate, du sang gicle de ses narines, mais il ne donne même pas l'impression de sentir quoi que ce soit.

Il me regarde en riant, mais ce n'est pas son rire. C'est celui de l'homme de la rivière. Je l'ai déjà entendu résonner dans la tempête de poussière.

Soudain, M. Burnham se tient derrière Blake et lui entoure la gorge du bras pour le sortir de la cabine. Everson apparaît à sa suite et attrape Chris et Noah par le col.

— Allez ! lance-t-il. Vous allez tous avoir du temps libre pour récupérer.

Il les tire vers la sortie tout en ordonnant aux spectateurs de repartir manger. Puis il se tourne vers moi :

— Alan, vous aussi, vous me suivez.

Argumenter semblerait lâche. Maman ne comprendrait pas. Aimee non plus, sûrement. Je retire un peu de sang de mon visage, ressens la douleur d'une coupure, puis suis Everson et Burnham.

Aimee est là. Elle me fixe de ses grands yeux verts inquiets.

— Désolé, lui dis-je en passant devant elle.

Je m'arrache un sourire, mais il n'efface en rien l'angoisse sur ses traits.

17

Aimee

Les garçons sont stupides. Il n'y a rien à ajouter. Les garçons sont tout simplement stupides. Même si l'homme de la rivière rend plus mauvais, ce besoin de frapper était ancré en eux.

Lorsque je vois Alan sortir des toilettes le visage couvert de sang, derrière la petite troupe de Blake, je jure que je suis à deux doigts de le tuer. Mais c'est *son* sang. Il est blessé. Je commence à m'avancer, mais M. Everson m'intime du regard de ne pas intervenir.

— Aimee.

Une main me tient le bras. C'est celle d'Hayley.

— Quoi ?

— Ça va ?

Elle cherche à me protéger de la foule.

— Dispersez-vous ! crient M. Swanson et d'autres professeurs en tentant de reprendre le contrôle de la situation.

— Oui… je réponds en fixant ses grands yeux marron. Ça va.

Elle me mesure du regard.

— Tu tangues.

— Quoi ?

— Tu tangues. Et tes mains tremblent.

Elle m'éloigne de la cantine et me mène, par la rampe d'accès pour handicapés, à l'ascenseur interdit aux élèves.

— Il faut que tu t'assoies. Il faut que tu t'assoies loin de tous ces idiots.

Nous nous installons par terre, à côté de l'ascenseur. Ce coin est vraiment tranquille. La seule porte est celle de la salle de documentation, et elle est fermée.

Le sol est froid sous mes jambes. Je pose la tête contre le mur. Il est froid, lui aussi.

— Je n'aurais jamais imaginé que Blake soit raciste à ce point, dis-je en bafouillant. Et ça ne lui ressemble pas de se battre, et... Oh !... Ils se sont frappés. Je n'arrive pas à croire qu'Alan lui ait rendu ses coups.

— Si j'ai bien compris, ils étaient trois contre un, intervient Hayley d'un ton dur et mauvais.

L'espace d'un instant, son regard devient fou et sanguinaire, puis il reprend son aspect normal, et elle continue de sa voix douce :

— Il n'avait pas le choix.

— Trois contre un !

Je tressaute en repensant à tout ce sang.

— Il est blessé. Il est blessé, et il va sûrement se faire exclure, et je ne peux pas faire ça... Je ne peux pas faire ça toute seule. Je ne peux pas...

— Faire quoi, Aimee ?

— Être ici. Exister. Aller en cours. Tout est si confus... Courtney. Blake. Alan. Tout.

Je me penche en avant ; Hayley me frotte le dos en faisant de petits cercles. C'est réconfortant. C'est une chose qu'une maman ferait.

— Tu es si gentille, dis-je en reniflant.

Elle sourit, tout comme Courtney l'aurait fait.

Si Courtney était là, c'est elle qui serait en train de me consoler.

— Merci. Toi aussi, répond Hayley.

— Je n'ai pas l'impression de l'être en ce moment.

— À vrai dire, personne ne l'est. On dirait que la ville entière a la *roid rage*[1].

J'ai soudain envie de tout lui confier au sujet de Courtney, de la pierre, du tableau et de l'épisode dément de la cabane. J'ai envie de lui parler de ma mère, d'Alan, de la possession et à quel point c'est difficile parfois d'être la seule fille dans une maison pleine d'hommes.

Ma tête est soudain prise d'une douleur aiguë. Je glisse la main sur ma tempe. J'aimerais me soigner comme j'y arrive pour les bosses de Benji.

— Aimee ?

Hayley ? Sa voix me paraît si distante… J'essaie de me concentrer dessus.

— Aimee ? répète-t-elle. Tu vas bien ?

— Oui…

Je me lève. La douleur dans ma tête est toujours aussi intense.

— Oui. Je viens juste de me souvenir d'une chose que je devais faire.

Son visage transpire d'inquiétude.

— Tu es pâle. Tu trembles encore.

— Ça va aller, Hayley.

Je me penche pour lui embrasser la joue. Son parfum rappelle les fragrances florales de chez Victoria's Secret.

— Merci d'être une amie aussi formidable.

Mme Hessler me rejoint avant même que je n'atteigne les toilettes, étape essentielle de mon plan. Ses yeux nerveux papillotent.

Elle me frôle le bras.

— J'ai entendu dire que Courtney était à l'hôpital et que Blake s'en est pris à son cousin.

J'acquiesce. Où veut-elle en venir ? J'aimerais pouvoir avancer dans mon plan.

---

1. Sautes d'humeur induites par les stéroïdes.

Elle sort un livre de son sac et l'ouvre là où un marque-page est inséré.

— Lis ça.

Je regarde tout autour de moi.

— En plein milieu du couloir ?

— S'il te plaît, Aimee.

Elle me pousse légèrement vers le mur, sur lequel je prends appui pour entamer ma lecture. C'est un article écrit par Roslyn Strong qui parle de la représentation des dragons en Amérique du Nord.

— Va directement à la légende, me presse Mme Hessler.

C'est l'histoire de Glooscap tuant un dragon dans le Maine, ou ce qu'on appellerait plus tard le Maine – dans le coin, plus exactement.

— Qu'essayez-vous de me dire, madame Hessler ? je demande en lui tendant le livre.

— Et si le dragon était mort dans notre rivière ? Si un héros ojibwa y avait lié un démon européen ou un dragon après en avoir délivré un colon possédé ? Les Ojibwas connaissaient les dangers liés aux démons, mais les colons arrogants restaient malgré leurs avertissements : le mal niché dans la rivière suit les fluctuations de la marée, affectant la ville entière tandis que le démon cherche à s'emparer d'un corps.

— Comme il le fait pour Courtney, dis-je dans un murmure.

— Et comme il l'a fait pour ta mère, ma meilleure amie. C'était ma meilleure amie, tu sais, comme Courtney l'est pour toi.

Vraiment ? Comment puis-je ne pas m'en souvenir ? De vagues images refont surface : Mme Hessler apportant des biscuits de Noël ; les deux femmes sortant dîner toutes pimpantes. La documentaliste frotte ses yeux, qui se sont embués. Je lui tapote le bras tandis qu'elle poursuit :

— Une autre légende rapporte que le démon est destiné

à y demeurer jusqu'à trouver un navire ou être renvoyé dans les ténèbres par un lion de l'Ouest.

— Est-ce que ce serait Alan ? Mais pourquoi ?

— Pourquoi quoi ?

— Qu'est-ce que ce… démon tente d'accomplir ? Qu'est-ce qui le rend mauvais à la base ?

Les élèves vont en classe au pas de course.

— Les légendes amérindiennes expliquent rarement l'attitude des créatures maléfiques. C'est notre culture moderne qui s'efforce de les comprendre.

Elle s'éclaircit la voix :

— D'après moi, posséder totalement Courtney lui permettrait de quitter sa prison. Il serait ainsi libre de naviguer là où il le désire, comme avant que Glooscap ne le lie à la rivière.

La tristesse gonfle en moi.

— Il a essayé de faire la même chose à ma mère, mais personne ne l'a sauvée.

— Elle est morte en essayant de tous nous sauver, Aimee. Lorsqu'elle est partie à la rivière avec cette hache et qu'elle s'y est noyée, elle a tenté d'affronter le démon, l'homme de la rivière, ou du moins de l'empêcher de la posséder totalement.

— C'était courageux de sa part, j'arrive à dire malgré la boule de chagrin qui me tord le ventre.

Maman me manque tellement. Quelqu'un tousse au loin.

— Oui.

Mme Hessler toussote également.

— Alors, pourquoi n'est-il pas parti ? Pourquoi ne pas aller chercher une autre victime à posséder ? je demande.

— Je ne sais pas. Peut-être a-t-il trop peu d'énergie pour se focaliser sur plusieurs victimes d'un coup. Sa malignité ne semble émerger qu'au moins une fois tous les dix ans.

Je me décolle du mur, rends le livre à Mme Hessler

et en profite pour l'enlacer. Elle sent la vanille, comme maman.

— Merci.

Je file alors dans les toilettes afin de reprendre ma mission originelle, disposant toutefois d'un peu plus d'informations.

Suffisamment pâle pour avoir l'air malade, je prétexte avoir vomi. Je convaincs Mme Murillo que papa et papy sont tous les deux injoignables. Ça marche : je peux quitter le lycée. J'ajoute un troisième mensonge en prétendant que je rentrerai chez moi avec ma voiture.

Si on coupe par les bois, l'hôpital n'est pas très loin. Il suffit d'y suivre la piste de course à pied sur la moitié de la distance, de récupérer Starbald Road en traversant la lande de bleuets sauvages, et de continuer jusqu'à destination.

C'est donc ce que je décide de faire. Les arbres, dépouillés de presque toutes leurs feuilles, étirent leurs branches sinistres tels de longs doigts noueux et voraces. Ils me font penser à l'homme de la rivière me tirant vers le fond. Je m'arrête un instant pour écouter le vent agiter les arbres.

Le téléphone à la main, j'hésite à écrire à Alan. Je finis par le faire.

J'ESPÈRE QUE TU VAS BIEN.

J'appuie sur ENVOYER et rempoche mon téléphone, de nouveau à l'affût du moindre bruit. Aujourd'hui, un rien m'effraie. Je sais qu'Alan est encore en train de se faire sermonner dans le bureau d'Everson. Je sais qu'il ne verra même pas mon message. Je sais aussi que je ne lui ai pas dit ce que je faisais. Et qu'il sera furieux.

Mais parfois, il faut faire les choses seul.

Je reprends ma marche tout en réfléchissant. Court a peut-être son téléphone sur elle ? Je lui envoie un message : JE PEUX VENIR TE VOIR MTNT ?

J'avance à la hâte dans l'espoir d'une réponse. Mon téléphone me signale que j'en ai reçu une. Je l'ouvre et lis : OUI !!!! VITE !

Il ne m'en faut pas davantage pour m'élancer.

Les bois m'entourent pour encore un kilomètre. Le chemin est envahi d'empreintes et de pierres, et les racines sortent de terre, mais je connais leur emplacement. C'est ici que nous courons deux fois par semaine pour le foot. Notre entraîneuse appelle cela des footings de mise en condition. Je ne les ai jamais autant appréciés que maintenant, car à chaque pas, le ciel s'assombrit, à chaque pas, les bois gémissent un peu plus sous le vent, mais – youpi ! – je suis en condition malgré les bleus sur ma jambe.

Je fonce tout droit. Un pied. L'autre. Un pied. L'autre.

Lorsque je débouche sur la longue lande plate, un aigle pousse un cri strident au-dessus de moi. Je lève les yeux et trébuche sur une pierre, mais je ne tombe pas. Je ne comprends pas ce qu'il cherche à me dire, mais j'imagine que c'est un avertissement. Il lutte contre le vent de ses ailes immenses afin de demeurer dans les bons courants. Il tente de rester près de moi ; en vain.

Une bourrasque soudaine me gifle. Des cheveux s'échappent de ma queue de cheval et viennent se plaquer sur mon visage. Un buisson de bleuets sauvages arraché de terre roule sur l'étroit chemin devant moi.

Je l'évite de justesse. Le vent en déracine un autre qui me pourchasse. La poussière et les brindilles tourbillonnent autour de moi, rendant toute vision difficile.

Cette route ne me paraît plus tellement être une bonne idée.

— Mais c'est pas vrai !

Je décide de ne pas jurer, partant du principe que cela donnerait davantage de pouvoir au maléfice.

Je me tiens à la même distance du lycée et de l'hôpital. Je ne suis pas loin de la route, sur laquelle il y a peu de trafic. Je continue donc ma course.

Une pierre me heurte le dos, juste sous mon sac. Je trébuche. Mon sac m'écrase. Des pics de douleur traversent tout mon corps. Une autre pierre me frappe le crâne.

Je fonce tant bien que mal en titubant.

La route n'est plus très loin, désormais, mais il y sera encore plus difficile de se protéger. Toutefois, ce serait de la folie de retourner dans les bois.

— Tu ne m'arrêteras pas ! dis-je en hurlant.

Aucun bruit à part celui du vent.

Mais je le sens rire. Je le sens au plus profond de moi. La peur pèse sur mon ventre et tente de me ralentir. La peur est ainsi.

C'est une combinaison de diverses choses désagréables, comme avoir la grippe, se faire plaquer, rater un examen et arborer au beau milieu du nez un bouton immonde.

Courtney importe plus que cela.

Je continue. Un buisson vient me percuter. Je chute sur le côté. Mes mains, éraflées et pleines de sang, me relèvent. Je fonce. Un grondement profond et sourd qui grandit au loin me rappelle l'attaque de la cabane.

À la recherche d'un abri, j'interromps ma course. Mais il n'y en a aucun, que ce soit sur la longue étendue plate ou la route déserte. Mon cœur vacille dans ma poitrine, et mes pieds, sur le chemin.

La tempête est au niveau de la lande. On dirait presque une minitornade de buissons, de pierres et de branches de la forêt. J'ai même l'impression qu'un pauvre petit écureuil est pris au piège. Un panonceau de bois indiquant DÉFENSE D'ENTRER tourbillonne. J'accélère. Je ne vais pas y arriver. La tempête est trois fois plus rapide que moi. Ma jambe meurtrie me fait mal, mais je fonce.

Hors d'haleine, je jette un œil derrière moi tout en continuant ma course effrénée. C'est alors que je réalise que la tempête se tient désormais à une trentaine de mètres derrière moi. Le panonceau tournoie à sa tête. Le bruit strident me perce les oreilles. Plus que quinze mètres.

Des clous sortent du panonceau. Dix mètres. Je m'arrête et me retourne pour y faire face. Cinq mètres. Je plonge en avant afin de former une boule tout en protégeant ma tête de mes mains. Mon sac me couvre le dos.

La tempête frappe.

Un clou accroche mon sac et me renverse sur le côté. De la terre vient s'écraser contre moi. Quelque chose de dur heurte mon bras, mais je ne peux pas ouvrir les yeux pour voir ce que c'est. Le bruit me ronge à l'intérieur. Je tremble de tout mon corps. Je sens que je hurle.

De la terre entre dans ma bouche, que je referme aussitôt. Je me mets à prier… Je me mets à prier Dieu et à implorer l'aide de ma mère, d'Alan, de n'importe qui. Quelque chose fonce sur moi et me fait rouler sur le dos. Les pierres et les cailloux me bombardent.

— Dieu ! Aide-moi ! Maman !

Une chose me gratte le visage. Je referme la bouche afin de ne pas avaler de terre.

J'arrive à me rouler sur le côté, tournant le dos à la plus grande partie des violents courants de débris. La prière que maman m'a apprise, petite, surgit dans mes pensées.

Dieu, qui créa la terre, le paradis,
Protège-moi de mes rêves cette nuit.
Détruis le plus petit succube,
Empêche l'infestation incube.

Ce n'est peut-être pas le bon moment, mais je m'en fiche. Je me glisse de nouveau sur le ventre.

Empêche l'infestation incube. Empêche l'infestation incube. Empêche l'infestation incube.

Tout au long de ma psalmodie, mon cœur crie un prénom à chacun de ses battements : *Al-an. Al-an. Al-an.*

Soudain, une longue plainte lourde retentit.

Il y a un mouvement, qui n'est pas celui du vent. Je me protège les yeux et aperçois un tombereau, arrêté près de moi, en plein milieu de la tempête. Je fonce vers lui. Ses pneus massifs sentent le crottin de cheval, mais ça m'est complètement égal. Je me hisse jusqu'à la cabine.

Mon sac à dos laisse échapper quelques feuilles qui rejoignent le tourbillon. La porte s'ouvre.

— Vite ! Vite ! crie un homme en me tirant à l'intérieur.

Je m'étale sur le siège et le laisse fermer la porte. L'engin remue sous les secousses du vent. Il y a des relents de parfum et de chique, ce que je considère tout de suite comme les odeurs les plus agréables du monde.

— Mais qu'est-ce que c'est que ça, bordel ? lance l'homme d'une voix tremblante.

Je me redresse et regarde par le pare-brise. Des buissons et des arbres voltigent de toute part. Des grosses branches et des pierres bombardent le véhicule.

— Roulez ! je m'écrie.

Il hésite un instant et démarre sans attendre un nouvel ordre. Je retire mon sac à dos afin de prendre la mesure des dégâts. Ça peut aller. Mes mains tremblent tellement que j'arrive à peine à arranger ma coiffure.

Je ne sais même pas pourquoi je m'obstine.

— Qu'est-ce que c'est ? Une tornade ? demande le conducteur.

— Je ne pense pas. Il n'y en a pas, dans le Maine, en principe.

— Je ne sais pas…

Pris dans un bégaiement, il perd ce qu'il s'apprêtait à dire. C'est un jeune homme d'une vingtaine d'années aux cheveux blonds coupés en brosse et à la barbe de plusieurs jours. Ses yeux écarquillés sont envahis par la peur. Tout en agrippant le volant des deux mains, en sueur, il me jette des coups d'œil furtifs.

L'engin, soudain heurté sur le côté, tremble. Nous continuons.

Il jure à voix basse.

— Ça va ? Tu es dans un sacré état… Bon Dieu…

Le vent violent pousse le véhicule à faire quelques embardées.

— On y est presque, dis-je en désignant un point devant nous. Il fait plus clair là-bas.

— Accroche-toi. Ça va secouer, prévient-il en accélérant soudain.

Nous fonçons à travers le tourbillon de débris. Il ne ralentit pas.

— Je vais t'amener à l'hôpital.

— Super. Merci.

Le pauvre homme est déboussolé. Je me rends compte que je suis agrippée à mon sac. La lumière du soleil est si vive… Je n'arrive pas à croire que je puisse de nouveau voir clairement. Je me tâte le visage : je saigne.

Ma jambe me fait mal. Mon dos me torture. Je suis dans un état lamentable. Je me remets machinalement à arranger ma queue de cheval. L'hôpital n'est plus très loin.

— Je ne sais pas comment tu as pu survivre à ça, dit-il avec une pointe de respect.

— Je suis restée couchée.

Nous quittons la route de terre.

— Attendez… Comment m'avez-vous trouvée ? Pourquoi vous êtes-vous arrêté ? je réalise soudain.

L'hôpital est en vue. L'homme prend la voie des urgences.

— Sérieusement, pourquoi vous êtes-vous arrêté ?

Je lui touche le bras, encore tremblant.

— Vous m'avez sauvé la vie.

— Tu penses que la tempête sévit toujours ? demande-t-il.

— Aucune idée.

Il immobilise le véhicule et serre le frein à main.

— Tu vas me prendre pour un fou.

— Je vous en prie… Je promets que non. Ce qui vient de se passer est complètement fou de toute façon.

Il ferme les yeux un instant, comme pour se souvenir.

— Il y avait une femme. Elle brillait presque comme de l'or.

Il se tourne vers moi pour vérifier que je ne me moque pas de lui. Je lui fais signe de continuer. Un nerf tressaute sous son œil.

— Soudain, j'ai su que je devais m'arrêter. Que quelqu'un avait besoin d'aide.

— C'était moi.

Je déglutis.

— J'avais besoin d'aide…

Il hoche la tête.

— Alors, je me suis arrêté et j'ai crié. Tu n'as pas répondu. J'ai klaxonné. Je ne pouvais pas entrer dans ce tourbillon. J'espère que tu ne me prends pas pour un lâche, mais je ne voyais pas comment… Ça volait de partout…

Il se frotte le visage.

— Voilà que je bafouille maintenant…

— Mais non.

Je lui frôle le bras.

— Merci.

Il tourne la tête vers moi.

— Tu es dans un triste état ; je vais t'accompagner.

— Non, je tente de protester. Ça ira, ne vous inquiétez pas.

Il est déjà sorti et vient ouvrir ma portière en me tendant la main.

— Merci.

Je saute du véhicule. Tout mon corps m'élance. J'ai un goût de terre dans la bouche.

— Je vais bien.

— Tu titubes, je t'accompagne à l'intérieur.

— Non, je vais me débrouiller, j'insiste. Mais merci quand même. Merci de m'être venu en aide.

Il hoche vigoureusement la tête et me tend mon sac à dos en faisant en sorte que rien ne tombe de la déchirure.

— Content de t'avoir aidée. Allez, file.

Je boitille jusqu'à l'entrée des urgences, mais ne me présente pas aux admissions. Je tourne à gauche, dans le couloir menant à l'ascenseur.

Il n'y a qu'une section pour les plus jeunes, et elle se trouve au dernier étage. Je chancelle dans l'ascenseur, qui est heureusement vide, et appuie sur le bouton FERME-TURE DES PORTES, puis sur 2.

Mon niveau de peur est légèrement descendu. Je pense qu'Alan a raison : chaque fois que cette chose éclate, elle se fatigue. Si toute magie (blanche ou noire) consume de l'énergie, cet esprit maléfique doit être affaibli. C'est donc pour moi l'occasion idéale de tenter de soigner Courtney. Toutefois, il se recharge. D'après moi, il puise son énergie dans la peur, dans Courtney et dans la douleur.

L'ascenseur s'arrête en grinçant au deuxième étage. J'espère que je ne me suis pas trompée... À l'ouverture des portes, j'aperçois Mary Harmon, une grande infirmière rousse, dans le couloir. Je vais me plaquer contre un mur de justesse avant qu'elle ne se retourne.

Je ne veux pas être repérée, car si quelqu'un me voit dans cet état, on me posera tout un tas de questions, on me forcera à aller aux urgences et on appellera mon père. Je n'ai pas le temps pour le moment.

Il faut d'abord que je trouve Court. Il faut que je la trouve tandis qu'il est encore faible.

Les portes de l'ascenseur se referment. Les pas de Mary s'éloignent dans le couloir. Je compte jusqu'à cinq avant de sortir discrètement de ma cachette. Dès que l'infirmière disparaît, je me rue sur les portes, m'arrêtant à chaque diagramme pour y lire le nom du patient.

Enfin, en plein milieu du couloir, je trouve : TUCKER, COURTNEY.

Je me glisse dans la chambre.

Courtney est plus ou moins assise dans son lit. Elle n'est pas attachée, ce qui est très bon signe. Elle tourne la tête lorsque je ferme la porte.

— Aim ?

Je m'arrache un sourire. Son visage est encore en piteux état, et ses yeux sont fatigués, même troubles. Elle semble si frêle derrière sa mince couverture blanche...

— Courtney...

Reliée à une intraveineuse, elle hausse légèrement les sourcils. J'imagine que ce ne sont que des fluides lui permettant de rester hydratée. Elle tente de lever sa main libre, mais y arrive à peine. Je m'approche du lit.

— Comment ça va, trésor ?

— Tu m'as appelée « trésor », répond-elle en plissant légèrement les yeux.

— Je sais. C'est bizarre ! je lance dans un haussement d'épaules.

— Mon cousin doit déteindre sur toi.

Elle articule doucement, comme si cette simple phrase était un effort surhumain.

— Sûrement.

Lorsque je pose mon sac par terre, il émet un lourd bruit métallique. Court sursaute et se met à m'examiner.

— Qu'est-ce qui t'est arrivé ? demande-t-elle.

— Une petite mésaventure.

— Une mésaventure ?

Je lui prends la main. Elle est froide et arbore encore des plaies. La mienne n'est pas dans un meilleur état, toute tailladée et sale. Nous sommes bien loin de l'image glamour de reines de promo. L'espace d'un instant, je me demande ce que dirait Blake.

— Comment vas-tu ?

— Super bien, répond-elle avec un léger rire.

Des larmes naissent au coin de ses yeux et viennent rouler sur ses joues. Je les essuie de ma main libre.

— Alan et moi avons un plan. On ne te laissera pas comme ça, Courtney, je te le jure !

— Tu deviens mélodramatique, Aim, dit-elle gentiment.

— Mais je le pense vraiment !

— Je sais.

Elle ferme les yeux comme si tout cela était trop lourd pour elle.

— Où est ta mère ?

— Au travail.

Je m'assure que personne ne nous écoute et chuchote :

— Tu te souviens que parfois, en me concentrant, j'arrive à vous soigner, toi et Benji, quand vous vous êtes fait mal ?

Elle rouvre les yeux.

— Oui. D'après ton père, ce n'est qu'un pouvoir de suggestion.

— Je l'aime, mais parfois, il se comporte comme un idiot. On dirait qu'il a si peur de ce qui est arrivé à ma mère qu'il refuse de croire au moindre signe paranormal. Est-ce que je peux essayer ?

La faiblesse lui fait refermer les yeux. Je panique :

— Court ?

Sa main serre davantage la mienne.

— Oui, essaie.

La lampe au-dessus de son lit se met à clignoter. Dans la pénombre qui nous entoure une seconde, je crois voir la silhouette d'un homme.

La lumière se stabilise, il n'y a rien. Je décrispe un peu mes doigts et inspire profondément.

— Est-ce qu'Alan est au courant de ce que tu fais ? demande-t-elle.

— Oui, je mens. Il est retenu au lycée.

— Et pas toi ?

— J'ai trouvé une excuse.

Cette fois, c'est moi qui ferme les yeux. J'écarte légèrement les doigts et pose la main sur son front glacé.

Je place l'autre sur mon cœur. J'inspire de nouveau. J'expire. Le creux de mes paumes commence à picoter en cercles parfaits. Le pouvoir circule.

Ce n'est pas un pouvoir terrible, mais c'est le mien. J'écarte davantage les doigts. J'imagine une lumière blanche bienfaitrice autour de Courtney.

— Guéris, trésor, je murmure. Guéris. Sors-toi de là.

La lumière blanche coule vers elle ; je la sens quitter mes mains pour l'envelopper. Courtney pousse un petit couinement. J'ouvre les yeux. Sa peau est nette, il n'y a plus aucune plaie.

Elle bat des paupières. Lorsque nos regards se croisent, le sien s'agrandit de choc, ou de peur. Elle articule un mot, mais je n'entends pas.

Quelque chose dans ma tête heurte mon cerveau. La faible Courtney se penche vers moi ; je sens mes genoux se dérober.

Puis je ne suis plus là.

18

Alan

— Alan, allez à l'infirmerie, pendant que je m'occupe de ces trois énergumènes, m'ordonne M. Everson lorsque nous approchons de l'entrée du lycée.

Puis il se tourne vers M. Burnham :

— Pat, tu peux apporter une serviette à Blake, s'il te plaît ?

Je m'exécute, mais l'infirmière n'est pas là. Mme Murillo m'aide alors à trouver de l'eau oxygénée, du coton et des pansements. Mon visage arbore quelques coupures et quelques hématomes, mais je m'attendais à pire.

— Ah... Les garçons, avec vos bosses, vos bleus...

Mme Murillo applique un pansement papillon sur ma plus grosse coupure, une entaille superficielle sous l'œil gauche, probablement causée par la chevalière.

— Ça ira. Je ferais mieux d'aller voir à combien de jours d'exclusion j'ai droit...

Elle me regarde partir d'un sourire triste. M. Burnham surveille Blake et ses petits copains, assis sur des chaises en plastique, dans le couloir du bureau d'Everson.

Blake a une serviette plaquée sur la figure. Des taches de sang se sont formées sur le tissu blanc. On dirait bien que le seul coup que je lui ai porté a été le bon.

— Venez là, Alan, ordonne Everson.

J'entre dans son bureau rempli de tous ces souvenirs du Colorado Buffaloes.

— Fermez la porte et asseyez-vous.

J'obéis.

— Dites-moi ce qui s'est passé.

J'étais dans une cabine de toilettes. Dois-je prétendre que je coulais un bronze ? Je décide d'être honnête :

— Je suis allé aux toilettes pour envoyer un texto à ma tante. Je voulais des nouvelles de ma cousine. Vous savez, Courtney est à l'hôpital, suite à hier.

— Oui, je sais.

Son regard est intense. On dirait qu'il s'apprête à me clouer sur le dossier de ma chaise au moindre signe de mensonge.

— Continuez.

— Je suis allé aux toilettes pour ne pas me faire prendre avec mon téléphone. Je suis entré dans une cabine, ai envoyé un message à ma tante, elle m'a répondu, et j'allais partir. Je n'ai entendu personne entrer. Lorsque j'ai ouvert la porte, j'ai pris un poing en plein visage. Puis soudain, ils étaient dans la cabine, à me bast…, pardon, à me rouer de coups.

— Vu l'état du nez de Blake, je dirais qu'ils n'étaient pas seuls à taper…

— Ils m'ont plaqué contre le mur. Je ne tenais même pas debout parce que j'ai trébuché sur les toilettes quand ils sont entrés dans la cabine. Je n'ai donné qu'un coup ; j'ai juste eu de la chance. Puis monsieur Burnham est intervenu.

Everson me dévisage un long moment. Je suis certain qu'il va me traiter de menteur, dire qu'avant mon arrivée, rien de tel ne s'était jamais passé, que je suis quelqu'un de nuisible – enfin, toutes ces choses qui me rendraient coupable. Mais au lieu de cela, il déclare :

— J'ai envie de vous croire, Alan. Les trois autres m'ont

208

dit que vous aviez commencé et qu'ils étaient dans les toilettes avant vous, mais monsieur Burnham vous a vu entrer en premier. D'après lui, ils vous guettaient et vous ont suivi, puis quelqu'un a crié qu'il y avait une bagarre.

Je hoche la tête, ne sachant trop quoi dire.

— Merci.

— Vous n'êtes pas tiré d'affaire pour autant. Nous avons une tolérance zéro en ce qui concerne les bagarres. Vous avez frappé quelqu'un et c'est grave.

— Je comprends.

— Cela implique trois jours d'exclusion.

Je ne peux rien dire. Je ne peux qu'imaginer la déception de maman quand elle l'apprendra. Sans parler d'Aimee. Son regard, à ma sortie des toilettes… Le choc, la déception, peut-être même la colère.

— Vous vivez avec votre mère et votre tante, c'est bien cela ? demande Everson.

— Oui, monsieur.

— Et qu'en est-il de votre père ?

Je lève les yeux et puise en moi la détermination de lui rendre son regard.

— Je ne l'ai jamais connu.

À cette simple phrase, mon ventre se creuse davantage.

— Cela va contrarier votre mère, n'est-ce pas ?

— Oh ! que oui… Je lui ai promis de ne pas me battre. Mais je n'ai pas eu le choix. Ils m'ont coincé dans ces toilettes…

— Eh bien, appelons-la. Donnez-moi son numéro.

Après une conversation pénible mais rapide, ils se mettent d'accord sur mes trois jours d'exclusion et le fait que je puisse rentrer chez moi.

— Merci beaucoup, madame Parson.

Everson écrase un bouton sur son téléphone ; maman n'est plus là.

— Vous semblez avoir une mère remarquable, me dit-il.

— Oui, je sais.

Il griffonne quelques feuilles avant de me les tendre.

— Apportez-les-moi à votre retour.

Je prends les papiers et me lève.

— Alan, gardez vos distances avec Blake. Je le connais depuis sa première année ici. Ce n'est pas un mauvais garçon. Je dois avouer que tout cela m'étonne beaucoup. Il lui faut peut-être du temps pour accepter le fait de ne pas être le plus rapide et pour oublier Aimee. N'allez pas le provoquer, d'accord ?

— Ça n'arrivera pas.

J'ai suffisamment de choses à régler sans avoir besoin d'aller chercher des crosses à un coureur filiforme. Everson m'autorise d'un signe de tête à quitter son bureau. Burnham et les trois garçons ont disparu.

Je m'attends presque à ce que Blake me saute dessus entre le lycée et mon pick-up, mais il n'y a personne à l'horizon. Toutefois, au sud, le ciel est sombre, comme si une tempête menaçait.

Une fois installé, je jette un œil à mon téléphone. J'ai deux messages. Le premier est d'Aimee : J'ESPÈRE QUE TU VAS BIEN. Je lui réponds : OUI. EXCLU. TE RÉCUPÈRE À LA SORTIE.

Le deuxième est de maman. RANTRE A LA MAISON TOU DE SUITE. Ma mère n'est pas championne en orthographe, surtout dans les textos.

Il est encore tôt. Elle n'est pas près de rentrer, et j'ai des choses à acheter. Je vais d'abord à la maison retirer un peu d'argent liquide de la boîte en métal que je garde dans un tiroir de ma commode. Avec deux cents dollars en poche, je prends la direction de *Craft Barn*, à l'orée de la ville.

— Oui, nous avons du foin d'odeur et de la sauge, m'annonce la femme d'une cinquantaine d'années à qui je finis par m'adresser.

Le magasin n'est pas énorme, mais ça fait au moins un quart d'heure que je tourne sans rien voir d'autre que des paniers et des bougies. Elle me fait passer dans deux ou trois rayons avant d'enfin parvenir à un petit coin proposant des plantes séchées.

— Voilà le foin d'odeur. Nous en vendons peu, car il est très facile d'en trouver dans la nature, par ici. Vous êtes nouveau, pas vrai ?

— Oui, m'dame.

— C'est bien ce que je me disais. Figurez-vous qu'énormément de gens en ont qui pousse dans leur jardin, mais ils le tondent comme si c'était une herbe quelconque !

— Il faut croire que certaines personnes n'aiment tout simplement pas la nature...

— La sauge... continue-t-elle d'un visage ravi en me désignant toute une rangée de sauge séchée un peu plus loin dans le rayon, c'est une autre histoire. Nous en avons plein. Les gens en raffolent pour leurs pots-pourris, et c'est plus difficile à dénicher.

— Merci. Vendriez-vous des pierres de granit, par hasard ? Le genre dont on se sert en décoration de jardin ? Je n'en cherche pas d'énormes, de cette taille, à peu près.

J'utilise mes doigts pour former un cercle entre une balle de base-ball et une boule de bowling.

— Non, nous n'avons rien de la sorte. Il y en a sûrement chez *Bergerman's Lumber*. Vous savez où ça se trouve ?

Je fais non de la tête ; alors, elle m'indique comment y aller. Je la remercie, puis elle me laisse.

J'attrape une douzaine de petits sachets de foin d'odeur, puis de sauge, ainsi qu'un rouleau de ficelle marron foncé et me dirige vers la caisse. De retour dans le pick-up, je trouve facilement *Bergerman's Lumber*, qui fait à peine la moitié de la taille d'un *Lowe's* ou d'un *Home Depot*[1], mais qui est étonnamment bien fourni. Un homme au gilet

---

1. Magasins spécialisés dans le bricolage et le jardinage.

orange me mène dehors afin de me montrer des palettes chargées de pierres de granit de tailles et formes différentes. J'en mets sept dans un chariot. Chacune est plus ou moins l'équivalent d'un ballon de football américain, ce qui rend le chariot très lourd.

À l'intérieur du magasin, je choisis une bâche bien épaisse. Aimee m'avait parlé de toile de voile, mais comme j'ignore où en trouver sans elle, cela fera l'affaire. Je prends également une petite scie et un bon couteau de chasse. Mon téléphone vibre dans ma poche tandis que je fais la queue à la caisse. Je ne regarde le message qu'une fois toutes mes courses stockées à l'arrière du pick-up.

TU PEUX VENIR À L'HÔPITAL ? C'est Aimee. Elle devrait être au lycée… Je lui réponds : J'ARRIVE.

Quelque chose ne tourne pas rond. Je saute dans le pick-up et roule le plus rapidement possible tout en évitant une contravention pour excès de vitesse.

Une exclusion et ne pas « rantrer » directement à la maison suffisent pour aujourd'hui.

Une fois sur le parking de l'hôpital, je demande à Aimee : TU ES OÙ ? Elle me rappelle aussitôt.

— Alan, où es-tu ?

— Sur le parking.

— Monte au dernier étage. Chambre 212.

À l'ouverture des portes de l'ascenseur, au deuxième étage, je me retrouve nez à nez avec une infirmière aux hanches larges et au regard sévère.

— Je peux vous aider ? demande-t-elle.

— Je cherche la chambre 212.

— Un peu plus loin, dans le couloir.

Elle me regarde passer devant l'accueil, comme si j'allais leur voler un stylo ou fouiner derrière un ordinateur. Je glisse une main dans mes cheveux pour les coiffer un peu. En principe, ce geste énerve toujours les gens conservateurs qui ne supportent pas les cheveux longs chez un garçon. J'entends l'infirmière grogner et partir d'un pas lourd derrière moi.

C'est le moment que choisit Aimee pour sortir d'une chambre, un peu plus loin, et me faire signe. Elle n'a pas l'air normale, mais je ne l'aperçois que furtivement avant qu'elle ne retourne dans la pièce.

J'accélère le pas et la rejoins.

— Alan !

Elle se jette sur moi dès mon arrivée, s'agrippant à mon cou comme si elle allait se noyer. Je l'enlace à mon tour, puis grimace.

— Tu sens la terre, Red. Qu'est-ce qui se passe ?

Elle lève les yeux vers moi, et j'y lis la douleur, la peur et l'épuisement. Je découvre également la terre sous ses yeux, puis les coupures sur ses joues et son front.

Une larme coule sur sa joue gauche en laissant une trace dans l'épaisseur de crasse.

— Dis-moi !

Je la tiens par les épaules et la passe en revue. Ses vêtements sont sales, déchirés par endroits, et recouverts de brindilles, d'herbe et de feuilles.

— Aimee, qu'est-ce qui s'est passé ?

— Il m'a attaquée, annonce-t-elle.

Elle craque complètement et s'enfouit dans mes bras. Tout en lui caressant le dos et les cheveux, je l'écoute me parler de l'attaque et de l'homme qui lui est venu en aide.

— C'est une femme dorée qui l'a fait s'arrêter.

— Quoi ?

C'en est trop. Je ne sais plus quoi penser.

— De quoi parles-tu ?

Je remarque soudain Courtney, assise sur son lit, faisant mine de ne pas nous regarder.

— De quoi parles-tu, Aimee ? Une femme dorée ?

— C'était ma *mère*. Elle l'a fait s'arrêter. C'est du moins ce que je pense. Je ne l'ai pas vue, mais lui, si. Ce qui veut dire que tout ceci est vrai. Nous ne délirons pas !

— Ce n'est pas une surprise.

Je continue à l'enlacer tout en réfléchissant.

— Donc, on dirait bien qu'on a de l'aide…

— Mhh mhh, murmure-t-elle contre mon torse.

Courtney n'a plus la patience d'attendre :

— Hé ho ! C'est moi qui suis à l'hôpital, il me semble. Est-ce que quelqu'un compte faire attention à moi ?

Je ris en serrant davantage Aimee, puis je lui murmure à l'oreille :

— Ça va aller ?

— J'ai connu mieux, répond-elle.

Nous rejoignons Courtney. La façon dont Aimee se tient à moi ne vient pas seulement de la joie de me revoir. Je la pose délicatement sur le lit, même si elle est toute sale. Je m'empare de l'unique chaise de la pièce et m'assois face à elles.

— Ton visage, Courtney, il n'a plus rien !

— C'est Aimee qui s'en est occupée, déclare-t-elle en souriant à son amie.

Je lance un regard interrogateur à Red.

— Oui, je peux faire ça.

— Faire quoi ?

— Soigner.

Elle balaie cette information d'un coup d'épaule, comme si c'était sans importance.

— Elle le fait tout le temps, dit Courtney. Elle a réussi ce que les médecins ne pouvaient pas faire.

Elle jette un regard inquiet à Aimee avant d'ajouter :

— Ils ont essayé, je le sais, mais ils n'ont pas ton don, Aim.

— Ils n'ont juste pas ce qu'il faut pour te guérir, Court, interviens-je.

Il est temps de tout lui déballer. Il va falloir qu'elle nous suive, si on veut que ça fonctionne.

— Dis-moi, lâche-t-elle.

— Tu es atteinte de ce que les Navajos appellent le mal

des fantômes. C'est..., c'est comme une possession démoniaque. Un esprit malfaisant…

— Comme dans les films d'horreur ? me coupe-t-elle.

— C'est ça. Toutes les étapes ont été franchies. Sauf la dernière, et je…, nous pensons qu'elle est en cours.

— Qu'est-ce que c'est ?

— La possession totale. Il – cet esprit – a déjà pris possession de toi, mais il n'est pas encore assez puissant pour rester. Il te possède un temps, puis s'affaiblit, ou quelque chose l'attire, et il quitte ton corps. C'est dans ces moments-là que tu t'évanouis.

— C'est exactement ce que je pensais, dit Aimee.

Courtney acquiesce, mais elle est de toute évidence effrayée.

— Et qu'est-ce qui se passe s'il devient plus puissant ?

— Il s'emparera de ton corps et ne le quittera plus. Jusqu'à ce que…

— Je meurs, murmure-t-elle.

Elle remonte les genoux contre sa poitrine et y appuie son front. Aimee, la douce Aimee, se penche vers elle et l'enlace du mieux qu'elle peut.

— Ça va aller, promet-elle. Alan sait comment battre cette chose. Nous allons t'en débarrasser.

— Je voulais seulement que papa revienne, lâche Courtney sans lever la tête.

Sa voix est étouffée par la couverture sur ses jambes.

— Il a dit qu'il pouvait me le ramener.

— Qui ça, Court ? je demande. Est-ce qu'il t'a dit comment il s'appelait ?

— L'homme de la rivière, chuchote-t-elle, comme si prononcer son nom allait le faire venir, ce qui pourrait être le cas.

Aimee et moi jetons un œil par la fenêtre avant de nous croiser du regard. Je secoue la tête.

— C'est le seul nom qu'il t'a donné ? j'insiste.

Courtney fait oui de la tête, sur ses genoux.

—Alan et moi... allons nous en débarrasser, promet de nouveau Aimee tout en me regardant.

Je tente de la rassurer d'un sourire, mais je suis conscient de la faiblesse de celui-ci.

— On va s'en occuper, mais il va falloir que tu sois avec nous.

Je pose ma main derrière sa tête.

— Il faut que tu veuilles te débarrasser de cet esprit, Court. Tu le veux réellement ? Ça veut dire qu'il faut abandonner l'espoir de voir ton père revenir, pour toujours.

Elle lève la tête. Son visage est strié de larmes. Je suis de nouveau saisi par sa peau saine et lisse. Aimee a vraiment fait ça ?

— Oui, dit-elle, je veux qu'il parte. Je veux redevenir normale.

Je file dans la salle de bains chercher un gant frais et humide. Aimee me laisse sagement nettoyer ses coupures et retirer la terre qui couvre son visage.

L'eau froide semble lui faire du bien.

— Qu'est-ce qu'on fait maintenant ? demande-t-elle.

— On construit la hutte à sudation.

Je me tourne vers Courtney.

— Ont-ils mentionné quand tu rentrerais à la maison ?

Elle secoue la tête ; alors, je regarde Aimee, qui l'imite.

— Qu'est-ce qui se passera quand ils découvriront son visage entièrement guéri ?

— Je ne sais pas, répond Aimee. Mon père soupçonnera que je suis venue.

— Est-ce qu'il la laissera rentrer ?

— C'est son médecin qui décidera.

Nous réfléchissons à un plan. De toute évidence, l'homme de la rivière est de plus en plus puissant et actif. J'explique le principe de la hutte à sudation, et Aimee nous donne les nouvelles informations que Mme Hessler lui a fournies.

— Cette chose nous dépasse, hein ?... lâche Courtney.

— Ça ne veut pas dire qu'on ne peut pas la battre, la rassure Aimee en lui serrant la main. Ça ne veut pas dire qu'on ne gagnera pas.

Nous sortons de l'hôpital bien plus facilement que ce que nous pensions.

Le couloir de la chambre de Courtney est désert, et Aimee semble connaître le bâtiment comme sa poche.

Nous rejoignons le parking sans que quiconque l'ait reconnue, ce qui m'épate lorsque je songe à la dernière fois.

Aimee paraît inquiète sur le chemin dégagé menant au pick-up.

Ses yeux ne cessent de fouiller partout, comme si elle s'attendait à ce que la tornade resurgisse. Mais je lui assure que le dernier coup d'éclat de l'homme de la rivière l'a probablement affaibli.

Nous sommes enfin à l'abri dans ma vieille Ford. J'aimerais qu'elle se pelotonne contre moi et l'entourer de mon bras, une fois sur la route, comme un garçon normal le ferait avec une fille normale.

— Tu es sûr que ça va ? demande-t-elle.

— Je vais bien. C'est plus toi qui m'inquiètes.

— Ça va aller.

Elle remue la tête en ajoutant :

— J'ai envie de t'aider dans cette hutte à sudation.

Je souris.

— Qu'est-ce qu'il y a ?

— Pour que cela fonctionne bien, il faut y entrer nu.

— Complètement ?

— Eh ouais....

J'attends ; elle ne dit rien.

— Ça te botte toujours ?

— Hmm... On verra. Je me contenterai peut-être de faire le guet dehors.

Je m'esclaffe et démarre le pick-up.

— Tu me montres l'endroit que tu as choisi, dans les bois ? demande-t-elle.

— Pas aujourd'hui. Je ne veux pas énerver maman davantage. Everson a été plutôt sympa. Il lui a dit croire que je n'avais fait que me défendre. Elle ne sera peut-être pas si furieuse…

— J'espère. Tu crois que ça lui changera les idées, si je viens chez toi ?

— C'est possible… Elle aimerait te rencontrer. Tu veux venir après le repas, pour les devoirs ?

— Tu ne comptes pas m'inviter à dîner ?

— Je jeûne. Et puis, comme maman et tante Lisa travaillent tard, ce n'est pas comme si nous allions faire un vrai dîner en famille, surtout avec Courtney à l'hôpital. Sept heures et demie, ça te va ? Si je ne suis pas privé de sortie, je viendrai te chercher.

— Ça marche.

— En attendant, promets-moi de dormir un peu.

— Dormir ? Au beau milieu de la journée, avec Benji qui rentre dans moins d'une heure ? s'esclaffe-t-elle. Je te le promets, mais c'est bien parce que c'est toi.

19

Aimee

Il n'y a personne à la maison, ce qui tombe plutôt bien. Je me nettoie du mieux possible, mais je ne peux rien contre les coupures et les bleus. Je m'effondre sur le lit ; le fait d'avoir soigné Courtney m'a totalement vidée. Cependant, je ne parviens pas à me détendre.

Il va falloir que j'invente une excuse, mais je n'arrive pas à en trouver une seule. Comment dire à son grand-père et à son petit frère qu'on a été attaqué par une tempête de poussière démoniaque ? Ils me croiraient folle.

Même si toute cette histoire me donne la chair de poule, je me sens plus légère, plus calme, car le visage de Courtney a repris son aspect normal, et Alan a un plan.

Et moi, Aimee Avery, j'ai utilisé mon étrange pouvoir guérisseur pour aider quelqu'un.

L'endroit le plus favorable à la réflexion, pour moi, c'est le kayak sur la rivière. Je souris. Parfait. En allant sur son territoire, je trouverai sûrement comment l'arrêter. Il est faible, désormais, et la rivière n'est pas que *son* territoire. C'est aussi le mien, et je veux le récupérer.

En plus, ça permettra à papy et Benji de ne pas voir mon état tout de suite.

J'enfile un soutien-gorge, un tee-shirt et une polaire. Puis je m'empare d'un bonnet en coton qui, à défaut de me rendre incendiaire, me gardera les oreilles au chaud.

Ce que je n'arrive pas à saisir, c'est le lien entre Courtney, ma mère et l'homme de la rivière.

Il y a une histoire de mort, je crois même qu'une chose maléfique tue les gens, mais je ne vois pas la logique. J'aimerais en comprendre les raisons.

Je vérifie que toutes les boucles sont fermées sur mon gilet de sauvetage. La rivière est calme. Un instant, je ne m'aide pas de la pagaie et laisse le courant m'emporter à sa guise. Un corbeau passe devant le kayak, ses ailes claquant l'air. Il se pose sur une branche pour m'observer.

— Qu'est-ce que tu penses de tout ça ? je lui demande. Pourquoi ça nous arrive, à nous ?

Il croasse une réponse que je ne saisis pas, évidemment. Je plonge alors ma pagaie dans l'eau pour reprendre le contrôle du kayak et décide de remonter la rivière, vers la ville.

Lorsque j'entends le hurlement, j'ai l'impression qu'il vient d'un phoque.

Mes yeux ne voient pas grand-chose, face au soleil dont les rayons réfléchissent sur l'eau.

C'est ce que je pense pour me rassurer. Le souci, c'est que les phoques ne parlent pas.

Toutefois, j'arrête de pagayer, me concentre un instant sur le cri, et mon cerveau borné pense encore : *C'est un phoque.*

Une tête surgit à la surface le temps de cracher de l'eau et hurler :

— Mon copain ! J'ai perdu mon copain !

Puis elle replonge.

L'espace d'une seconde (c'est tout, je le jure), je regrette d'avoir remonté la rivière, de ne pas avoir filé vers la baie. Mais alors, je me souviens de mon rêve : le canoë retourné, je me retrouve sous l'eau, je ne peux plus respirer. J'ai l'estomac dans les chaussures.

Je souffle dans mon sifflet et pagaie plus vite tout en cherchant des yeux un autre bateau. Il n'y a rien. Non, oubliez ça. Il y a quelque chose : un canoë bleu retourné, pris dans un tourbillon. Pétrifiée, j'accélère. Là où le garçon a plongé, l'eau s'agite. Il n'a pas dû aller très profond.

Sa tête réapparaît, couverte de limon porté par la marée. Il frappe la surface de l'eau et me regarde. Je dois être à cinq mètres de lui. Nous sommes début octobre. Dans le Maine. La rivière est plus froide qu'une douche glaciale.

— Ne plonge pas ! je crie.

Je ne vois pas pourquoi il m'écouterait.

Il bat des bras frénétiquement, ayant complètement perdu la tête.

— Mon copain ! Il faut aller le chercher !

Il plonge à nouveau, mais il ne va pas loin, ça ne sert à rien.

Je donne tout ce que j'ai pour le rejoindre au plus vite, enfonçant la pagaie dans l'eau glacée qui m'éclabousse ; elle a un goût salé. Juché sur un arbre, un aigle observe la scène. Si seulement il pouvait venir nous aider…

En proie à la panique, le garçon s'agite juste sous la surface, à droite de mon kayak.

Il réapparaît et me jette un regard perdu. Ses lèvres sont bleues. Je le reconnais : c'est Noah Chandler, l'un des garçons qui ont roué Alan de coups.

— Je ne le trouve pas! dit-il en crachant de l'eau et en battant l'air.

Mon cœur bondit dans ma poitrine. Il y a quelqu'un d'autre dans l'eau. Comme dans mon rêve. C'est ma faute, je n'ai prévenu personne. J'étais trop préoccupée par Alan et Courtney pour me soucier de mes rêves.

Je regarde autour de moi tout en essayant de repousser la panique qui m'envahit.

— Qu'est-ce qui s'est passé ?

— Mon copain !

Il s'apprête à replonger, mais je lâche ma pagaie et l'attrape par le tee-shirt. Je suis assez forte, pour une fille, mais je ne vais pas pouvoir tenir Noah très longtemps. La peur et le froid l'ont affaibli. Il n'a plus d'adrénaline. Piégé dans cette rivière, il n'y a pas que le froid à redouter. Les gros titres des vieux journaux surgissent dans ma tête : les détails de certaines morts, les hommes avec des griffures autour des poignets, les corps démembrés.

— Il faut que tu sortes de l'eau ! lui dis-je, commençant à faiblir. Tout de suite. Rejoins la rive !

Je pointe ma pagaie vers les touffes d'herbe et la vase, à une bonne quinzaine de mètres.

Il fait remuer l'avant du kayak en s'y accrochant. Je me penche en arrière afin de le stabiliser.

— Attrape-le des deux mains, je vais te porter jusque là-bas. Puis j'irai chercher ton ami.

Il ne bouge pas, mais il me dévisage avec un regard chargé de haine. C'est moi qui panique maintenant. Il faut que je retrouve l'autre garçon. L'aigle étend ses ailes et descend en piqué vers la rivière. Les secondes passent. Nous perdons du temps alors que quelqu'un est sûrement en train de se noyer. Noah ne dit rien, mais ses bras agrippent l'avant de mon kayak, et je pagaie jusqu'à la rive.

Il rampe sur la terre ferme. Il ne tremble même plus, tellement il est à bout. Son jean et son tee-shirt, trempés, pèsent sur lui. Je retire mon gilet de sauvetage pour lui donner ma polaire.

— Il faut que tu te réchauffes.

Je tire la couverture de survie du sac humide que mon père garde dans le kayak et la lui lance.

Il ne lève pas les yeux. À la place, il s'entoure la tête de ses mains et lâche d'une voix rauque :

— Mon copain…

— Je vais appeler les secours.

Il faut que je fasse vite : il y a encore l'autre garçon à

aller chercher. Je joins les secours à partir de mon hideux petit téléphone portable et leur signale notre position.

Puis je renfile mon gilet de sauvetage à toute vitesse et le ferme en remerciant Dieu d'avoir un père qui insiste toujours sur le fait d'être paré à toute éventualité, d'où le téléphone portable et le sifflet.

Je regarde le garçon. C'*était* Noah Chandler, celui qui, du même âge que moi, traînait avec Blake et a attesté sa brutalité en rouant Alan de coups. Désormais, je ne vois qu'un simple garçon qui pleure à chaudes larmes. Le ciel au-dessus de nous est clair et magnifique.

— Il faut que j'y retourne. Je dois aller chercher mon copain, marmonne-t-il en agitant la tête.

Il tente de se lever, mais en vain. Ses lèvres tremblent. Je pose la main sur son torse pour lui intimer de rester assis. Ses vêtements trempés glacent mes doigts.

Je grimpe dans le kayak.

— Je vais y aller. Ne bouge pas. Les secours arrivent.

Je pousse la vase avec ma pagaie et vais fouiller l'eau des yeux, mais celle-ci est boueuse, on n'y voit pas grand-chose. Par endroits, le fond de la rivière est couvert d'algues. Ailleurs, de bois pourri venant d'exploitations ou d'anciens chantiers navals.

Je siffle de nouveau. Ça aidera les secours à nous retrouver, même s'il n'y aura sûrement personne d'autre sur la rivière en plein mois d'octobre. Les gardes-côtes auront des plongeurs. Le capitaine de port, une fois mis au courant, arrivera d'Ellsworth en bateau. Ils viendront tous à son secours. Mais je suis consciente de la réalité, tout comme son ami : le garçon est déjà parti. La rivière l'a emporté, comme elle a emporté ma mère. Non, ce n'était pas la rivière, mais l'*homme* de la rivière…

— À l'aide ! je crie.

Ça ne sert à rien.

Je siffle une nouvelle fois : un long sifflement, un court, puis encore un long. J'ignore si c'est le code pour

« SOS », mais c'est ce que je peux faire de mieux. L'aigle réapparaît pour aller se poser sur une haute branche, sur la rive opposée. Le vent reprend. Je siffle de nouveau.

De mes mains mouillées, froides, presque engourdies, je continue à pagayer, à la recherche de n'importe quoi, sous l'eau. Sur la rive, Noah Chandler se balance d'avant en arrière. Un peu plus loin dans l'eau, un phoque sort la tête et me regarde de ses grands yeux marron et tristes. Nous restons fixés l'un sur l'autre.

Ça ne sert à rien de chercher, me dit-il. Ça ne sert plus à rien. Nos regards se détachent enfin.

Je sillonne l'endroit tout en poussant des coups de sifflet stridents. L'aigle nous observe. Noah frissonne sur la rive tandis que je continue mes allers et retours en kayak. À l'arrivée du capitaine de port, je poursuis avec lui. Il navigue si lentement que son bateau de pêche provoque à peine quelques vagues. De temps à autre, nous échangeons un regard désespéré, comme avec le phoque.

Nous ne trouvons rien.

J'appelle papa. Je veux lui dire où je suis. Je tombe sur Doris, qui m'annonce qu'il est en réunion, mais elle fera passer le message. J'appelle à la maison. Quelqu'un pourrait-il décrocher ce satané téléphone ?! Mon cœur s'affole et mes muscles tressautent. Je ne sais pas si ça vient du froid, de la fatigue ou de la peur. Je laisse un message.

— Euh…, papy, c'est moi. Je suis sur la rivière. Il y a eu un accident. J'ai trouvé un garçon dans l'eau. On n'a toujours pas retrouvé son camarade… Je risque d'arriver en retard pour le dîner… Mais… Ne t'inquiète pas, la police…

BIIIIP.

Le répondeur me coupe la chique. Il n'aime pas les longs messages. Comme papa.

La police de Goffstown finit par arriver. Ils ont dû demander à un pompier de leur prêter son bateau afin de pouvoir descendre la rivière. Ils m'interrogent. Enfin, pas tous, juste le grand sergent Farrar, qui vient de Floride.

— Alors, miss, dit-il en se penchant par-dessus son bateau, auquel je me tiens pour que le kayak ne se laisse pas emporter par le courant. Je te poserai d'autres questions plus tard, mais peux-tu m'expliquer rapidement ce qui s'est passé ?

Je lui raconte.

— Tu connais l'un de ces garçons ?

Je fais non de la tête, ce qui revient à mentir, en quelque sorte.

— Je ne sais même pas qui est celui qu'on cherche. Je n'ai pas demandé son nom.

En réalité, je suis certaine que c'est Chris Paquette, le troisième à avoir frappé Alan, avec Blake et Noah. C'est forcément lui.

— Tu as déjà rencontré l'autre ? Noah ? Au lycée ? Au skate park ?

Au skate park ? Je remue un peu les doigts : ils sont engourdis et bleus, comme morts. Je lève les yeux sur l'officier et l'étendue du ciel derrière lui.

— Oui, j'ai déjà vu Noah. C'est un copain de mon ex-petit ami. Il fait de la course à pied, dis-je, la voix tremblante.

Noah est toujours recroquevillé sur la rive, seul. Personne ne s'occupe de lui. Il a l'air transi. J'ai fait ce rêve, car j'étais censée le protéger. J'étais censée les protéger tous les deux. Je n'ai absolument pas réussi. C'est terrible.

Mon père arrive en même temps que les gardes-côtes. Notre kayak biplace rouge serpente dans la rivière.

Je n'ai jamais vu papa aller aussi vite. Il se rapproche de nous à grands coups de pagaie.

Habituellement, il avance lentement, s'arrête, cherche à repérer les aigles, les phoques, et à saisir le sens des courants. Lorsque je le taquine en lui disant qu'il ne risque pas de se fatiguer, de cette façon, il répond tout le temps une banalité du genre : « Certaines activités sont bonnes pour le corps, d'autres pour l'esprit. »

Je suis tellement rassurée de le voir... Il glisse son kayak contre le mien, se penche pour m'attraper le bras et murmure :

— Oh ! trésor...

Les gardes-côtes prennent la relève. Ils quadrillent la zone à l'aide de sonars avant de plonger. Les pompiers peuvent désormais s'occuper de Noah.

Se balançant d'avant en arrière entre tous ces hommes aux épaisses vestes jaunes, il paraît maigre et pâle. Ils le font monter sur le bateau et partent vers la ville.

La rive semble vide. Seuls les arbres, gigantesques et tordus, témoignent de la scène tandis que mon père et moi décidons de continuer les recherches à l'écart des gardes-côtes.

— Il est peut-être sur la rive, plus loin, dis-je sans grande conviction. Il pourrait être épuisé, mais en vie.

Papa hoche la tête et me lance un regard triste. Nous savons tous les deux que j'essaie de me rassurer plutôt que d'écouter ce que mes tripes me grondent.

Nous laissons la rivière nous porter.

— Il faut suivre le courant afin de rester sur sa piste, déclare papa en tirant sur sa casquette de base-ball.

— Tu crois que ça marchera ? Le courant est le même ici que plus haut ?

Il passe une main sur son visage et se frotte les joues.

— En principe, oui.

La rivière nous emmène rapidement plus loin. Avec les effets de la marée, ses courants peuvent être vifs et profonds.

Inquiète, je serre ma pagaie et dis :

— C'est de pire en pire...

Papa se libère une main et vient s'agripper à mon kayak afin que l'on ne s'éloigne pas.

— Pourquoi tu dis ça ?

— Les gens meurent dans la rivière.

— Les gens meurent dans la rivière, répète-t-il.

— C'est…

— J'ai compris ce que tu voulais dire, me coupe-t-il. Il ne faut pas tirer de conclusions hâtives, Aimee.

— Je sais que tu refuses de croire que c'est vrai, papa, mais madame Hessler m'a montré tous ces articles de journaux, et il y a tellement de morts étranges dans cette rivière… Cet endroit est peut-être maudit.

Il lâche mon kayak et dit :

— Je t'aime, Aimee. Je ne veux que ton bien, mais parfois, c'est difficile…

Je hoche la tête. L'eau ondule sous le courant.

— Tu fais encore ces drôles de rêves ? demande-t-il enfin.

— Oui.

Ma voix est tellement basse qu'il ne l'a peut-être même pas entendue, mais il connaît la réponse.

— Tu as rêvé de ce qui vient de se passer ?

— Je ne suis pas sûre, mais je crois, oui. C'est pour ça que je ne veux pas dormir, et… Je ne peux pas, parce que tout ce qui arrive me pousse à bout : les bruits de pas, Courtney, les…, enfin, tout. Je ne veux pas me retrouver dans le même état que maman. Je ne veux pas…

Quelque chose en moi commence à se fissurer. Je laisse couler une larme, et papa vient cogner son kayak contre le mien afin de me serrer dans ses bras. Il est en pleurs.

— Je ne te perdrai pas, Aimee, lâche-t-il d'un ton rude. Je ne te laisserai pas partir.

— Non. Non…

Nous restons cramponnés l'un à l'autre, souffrant de peur, d'amour et de la perte de maman. Mais nous sommes en vie, nous sommes là l'un pour l'autre et nous nous aimons. C'est tout ce qui compte. Nous nous séparons au bout d'un moment.

J'essuie les larmes sur son visage anguleux, et nous reprenons nos recherches. Le kayak me paraît plus léger, comme si je m'étais débarrassée d'un poids.

Pour moi, la rivière est marron. Mais ce n'est pas entièrement vrai. Elle change de couleur. Parfois, elle est du marron de son fond vaseux. Parfois, elle est du bleu du ciel. Quelquefois, elle arbore les deux teintes : marron au fond, bleue à la surface. C'est exactement le cas lorsque je me mets à pagayer pour tourner mon kayak. Je le maintiens en place, et un désespoir terrible s'abat sur moi tandis que je fixe le fond de l'eau.

— Papa ! je hurle.

Il me regarde d'un air surpris, peut-être parce que je me suis arrêtée, ou alors parce que cette voix enfantine et craintive n'avait plus refait surface depuis la mort de maman.

— Papa !

J'essaie de stabiliser le kayak, luttant contre les courants à petits coups de pagaie.

— Chris… Il est là !

Papa approche son kayak du mien et braque ses yeux dans l'eau. Il ne voit rien.

— Comment le sais-tu ?

Ses épaules se raidissent.

— Tu le vois ?

— Non, mais il est là.

Il ajuste sa casquette avant de me jeter un coup d'œil.

— Comment peux-tu savoir ça, trésor ?

Que dire ? Je ferme les yeux afin de ne pas avoir à le regarder.

— Je ne sais pas. Je le sens.

— Tu le sens ?

— Ça paraît idiot, je m'en doute, mais peux-tu me croire une seule seconde ?

Il hoche la tête. Il me croit. Il sort son téléphone, compose un numéro et adopte son ton de directeur d'hôpital.

Ça fonctionne : il obtient les gardes-côtes. J'ignore comment il arrive à ce qu'on le prenne au sérieux, mais il est très fort pour ça, mon père. Il peut pousser les gens à faire quelque chose rien qu'en leur parlant. C'est son don à lui.

— Je t'aime, me dit-il après avoir raccroché. Tu en es consciente, Aimee, n'est-ce pas ? Tu sais que je t'aime, que ton grand-père t'aime et que Benji t'aime ?

Je plonge ma pagaie dans l'eau. Les courants ondulent autour, se séparant un instant. J'opine de la tête.

— Nous allons nous en sortir, ma puce.

— C'est aussi ce qu'a dit Alan.

— Et il a raison.

Le bateau des gardes-côtes approche.

— Je t'aime, moi aussi.

Deux plongeurs tirent le corps sans vie du garçon. Nous les regardons de nos kayaks, papa maintenant le mien de ses grosses mains.

Lorsqu'ils extraient la victime de l'eau, je me mets à trembler. Il lui manque un bras. Et une jambe. Papa lâche mon kayak pour m'entourer les épaules.

Il tente de me serrer contre lui. Je ne sais pas comment il y arrive sans renverser les embarcations.

Nos gilets de sauvetage se cognent, ce qui empêche tout réel contact physique. Mais je sens son odeur, une odeur de papa indescriptible. L'espace d'un instant, c'est tout ce que je sens. Son odeur domine la rivière salée, la mort piquante et les moules prêtes à être ramassées. L'aigle nous survole en poussant un cri rauque.

Le bateau des gardes-côtes s'approche de nous.

— Jeune fille ? appelle un homme. Mademoiselle Avery ? Pouvez-vous venir identifier le corps ?

Mon père ne retire pas son bras de mes épaules, mais je sens ses muscles se raidir.

— J'imagine que quelqu'un d'autre pourrait le faire, objecte-t-il.

— Cela faciliterait les choses que ce soit elle, répond le garde-côte. Nous ne savons pas dans quel état est l'autre garçon. Il ne nous a même pas donné le nom de son ami. Par ailleurs, nous semblons avoir affaire à une dangereuse faune marine.

— La faune marine ? Comment ça ? éclate papa.

— Son poignet arbore de longues entailles. Et il lui manque des parties du corps.

— Il n'y a pas de requins par ici, dis-je.

— En tout cas, pas qui puissent faire une telle chose, répond le garde-côte d'un air contrarié.

Ses muscles sont tendus. La peau sous ses yeux tressaute. La rudesse qui faisait son charme a laissé place à la terreur.

Je dégage ma tête du tee-shirt de mon père. L'air que j'inspire a l'odeur du carburant des bateaux, pas celle de ma rivière. Où est-elle donc passée ?

Le garde-côte a le regard sur moi. Je le connais. Il est marié à la gentille serveuse de chez *Finn*, Cookie, qui fait des clins d'œil à tout le monde et donne des cookies aux pépites de chocolat quand personne ne la surveille.

Ses lèvres remuent, mais je ne l'entends pas. Tout semble sourd, comme si j'avais les oreilles pleines d'eau. Ses lèvres remuent de nouveau. Je crois qu'il me dit :

— S'il vous plaît, Aimee ?

Ses yeux sont tristes, à lui aussi : encore un homme au regard de phoque. L'eau s'y accumule, mais elle n'a pas encore coulé sur ses joues.

— Très bien, dis-je.

* * *

Le garçon s'appelait Chris Paquette.

Il n'a plus de tee-shirt. La rivière le lui a peut-être arraché pour l'embarquer dans l'océan. Sa peau est pâle, comme toutes celles des garçons du Maine avant le mois d'août, quand le soleil finit par leur donner des couleurs.

Ses lèvres sont bleues, ainsi que le bout des doigts de sa main gauche. Son torse est parsemé de petits poils rappelant le foin de mer. L'eau a foncé ses cheveux blonds. Mais ce sont les longues entailles – cinq en tout, autour du seul poignet qu'il lui reste – qui me laissent stupéfaite. Une couverture de survie thermale jaune lui cache le bas du corps. Les entailles sont profondes.

La gorge serrée, je m'apprête à parler, mais c'est inutile.

— C'est Chris Paquette, dit une voix, celle de mon père. Il est en terminale au lycée. Il vit à Pioneer Farm Way. Sa mère travaille pour moi, à l'hôpital. C'est une infirmière. Elle ne va jamais s'en remettre. Ce jeune garçon était sa vie...

— C'est difficile, répond le garde-côte.

Mon père se redresse ; il a visiblement terminé.

— Je ramène ma fille chez nous.

Le garde-côte acquiesce.

— Les journalistes vous appelleront peut-être, mais la police, c'est sûr. Votre fille est une héroïne, monsieur Avery. Nous aurions pu perdre deux garçons aujourd'hui.

Mon père acquiesce à son tour. L'espace d'un instant, j'imagine les deux hommes sous forme de figurines désarticulées, à l'arrière d'une voiture, la tête remuant sans cesse.

— C'est une brave fille, dit papa.

Il ne me qualifie pas de poule mouillée ; pourtant, ce serait plus exact. *Une brave fille, mais un peu trouillarde.* C'est ça qu'il aurait dû dire. *Elle fait des rêves qui se réalisent, parfois, vous savez. Les gens pensent qu'elle est folle, comme sa mère.*

Dans nos kayaks, papa et moi longeons les rives de l'Union River où les arbres sont plus nombreux que les maisons.

— Tu en veux à maman ?

— Parfois. Mais la plupart du temps, elle me manque.

— Moi aussi.

J'arrête de pagayer afin de dégager quelques cheveux de mon visage.

— Tu penses que tu pourrais faire en sorte d'être plus souvent à la maison ? On a vraiment besoin de toi.

— Je te le promets, Aimee. Et je suis désolé que ce travail m'occupe tant… Je…, je vous aime tous tellement… Et cette…, cette folie, en ce moment, ça me rappelle ce qui s'est passé juste avant que ta mère nous quitte, et ça m'effraie. Je déteste devoir le dire, mais ça m'effraie. Je sais que tout nier ou rejeter la faute sur quelqu'un n'y changera rien. Je suis désolé de t'avoir fait ça, lâche-t-il, sa pagaie sectionnant les eaux.

Je m'apprête à lui dire que ce n'est pas grave, mais il lève une main pour m'interrompre :

— Les garçons vont nous attendre.

Encore quelques coups de pagaie et nous serons à la maison, mais je commence franchement à ralentir. Je suis vidée ; ma tête, elle, est pleine, et j'ai l'impression d'avoir le ventre rempli d'eau terreuse et salée.

À chaque inspiration, je vois le cadavre de Chris Paquette. Chaque fois que je cesse de me concentrer sur les battements de mon cœur, j'entends Noah Chandler hurler : « Mon copain ! Mon copain ! »

— Tu crois qu'ils étaient saouls ?

— Peut-être, ou drogués, répond papa.

Il glisse son kayak dans un courant qui le porte plus rapidement que moi. Je le suis.

— La rivière était si calme cet après-midi. Je ne comprends pas comment ils ont pu chavirer.

Notre dock est flottant. Lorsqu'on marche dessus, il remue sous notre poids. Parfois, quand un gros bateau actionne son moteur en passant devant, le sillage le fait brinquebaler. Dans ces cas-là, il faut faire en sorte de garder son équilibre pour ne pas finir dans la rivière.

Il suffit d'un faux pas. Il y a beaucoup de vie, sous l'eau, mais ce n'est pas ce qui m'attire à cet instant. J'ai les yeux levés vers l'aigle, vers le ciel. Je ne sais pas pourquoi il me rappelle ma mère. D'habitude, ce sont les phoques.

Maman glissait souvent des petits mots dans mon panier-repas. Elle dessinait des chats, des chiens, des souris de dessin animé et des oiseaux sur des bouts de papier aquarelle. Elle y ajoutait de la couleur et écrivait des choses comme : *Passe une bonne journée ! J'ai hâte d'aller chercher ma petite puce à l'école pour lui faire un grooooooos câlin ! Je t'aime. Maman.*

Je conserve tous ces petits mots dans mon premier tome d'*Harry Potter*. Si vous ouvrez ce livre, les papiers voltigeront tels des vœux qu'on lance au vent.

Dès que nous rentrons, je file dans ma chambre. Je m'empare du livre, coincé entre *Tant de secrets enfouis* et *Qui es-tu, Alaska*[1] *?*, et l'ouvre. Toutes ces notes sont écrites sur le même type de papier aquarelle fin. Toutes sauf une, inscrite sur une feuille jaune à lignes, comme celles des blocs-notes juridiques. Elle a toujours été là, mais je ne la sors jamais. J'ai toujours cru que ce qui y figurait était une illustration des divagations de ma mère. Je n'en ai jamais saisi le sens. Peut-être le comprendrai-je, désormais.

Le papier glisse du livre. Je le déplie.

Aimee, je cherche à l'arrêter. Ça ne fonctionnera peut-être pas. Mais il faut que j'essaie, trésor. Il faut que je l'empêche de tous nous hanter. Ton père ne dort presque plus à cause de mes rêves, et je sais..., je sais que tu les subis, toi aussi. Sache que je t'aime, que je t'aimerai toujours, quoi qu'il arrive. Je t'embrasse infiniment et tendrement. Maman.

Je me mordille les lèvres et lance tout haut, comme si elle était là, dans ma chambre, assise sur le tapis tressé, près de moi :

---

1. Respectivement écrits par Mark Billingham et John Green.

— Prendre une hache n'était pas la plus futée des idées… On ne peut pas tuer un fantôme d'un coup de hache ! Et il démembre les gens… Sérieusement, à quoi tu pensais ?

J'entends presque sa douce voix me murmurer :

— Je ne sais pas.

Je secoue la tête pour me remettre les idées au clair, me lève et regarde par la fenêtre. Un bateau des gardes-côtes remonte la rivière lentement, mais laisse derrière lui un sillage monstrueux.

Benji fait irruption dans ma chambre, affolé :

— Ça va, Aimee ? Papa m'a dit que tu avais trouvé un cadavre.

Il se jette dans mes bras ; je bascule contre ma bibliothèque.

— T'as pas intérêt à faire de bêtise !

— Qu'est-ce que tu veux dire, Benji ?

Il hausse les épaules.

— « Ne fais pas de bêtise. » Quelquefois, tu parles vraiment comme papy… je le taquine.

Il se dégage de mes bras ; je lui ébouriffe les cheveux.

— Il a raison parfois.

— C'est vrai, j'admets en glissant le papier jaune dans la poche de ma polaire.

Benji met les mains sur les hanches en m'étudiant du regard comme un papy de quatre-vingt-sept ans.

— Donc, tu feras pas de bêtise, d'accord ?

— Pourquoi tu crois ça, Benji ?

— Parce que je suis malin, voilà pourquoi, déclare-t-il en plissant les yeux.

20

Alan

L'odeur de la sauge emplit ma chambre. Ce n'est que l'encens. Je réserve celle que j'ai achetée à *Craft Barn* pour le rituel. Je suis assis en tailleur sur un tapis, un cône d'encens allumé à ma droite et à ma gauche, et le visage couvert de peinture d'halloween noire et rouge. Je ne porte qu'un short et ma pochette médicinale.

Le tapis, qui doit faire un mètre sur un mètre, est blanc cassé. La roue médicinale qui y est représentée est tracée en noir. C'est la roue de la vie : un cercle divisé en quatre par d'épaisses lignes indiquant les points cardinaux. Je m'assois au centre, face au nord. Cette partie est blanche ; l'est est jaune ; l'ouest, noir, et le sud, rouge. Je ne saisis pas toute la signification de cette roue, mais je sais que chaque partie symbolise une période différente de la vie. Depuis ma quête de vision, je fais face au nord pendant ma méditation. C'est la direction du monde adulte.

Au-dessus de mon lit, posée sur une étagère, une petite chaîne hi-fi diffuse un chant yeibichai en boucle. Enregistré dans les années 1930, le chant monte et descend sur une mélodie répétitive.

Je me suis peint une flèche qui part de mon menton, contourne mon nez et passe entre mes yeux, sa pointe visant le ciel. Elle symbolise ma conscience s'élevant de mon corps. De petites empreintes de couguar – pas très bien dessinées – marquent la piste d'Onawa de la naissance de mes cheveux jusqu'à mon cœur, en longeant ma joue gauche et mon cou.

J'espère qu'elle viendra à moi.

Au fond d'un tiroir de la commode, roulé dans une chaussette, un petit sac plastique contient des morceaux séchés de peyotl. J'ai été tenté d'en glisser juste un petit bout sous ma langue, mais même un minuscule morceau peut avoir un effet psychotrope pendant plusieurs heures. Je suis déjà exclu ; il est hors de question que maman me retrouve « défoncé » à cause de « drogues indiennes ». L'encens, la musique et les symboles suffiront.

Les mains posées sur les genoux, je ferme les yeux et tente à tout prix de me vider la tête, ce qui n'est pas évident. Aimee ne cesse de s'y glisser. Son sourire, ses cheveux rouges, ses yeux vert émeraude.

Puis je pense à ses coupures sur sa peau parfaite, la terre sous ses yeux et l'horreur qu'elle a dû vivre quand la tempête de poussière l'a poursuivie.

Je me concentre sur ma respiration. J'inspire… J'expire… J'inspire… Mes pensées s'estompent jusqu'à disparaître complètement. Le son de la musique et l'odeur de la sauge se font lointains. J'expire… J'inspire.

— Onawa, je murmure dans l'obscurité de mes paupières fermées.

J'inspire… Des yeux apparaissent dans l'ombre de mon esprit. Des yeux verts. J'expire… Aimee ? Non. Des yeux félins. Sauvages, mais pas farouches.

J'inspire…

— Onawa.

Elle est là. Sa gueule dorée me regarde, illuminée par l'éclat de ses yeux. Je sens l'espace se refermer autour de moi, m'oppresser tandis qu'Onawa m'observe d'un air impassible.

Il y a un message dans son regard, mais je n'arrive pas à le déchiffrer, pas avec ce sentiment d'étouffement.

Soudain, je le saisis. Danger. Le danger m'entoure.

La pression diminue légèrement. C'est la façon d'Onawa de me dire que j'ai compris.

Je continue à expirer…, inspirer…

— Que puis-je faire ? je demande sans formuler les mots.

Ce n'est qu'une pensée que j'adresse à ses yeux.Onawa détourne le regard au moment où je ressens une douce chaleur dans la poitrine. Je l'imite et découvre une rangée plus ou moins floue de gens, près de nous, qui s'évanouit au loin. Je me sens lié à ces personnes que je ne reconnais pourtant pas. Dans ma poitrine, le sentiment de chaleur grandit. L'une après l'autre, elles se tournent vers moi.

Je découvre alors qu'elles ont toutes mon visage.

— Ce sont… mes ancêtres ?

Onawa reporte son attention sur moi, et la rangée de gens disparaît dans la pénombre.

— Aimee ?

Un feu jaillit au-dessus d'Onawa. Il représente les cheveux d'Aimee. Je le sais. Une femme surveille le feu. Elle lui ressemble.

— C'est sa mère ?

Onawa ne répond pas.

— Qui est l'homme de la rivière ?

Le feu et la femme se désunissent et disparaissent. L'air m'oppresse de nouveau, mais cette fois, il est froid et empeste l'eau croupie. Je sens une présence maléfique et ancestrale. Je panique, suffoque, soudain effrayé.

Puis plus rien.

Je m'incite à reprendre mon calme.

Inspire… Expire… Inspire…

L'odeur de l'encens me parvient. Il y a un bruit. Ce n'est pas de la musique. Les yeux brillants d'Onawa se troublent. Je tente de ravoir une image nette.

— Ne me quitte pas.

J'expire… J'inspire…

— Alan Cerfblanc Parson ! Écoute-moi !

Les yeux d'Onawa clignent une fois, deux fois, puis s'évanouissent. Il ne reste que l'odeur de la sauge et le bruit du silence. J'ouvre les yeux. La chambre est baignée de lumière électrique. Mes fenêtres sont deux carrés d'obscurité derrière ma mère furieuse.

— Qu'est-ce que c'est que ce cirque ?!

— Je médite. C'est toi qui as coupé la musique ?

— Ce brouhaha ? Oui, c'est moi. Qu'est-ce que c'est, sur ton visage et ton torse ?

— De la peinture.

— Nettoie-moi ça. Il y a un policier en bas. Il veut te parler.

Sa colère vacille un instant.

— Qu'est-ce qui se passe, Alan ?

— Un policier ?

— Enfile quelque chose et descends.

Ses cheveux sont pleins de copeaux de bois, et elle sent l'huile et la sciure. Elle a le teint pâle, et ses yeux sont désormais plus inquiets que furieux.

— J'arrive.

Elle passe devant moi et se dirige vers la porte.

— Maman ?

Elle se retourne.

— Je ne sais pas pourquoi ce policier est là, je te le jure… À moins que ça ne concerne la bagarre au lycée…

Elle hoche la tête et quitte la chambre en fermant la porte derrière elle.

Courbaturé, je me lève dans un mouvement tout sauf gracieux. Je pose les mains au bord du lit pour étirer mes jambes derrière moi. Mon téléphone est sur la couverture. La lumière rouge clignote.

Je le ramasse : j'ai six messages, tous d'Aimee. Je lis le plus récent : APPELLE-MOI, STP !!!

J'ai des appels manqués également. D'Aimee. Il a dû arriver quelque chose.

Et maman est en bas avec un policier qui veut me parler.

J'enfile un pantalon de jogging et un tee-shirt « Rob Zombie ». Ce n'est qu'en passant devant la glace de ma commode que je réalise que j'ai toujours le visage peint. Je fais un détour par la salle de bains afin de frotter toute la peinture visible sur ma figure et mon cou, puis je descends. Maman et le policier, un type bedonnant au double menton et la boule à zéro, sont assis autour de la table. Apparemment, tante Lisa n'est pas là.

— Le voilà, dit maman. Je suis désolée qu'il vous ait fait attendre.

— Ce n'est rien, répond le policier en se levant.

Il fait quelques centimètres de moins que moi, mais me dépasse largement de cinquante kilos. Il me tend une main épaisse et moite avant de m'annoncer :

— Je suis le shérif adjoint McKinney, Alan. Puis-je te poser quelques questions ?

— À quel sujet ?

— Assieds-toi, Alan, m'ordonne maman.

Le policier se réinstalle sur sa chaise telle une dinde sur son nid. Je m'assois face à eux.

— Tu t'es battu au lycée aujourd'hui, n'est-ce pas ? commence-t-il.

— Oui. Enfin, ce n'était pas vraiment une bagarre. Trois gars m'ont sauté dessus dans les toilettes. Je n'ai pu donner qu'un coup avant que les profs n'interviennent.

— Ils t'ont bien amoché, on dirait.

— C'est moins pire que ça en a l'air.

— Tu connais les garçons qui t'ont fait ça ?

— Plus ou moins. Nous sommes arrivés dans le Maine seulement samedi dernier. Deux d'entre eux sont avec moi, en cours, et Blake est dans mon club de course à pied. C'est l'ex de ma petite amie.

— Blake Stanley ?

— Oui.

— Et les deux autres, tu sais comment ils s'appellent ?

— Chris et Noah, je crois. Mais je ne connais pas leur nom de famille.

— Les as-tu vus depuis que tu as quitté le lycée cet après-midi ?

— Non.

— Tu en es certain ?

— Oui !

— On t'a exclu à cause de cette bagarre ?

— Si vous êtes au courant pour la bagarre, vous devez le savoir.

— Alan ! lance maman. Réponds-lui.

— Oui, on m'a exclu trois jours, dis-je en la regardant.

— Et les autres ?

— Je ne sais pas. D'après Everson, une bagarre entraîne trois jours d'exclusion. J'imagine qu'ils ont eu droit à la même chose.

— Es-tu rentré directement après avoir quitté le lycée ?

La gorge serrée, je ne peux pas regarder maman. Je me concentre plutôt sur un petit grain de beauté sur la tempe de McKinney.

— Non. Je suis d'abord passé chez *Craft Barn*, *Bergerman's Lumber*, puis à l'hôpital.

Maman lâche un soupir désespéré :

— Je t'ai demandé de rentrer tout de suite.

— J'avais des choses à faire.

— Alan, peux-tu prouver où tu étais entre une heure et quatre heures de l'après-midi ? demande le shérif adjoint.

— Pourquoi ?

Il ignore ma question pour répéter la sienne :

— Peux-tu prouver que tu étais à tous ces endroits ?

— Je ne sais pas… Oui, j'imagine : j'ai des tickets de caisse.

— J'aimerais les voir.

— Ils sont là-haut. Vous voulez que j'aille les chercher ?

— S'il te plaît.

J'essaie de paraître calme et indifférent, mais mon cœur martèle plus fort que mes pieds quand je me précipite dans l'escalier.

J'attrape mon jean, par terre, et retire les deux reçus de la poche arrière avant de redescendre.

Je les tends au policier tout en m'asseyant et le regarde les examiner.

— De la sauge et... c'est quoi, ça ? demande-t-il.

Le ticket de caisse affiche *Foin odr.*

— Du foin d'odeur.

— L'herbe ? Pourquoi as-tu acheté ça ?

— C'est un truc indien, dit maman. Son père était indien, et Alan cherche à l'être.

— Je suis à demi navajo ! je lance d'un ton provocateur qui m'importe peu. J'utilise la sauge et le foin d'odeur comme de l'encens.

— Je vois, répond le shérif adjoint, mais il est clair qu'il ne voit pas.

Il étudie l'autre ticket de caisse.

— Une bâche et... des pierres de granit ?

— Oui.

— Pour quoi faire ?

Eh ! merde... Je n'ai pas envie de parler de ça. Maman va piquer une crise. Peut-être pas tout de suite, devant cet officier, mais plus tard...

— Encore des trucs indiens ? demande-t-il.

— Oui, pour construire une hutte à sudation.

— Une hutte à sudation ?

— C'est une sorte de sauna, dans une tente.

— Oh !...

Il inspecte les deux reçus encore une minute, puis les met de côté.

— Ces tickets de caisse montrent que tu étais dans les

magasins vers treize heures trente et deux heures et quart. Tu dis avoir été à l'hôpital ensuite ?

— Ma cousine est là-bas. C'est une patiente.

L'officier regarde maman, qui confirme :

— Courtney Tucker. C'est ma nièce.

Le policier hoche la tête.

— Elle va bien ?

J'attends que maman réponde pour voir si elle a eu vent de la guérison de Courtney.

— Elle semble aller bien mieux d'après ce que j'ai appris juste avant votre arrivée, dit-elle.

— Je suis ravi de l'entendre, annonce McKinney. Ta cousine peut-elle confirmer ta présence ?

J'acquiesce.

— Quelqu'un d'autre ?

— Aimee.

— Aimee Avery ?

— Oui, je l'ai retrouvée là-bas. Elle était déjà dans la chambre de Courtney.

— Quelqu'un d'autre ? As-tu parlé à une infirmière, un docteur, une réceptionniste peut-être ?

— Non… Quoique… J'ai croisé une infirmière quand je suis sorti de l'ascenseur. Mais de quoi s'agit-il enfin ?

Le shérif adjoint prend une profonde inspiration et fixe son index épais, qui trace des cercles sur la nappe blanche.

— Nous avons repêché le corps de Chris Paquette dans l'Union River en fin d'après-midi. Noah Chandler était là-bas, lui aussi. Il est à l'hôpital. Il souffre d'hypothermie et de traumatisme. Il ne peut pas encore nous parler.

Je dévisage le policier un long moment. Il reste fixé sur son doigt, mais je sais qu'il guette ma réaction dans sa vision périphérique. C'est dingue.

— Vous pensez… quoi ? Que j'ai noyé Chris ?

— À quelle heure as-tu quitté l'hôpital ?

— Je ne sais pas. Un peu après trois heures.

— Où es-tu allé ensuite ?

— J'ai raccompagné Aimee, puis je suis rentré. Depuis, je suis resté dans ma chambre.

— Qu'est-ce que tu fabriquais là-haut ?

Ce ne sont pas vos oignons. J'ouvre la bouche pour l'articuler tout haut, mais je peux entendre maman penser que je n'ai plutôt pas intérêt…

— Je méditais.

— Qu'est-ce que c'est ? Une façon de prier ?

— On peut dire ça.

— Tu consommes des drogues pour ça ? Du LSD ? Du cannabis ?

Oh. Mon. Dieu.

— Non !

— Aimee a découvert Noah, qui cherchait Chris dans la rivière, m'annonce le policier. Puis elle a trouvé l'endroit où le corps de celui-ci était piégé sous l'eau.

— Ce n'est pas possible… Est-ce qu'elle va bien ?

C'est désormais moi qui soutiens son regard, exigeant des réponses.

— Est-ce qu'Aimee va bien ?

— Oui.

— Il faut que je l'appelle. Elle est censée venir ce soir. Elle veut rencontrer ma mère.

Mes yeux passent de l'officier à maman, puis se reposent sur lui.

— Elle va bien, c'est sûr ? Vous l'avez vue ?

— Je l'ai vue, ne t'inquiète pas.

Il hésite avant de demander :

— Alan, j'aimerais te poser une dernière question. Sois honnête, s'il te plaît. As-tu revu ces trois garçons après l'école ?

— Non. Est-ce qu'Aimee… Attendez. Trois ? Vous avez dit qu'ils étaient deux à la rivière.

— Blake Stanley a disparu.

Sa voix est éteinte et plate, pas accusatrice, mais pas non plus déculpabilisante.

— Vous ne pensez pas sérieusement que je leur ai fait quelque chose ?

Je n'arrive pas à y croire.

Après un haussement d'épaules, son air s'adoucit légèrement.

— Pas vraiment, admet-il. Même avant cela.

Sa main tendue vers les tickets de caisse fait s'agiter les petits bouts de papier pliés.

— Mais, étant donné les circonstances, je me devais de te poser la question.

— Dieu merci, lâche maman.

Ses épaules s'affaissent sous la retombée de la pression. Pensait-elle réellement que j'étais capable de faire une chose pareille ? Pourquoi ? Comment peut-elle même y songer ?

— Je vais vous laisser dîner, déclare McKinney.

Il sort d'une poche déboutonnée de sa chemise une carte blanche épurée qu'il pose à côté des reçus.

— Si quelque chose qui pourrait nous être utile te revient, appelle-moi. La mère de Chris…, elle ne s'en remettra pas.

— J'imagine, dit maman. Quelle mère pourrait s'en remettre ? J'ai tant de peine pour elle…

Moi aussi, j'ai de la peine. Une nouvelle mort dans la rivière. Un nouvel article pour la collection de la documentaliste. Si Aimee et moi échouons, combien d'autres victimes y aura-t-il ?

— Beaucoup de personnes meurent dans cette rivière.

Je parle plus pour moi-même, mais j'ai capté leur attention à tous les deux.

— Qu'est-ce que tu as dit, fiston ? demande McKinney.

Je déteste ça, quand des hommes qui ne sont pas mon père m'appellent « fiston ».

— La rivière. Beaucoup de personnes y sont mortes. La documentaliste du lycée a un dossier rempli de vieux articles de journaux à ce sujet.

McKinney hoche lentement la tête, comme si je venais de découvrir le sombre secret de sa petite ville.

C'est peut-être le cas. Nous sommes dans le Maine. L'État entier pourrait s'avérer aussi macabre que dans les livres de Stephen King.

— On dirait bien ! lance-t-il finalement. Bon, je ferais mieux d'y aller. Nous recherchons encore Blake. N'hésite pas à m'appeler si quelque chose te revient. Je retrouverai la sortie tout seul, conclut-il en quittant la pièce.

Je reste assis, attendant que maman se mette à rouspéter au sujet de mon exclusion et de ma petite excursion. Mais elle ne fait rien de cela.

— A-t-on ramené tout ce malheur d'Oklahoma ? demande-t-elle.

— Il était déjà là, maman. Je pense qu'il est là depuis très longtemps.

Elle ne réagit pas. Elle a l'air si triste... Je prends sa main par-dessus la table.

— Je suis désolé. Pour la bagarre, et de ne pas t'avoir obéi.

Elle se contente d'un hochement de tête.

— Tu as parlé à tante Lisa ? Courtney va mieux ?

— Oui. Même son visage n'a plus rien. Tous les tests sont négatifs. Ils la laissent rentrer demain, mais elle ne doit pas quitter la maison du reste de la semaine. Et quelqu'un est censé veiller sur elle. Lisa comptait s'en charger.

— Je peux m'en occuper. Je serai là de toute façon.

— Ça me paraît être une bonne idée. Tu as faim ? Ton amie vient dîner ?

— J'ai déjà mangé.

Je n'aime pas mentir à maman, mais on ne peut pas dire qu'elle cautionne le jeûne.

— Aimee voulait passer, à la base. Mais j'ignore si ça marche toujours. Elle m'a appelé et laissé des messages ; je n'ai pas entendu.

— Ta musique était trop forte.

— Ça doit être ça… Je peux l'appeler pour savoir si elle va bien et si elle vient toujours ?

Maman acquiesce, et je fonce dans l'escalier.

Aimee répond dès la seconde sonnerie.

— Où étais-tu, Alan ? Tu vas bien ? Oh ! mon Dieu, j'étais si inquiète ! Chris Paquette…, il est mort. J'ai découvert son corps. J'ai découvert son corps dans la rivière.

— Je sais, Aim. Je sais. Est-ce que ça va ?

— Tu sais ?

— Un policier est venu à la maison. Il me voyait comme un coupable potentiel.

— Tu es sérieux ?

Elle semble aussi choquée que moi un peu plus tôt.

— Oui, mais tout va bien maintenant. Du moins, je pense. Il est parti en se disant convaincu que je n'y étais pour rien, mais…, bref… Tu vas bien ?

— Oui. Je suis juste secouée. J'ai envie de te voir.

— Je viens te chercher.

— D'accord. Quoique… Je ne suis pas certaine que papa me laisse sortir. Tu pourrais venir ?

— Oui. Je serai là dans quelques minutes. Maman n'a pas l'air aussi furieuse que ce que je craignais. Et elle veut te rencontrer. On se voit dans dix minutes ?

— OK.

— Aimee ?

— Oui ?

— Le policier… Il a dit que Blake avait disparu.

Je ne demande pas la permission de maman. Je me contente de lui signaler que je vais chercher Aimee tout en me dirigeant vers la porte.

Elle ne proteste pas…, du moins, je ne l'entends rien dire avant que la porte ne se ferme derrière moi. J'atteins la maison d'Aimee en sept minutes.

Tandis que je descends du pick-up, un fourgon blanc avec une parabole sur le toit pile devant la maison. Une femme, micro à la main, et un homme, caméra au poing, jaillissent par la porte coulissante latérale et se précipitent sur moi tels des linebackers enragés.

— Vous venez voir Aimee Avery ? me crie la femme tout en franchissant la pelouse avec des talons ridiculement hauts et une jupe beige bien trop serrée pour lui permettre de courir comme elle le souhaiterait. Êtes-vous au courant, pour le garçon qu'on a repêché dans la rivière ?

Je leur tourne le dos et aperçois Benji derrière un rideau. De larges mains le tirent en arrière, et le rideau retombe.

La journaliste est désormais à côté de moi et me fourre le micro sous le nez comme un cornet de glace.

Son caméraman se tient derrière elle, pointant son objectif sur moi.

C'est ce que je désirais, il y a encore une semaine. Je voulais être une star du football américain que les journalistes colleraient comme des mouches. Tout de suite, je n'ai qu'une envie : balancer le micro et casser la caméra.

— Étiez-vous ami avec Chris Paquette ? demande la femme d'une voix aiguë.

— Laissez-moi tranquille. Et laissez Aimee tranquille. Allez poursuivre une ambulance.

J'avance vers l'entrée, mais elle me colle toujours.

— Que pouvez-vous me dire au sujet de Chris ?

La porte de la maison s'entrouvre, et la main d'Aimee me fait signe d'entrer. Je grimpe les trois marches à la hâte. La porte s'ouvre grand, et je me glisse à l'intérieur. Aimee la claque derrière moi.

— Ils ne partiront pas, dit-elle. Ils étaient plus haut, dans la rue, à attendre que quelque chose se passe. Je suis désolée, j'aurais dû te prévenir.

— Ce n'est rien.

— Il a vraiment les cheveux super longs… lance Benji.

— Benj… grogne son père.

Mais il arbore un grand sourire, que je lui rends.

— Tu peux venir ? je demande à Aimee avant d'interroger son père. Est-ce qu'elle peut venir chez moi ? Ma mère aimerait la rencontrer.

— Je ne sais pas, répond-il. Aimee a passé une journée difficile. Elle ferait mieux de se rep…

— S'il te plaît, papa…

Elle décolle sa tête de mon torse pour supplier son père.

— Ça va aller. Je ne pars pas longtemps, et Alan me ramènera. N'est-ce pas ?

— Bien sûr. Oui.

— Et qu'est-ce qu'on fait de ces paparazzis, dehors ? demande son grand-père.

— Tiens, dis-je en donnant mes clés à Aimee. Cours jusqu'au pick-up, monte et enferme-toi. Je les bloquerai en attendant.

— Alan, prévient son père. Ne fais rien de stupide. Ne casse pas leur caméra et ne les pousse pas, d'accord ?

— Entendu.

Je jette un œil par la fenêtre. La journaliste et son larbin sont retournés dans leur fourgon. Ils sont assis à l'avant, en pleine discussion. L'homme ne tient pas sa caméra.

— Bien. Nous avons quelques secondes pour atteindre le pick-up avant qu'ils ne sortent. Tu es prête ?

Elle hoche la tête.

— Au revoir, papa.

— Alan, prends bien soin d'elle, me dit M. Avery d'une voix presque suppliante, comme s'il perdait sa fille.

— Je jure de la protéger au péril de ma vie, monsieur.

— Ouah ! c'est profond !… lance Benji.

— Allons-y.

J'ouvre la porte et guide Aimee comme si c'était un plaqueur ne se dégageant pas assez rapidement de mon chemin. Je la pousse doucement dehors, les yeux fixés sur les défenseurs essayant tant bien que mal de descendre du fourgon avec leur équipement.

— Allez, Aim. Il faut y aller.

Elle saute les marches de l'entrée et faiblit un instant, sa jambe contusionnée menaçant de la lâcher.

Mais elle se reprend et bondit vers le pick-up. Je fonce vers le caméraman, concentré comme en plein match. L'homme s'arrête et décolle les yeux de sa caméra, comme si ce qu'il y voyait lui semblait improbable.

Il commence à reculer en trébuchant. La journaliste baisse son micro et s'écarte.

Aimee est dans le pick-up ; je m'éloigne alors et grimpe sur le siège conducteur. Elle a déjà glissé la clé dans le contact. Je démarre la Ford et passe la marche arrière avant que l'équipe n'ait le temps de réagir.

Alors que le pick-up quitte l'allée en rugissant, j'aperçois Benji bondir en levant un poing victorieux tandis que son grand-père tient le rideau ouvert en riant.

21

Aimee

Nous ne parlons pas beaucoup sur le trajet, hormis notre soulagement de ne pas être suivis par le fourgon. Tout cela n'a rien de normal. Cette grosse boule d'angoisse qui enfle dans mon ventre me pèse davantage à chaque souffle. Chris est mort.

— Je fais vraiment n'importe quoi en ce moment ! je lance tandis qu'Alan tourne sur le pont.

Comme il ne dit rien, je continue :

— Aller seule à l'hôpital ne semblait pas dangereux sur le moment, mais j'ai eu tort. Tu imagines pouvoir faire certaines choses sans crainte : te promener, faire du kayak, être seule chez toi… Mais il en va tout autrement. Si je voyais ma vie défiler dans un film, je passerais mon temps à crier : « Idiote ! Ne va pas faire du kayak toute seule ! Ne va pas dans les bois toute seule ! »

Je marque une pause.

— Je n'ai pas envie d'être une damoiselle en détresse.

— Ce n'est pas ce que tu es.

Il semble si sûr de lui... Je pose la main sur sa cuisse.

— Vraiment ?

— Oui. Sur le plan technique, c'est Courtney qui l'est.

— Et tu es le chevalier errant qui va la sauver.

— Non. *Nous sommes* les chevaliers errants qui vont la sauver.

— Peut-être…

— Il n'y a pas de « peut-être ». Au lieu de penser t'être jetée dans la gueule du loup en allant à l'hôpital ou sur la rivière, tu devrais voir cela comme des preuves de courage. C'est ce que tu penserais, si j'étais à ta place. Tu me trouverais courageux. Tu ne te dirais pas : *Alan fait sa damoiselle…*

— Bien sûr que si, je le taquine.

Mais je sais qu'il a raison. Comment cela se fait-il que, quand les femmes se montrent courageuses, on pense que c'est dangereux ? Et quand un homme fait quelque chose de dangereux, on trouve ça courageux ?

Je m'apprête à poser la question à Alan lorsqu'il dit :

— Tu as sauvé un de ces garçons, Aimee. C'est sûr, il est loin d'être sympa. Mais tu l'as sauvé, et tu le sais.

— Chris est mort.

— Tu ne pouvais rien y faire.

— Comment peux-tu en être sûr ?

— Je le sais, c'est tout ! lance-t-il comme si c'était indiscutable.

— Si seulement j'avais pu empêcher cela… Si seulement j'avais su…

Je déglutis péniblement.

— J'ai conscience que tu le détestes, mais je suis inquiète au sujet de Blake.

— Je m'en doute.

Le pick-up longe sa rue en cahotant. Je ferme les yeux. La voix d'Alan vient me calmer.

— Ça a dû être l'enfer, là-bas…

J'ouvre les yeux sur la jolie maison de Court.

— Oui…

Il me pose un baiser doux sur le front, ce qui est étonnant de la part d'un garçon aussi costaud au physique d'athlète. Je ne peux m'empêcher de lever la tête.

Au lieu de décoller sa bouche, il vient délicatement en frôler mon nez. Ma peau semble enfler sous l'envie brûlante d'entrer en contact avec ses lèvres.

Il m'embrasse le bout du nez affectueusement, comme un frère. Mais je n'ai pas envie qu'il se comporte comme un frère.

— Aimee… prononce-t-il d'une voix rauque, basse, et surtout pas fraternelle.

Mes mains agrippent son visage pour le tirer vers moi. Je n'en peux plus d'attendre qu'il fasse le premier pas. Alors, je l'embrasse. Mes lèvres touchent les siennes. Mon souffle se mêle au sien. Nous nous accrochons l'un à l'autre. Ses mains serrent mon manteau. Les miennes maintiennent son visage ; j'ai tellement peur de le perdre…

Le peu de lumière à travers les carreaux du pick-up me dévoile les petites rides au coin de ses paupières, à la limite de ses sourcils. Lorsqu'il ouvre ses yeux marron, j'émets un léger rire surpris et gai.

— Je t'ai embrassé, dis-je en reculant un peu.

Mes mains tombent sur mes genoux.

— Oui…

— C'est tout ce que tu trouves à dire ? « Oui… » ? je le taquine en lui donnant un petit coup.

— Oh que oui ? répond-il avec un sourire.

Puis il sort du pick-up. J'arrive à me précipiter sur ma portière avant qu'il ne l'ouvre. Lorsque je saute à terre, ma jambe m'élance. Je jubile tout de même.

— Ah ! ah !

Je pointe mon doigt sur lui. Il serre son cœur de façon théâtrale.

— Comment mon côté macho va-t-il survivre à cela ?

— Oh ! tais-toi…

Je lui donne un coup de hanche. Il m'entoure d'un bras, et nous partons vers la maison, mais je m'arrête au dernier moment.

— J'ai peur.

— De la maison ? Ne t'inquiète pas, je l'ai purifiée. Et je suis avec toi.

— Non. Pas de la maison. De ta mère.

Il retire son bras.

— De ma mère ?

Je secoue la tête énergiquement.

— On dirait une petite fille quand tu fais ça.

Je hausse les épaules.

— Et tu hausses les épaules maintenant ?

Il s'esclaffe.

— Ce n'est pas drôle.

— Je vais te dire ce qui est drôle : tu as peur de ma mère ! lance-t-il en affichant ce grand sourire.

— Comme si tu n'avais pas eu peur de mon père…

Je saisis la poignée, mais la porte s'ouvre brusquement sur la mère d'Alan (enfin, j'imagine que c'est elle…), le visage barré d'un énorme sourire.

— Voyons… dit-elle.

Je distingue une grosse fatigue dans ses yeux.

— Tu dois être Aimee. Que tu es jolie avec tous ces cheveux rouges !

Elle me tire à l'intérieur sans me donner l'occasion de répondre, ne cessant de jacasser. Je capte quelques phrases du genre : « Je suis si heureuse qu'Alan ait trouvé quelqu'un … », « Courtney a dit tant de bien de toi ! » et « J'ai entendu dire que tu étais bonne élève. J'espère que ça déteindra sur… »

Sans rire, cette femme est un vrai moulin à paroles. Alan finit par aller lui plaquer gentiment une main sur la bouche :

— Maman, respire.

Elle attrape son poignet et retire sa main.

— Je ne peux pas respirer avec ça.

Elle ajuste son chemisier, puis sa coiffure, semée de quelques copeaux de bois faisant penser à des pellicules géantes.

— Tu vas me prendre pour une vraie pipelette, hein ?

— Ne vous inquiétez pas, ça m'arrive tout le temps quand je suis nerveuse. Enfin, je ne veux pas dire que vous l'êtes…

— Oh ! elle me trouve des excuses. Comme c'est adorable !

Mme Parson se penche pour retirer quelques copeaux de bois du tapis rouge. Je m'accroupis afin de l'aider. Quand on pense que ces petits éclats beiges composaient un arbre vivant… Pauvre arbre…

— Elle est vraiment adorable. Tu n'es pas obligée de faire ça, Aimee.

— Oui, oui, elle est adorable, répond Alan en secouant la tête, gêné, comme si c'en était trop pour lui.

— Je suis ravie de vous rencontrer, madame Parson, dis-je en lui tendant la main, toujours accroupie.

Elle la serre.

— Mon travail, à l'usine, me donne des cloques, s'excuse-t-elle en se relevant. Mes mains ne se sont pas encore endurcies.

Je me lève à mon tour.

— Désolée, j'espère que je ne vous l'ai pas serrée trop fort.

— Pas du tout.

Alan prend les mains de sa mère pour les examiner. Des cloques toutes fraîches apparaissent à la base de chacun de ses doigts, mais soudain, les rougeurs se mettent à s'estomper. Je l'ai soignée.

Elle penche la tête à la manière d'un chiot.

— Tiens, c'est bizarre…

Sa voix se fait sérieuse et calme :

— Tu m'as l'air d'être une fille bien, Aimee. Je compte sur toi pour ne pas le blesser.

— Je vous le promets.

Elle baisse les mains et change de sujet :

— Vous devez avoir des choses à vous dire. Tant que je

ne suis pas dérangée par un policier ou un directeur, tout va bien. Quelle journée !…

Alan l'enlace.

— Tu es un vrai petit soldat, maman.

— C'est ça… rit-elle.

Alan me dirige vers l'escalier.

— Ma chambre est là-haut.

— À côté de celle de Court, c'est ça ?

— J'avais oublié que tu étais déjà venue ici…

— Seulement environ un million de fois...

— Laisse ta porte ouverte ! crie Mme Parson du bas des marches.

— Maman !

Alan devient cramoisi. Il ferme les yeux et prend une profonde inspiration.

— Excuse-la…

Il me fait signe d'entrer dans la chambre d'amis que la mère de Courtney utilisait pour faire du patchwork. Je renifle une odeur piquante et douce à la fois.

— C'est la sauge, annonce Alan en pointant la tête vers l'herbe posée contre la bibliothèque. J'en ai brûlé tout à l'heure.

J'avance un peu plus. La pièce s'est clairement transformée en chambre de garçon. Elle est remplie de posters de groupes de rock que je ne connais absolument pas. Des vêtements traînent par terre dans un coin. Il y a un lit, une chaîne hi-fi juste au-dessus, un lit, un tapis à côté, un lit…

J'en détache mes yeux.

Toutefois, il n'y a nulle part ailleurs où s'asseoir, hormis par terre.

Alan se jette sur son lit. Il y a une petite tache noire près de son oreille.

— Viens, Aimee, je ne vais pas te mordre.

— C'est que…

Je m'installe près de lui d'une façon raide sans doute agaçante.

— C'est juste que… Il se passe tellement de choses, et aujourd'hui… J'ai éprouvé une telle sensation d'impuissance, tu comprends ?

— Oui…

Je coupe le long silence qui suit :

— J'en ai assez de m'inquiéter pour tout.

Il m'attrape la main.

— Moi aussi. Ce serait si bien de pouvoir simplement profiter l'un de l'autre plutôt que de…, de…

— Plutôt que de jouer aux guerriers pour sauver l'âme de Courtney ? Plutôt que d'être deux amoureux maudits virés du lycée, roués de coups par la bande de Blake, interrogés par la police et poursuivis par les journalistes ?

— Ça sonne tellement glamour ! lance-t-il en me plantant un doigt dans les côtes. Détends-toi, Red. On va s'occuper de ça.

— Tu parais confiant seulement parce que tu penses que c'est ce que j'attends de toi.

J'inspire profondément et me plonge dans ses yeux.

— Tu n'es pas obligé. C'est normal d'être humain. C'est normal d'avoir peur.

Il écarte de sa grande main les cheveux sur mon front.

— Comme toi, dans la rivière ?

J'acquiesce.

— Dis-moi ce qui s'est passé.

Je lui raconte.

J'ai presque terminé mon récit lorsque mon téléphone sonne.

Je regarde le nom qui s'affiche.

— C'est mon père.

Je décroche.

— Salut, papa !

— Salut, trésor.

Il semble préoccupé, bien que ce soit lui qui m'appelle.

— Tout se passe bien ?

— Oui. J'ai rencontré la mère d'Alan. Elle est très gentille.

Alan tend son pouce ; je l'imite. Il se rapproche et glisse derrière moi, le bras autour de ma taille. Je m'appuie contre lui.

— Qu'est-ce que vous faites de beau ? demande mon père.

— On discute, je réponds en toussotant.

— Mhh mhh… Bien, bien…

Exactement comme quand je l'appelle au travail et qu'il semble me tendre une oreille distraite, lisant probablement des mémos interservices ou ses e-mails en même temps.

— Écoute, trésor… Il y a d'autres journalistes.

— D'autres journalistes ? Pourquoi ?

— Je l'ignore. La journée a peut-être été pauvre en informations. Et le fait que je sois ton père n'aide pas : « La fille du directeur d'un hôpital sauve un garçon qui vient de battre son petit ami. »

J'ai le souffle court.

— Oh ! tu es au courant…

— La ville entière est au courant, Aimee.

— Ils l'ont pris par surprise, papa. Il n'est pas comme ça, je te le jure.

Le bras d'Alan se raidit un peu.

— Blake a disparu.

Mon cœur s'accélère. Je peux à peine articuler :

— Je sais.

— Je… Est-ce que tu pourrais dormir là-bas cette nuit ? Dans la chambre de Courtney peut-être ?

— Tu veux que je dorme ici ?

Mon ventre se noue.

— Et si quelque chose arrivait en mon absence ?

— Aimee, il ne va rien se passer. Je contrôle la situation. Je ne peux juste pas te faire entrer dans la maison sans que ces journalistes te prennent en photo. Ils sont trop nombreux désormais. Même les gestes techniques d'Alan ne feront pas grand-chose.

— D'accord.

— D'accord ? insiste-t-il d'une petite voix.

Je croise le regard d'Alan.

— Je vais demander si je peux rester.

Les femmes de la maison ne cessent de s'agiter.

— On va t'installer dans la chambre de Courtney, dit sa mère. Elle passe encore une nuit à l'hôpital. Je suis sûre que ça ne la dérangera pas que tu empruntes son lit.

— Oui, je m'en doute. C'est juste bizarre d'y dormir sans elle…

Alan me lance un regard curieux.

— Quand on dort l'une chez l'autre, on partage le même lit. Courtney me donne toujours des coups de pied !

— Puis se plaint qu'Aimee accapare les couvertures, ajoute Mme Tucker avec un sourire tendre.

Elle me donne un pyjama nounours appartenant à Court. Il est bien trop court pour moi…

— Ce qui n'est pas vrai, je corrige. Alan, arrête de te moquer.

— Je ne me moque pas !

— Bien.

Je renifle le pyjama et m'enivre de l'odeur de l'assouplissant.

— Les informations ont dit quelque chose au sujet de Blake ? On ne l'a toujours pas retrouvé ?

— Je n'en ai pas entendu parler.

Mme Tucker s'appuie contre le mur, à côté du poster de Miley Cyrus, que Court affiche par ironie, et non parce qu'elle est fan.

Un soir, nous avons peint des crocs sur le visage de Miley avec du vernis rose. Mme Tucker tapote le poster du doigt.

— Tu te souviens de la fois où vous avez fait ça ?

— C'était notre période de haine absolue envers Miley. Nous avions treize ans, quelque chose comme ça...

Le poids se fait soudain plus lourd sur moi. Nous ne serons plus jamais heureuses comme lorsque nous avions treize ans. Nous ne pourrons plus jamais ignorer l'existence de la possession démoniaque. Chris Paquette est mort à jamais. M. Tucker est mort à jamais, et Blake...

Il est peut-être mort, lui aussi.

Je tente de ravaler mon angoisse afin de paraître forte. Je les fais sortir de ma chambre pour ne pas afficher ma faiblesse.

Les yeux d'Alan s'entourent de ces fameuses rides d'inquiétude, mais je me contente de lui embrasser la joue.

— Bonne nuit, je murmure avant de fermer la porte.

Ce n'est qu'une fois seule dans la chambre de Court que je pose les poings sur mes yeux et laisse la tristesse m'envahir.

Je doute sincèrement que l'on puisse battre cette chose.

22

Alan

Je ne parviens pas à dormir, même pas à faire semblant. Ceci est dû en partie au stress. Quelle folie surnaturelle peut encore survenir cette nuit ? Mais, bien sûr, il n'y a pas que ça. À vrai dire, ce qui m'empêche le plus de dormir, c'est de savoir Aimee dans la chambre d'en face, dans le lit de ma cousine. Affublée de ce joli pyjama. Je devrais m'enlever cette image de la tête. Toutefois, elle m'évite de penser à la faim. Mon dernier repas remonte à environ douze heures. Et encore, ce n'étaient que quelques bouchées à la cantine. Et avant ça, un donut. Ça doit donc faire… une trentaine d'heures que je n'ai pas fait de vrai repas. Mon estomac grogne en guise de confirmation. Je ne pense à rien d'autre qu'à la faim et à Aimee, de l'autre côté du couloir.

Dort-elle ? Est-elle allongée dans son lit, pensant à moi ? À quoi songe-t-elle ? A-t-elle envie de venir se glisser dans ma chambre, comme j'ai envie de me glisser dans la sienne ? Enfin, dans celle de Courtney.

Que se passerait-il, si je le faisais ?

Je ressens presque ses cheveux sous mes doigts, contre ma joue… Ses yeux. Ce serait tellement intense de s'y plonger tout en…

Je me débarrasse des couvertures. La pièce est froide. Trop froide. Même pour une fin d'automne dans le Maine, j'imagine. La chair de poule envahit tout mon corps.

J'attrape un vieux pantalon de jogging grisâtre, au pied de mon lit, et enfile un sweat des Sooners avant d'allumer ma lampe de chevet.

— Grand Esprit, protège cette maison. Protège la famille de Courtney. Délivre-nous de cet esprit maléfique. Renvoie-le d'où il vient.

Je répète inlassablement ceci tout en allumant un cône de sauge. Comme l'odeur ne se répand pas assez vite, je tends le bras vers la sauge séchée.

Le sachet part s'éclater contre un mur. L'attache cède ; toutes les tiges s'éparpillent dans la chambre.

Je sens sa présence.

L'ombre se tient dans le coin, contre mon placard. Elle est gigantesque, épaisse, glaciale et maléfique. Elle attend. Le froid parvient jusqu'à moi par vagues, comme le courant d'une rivière gelée.

Sa tête touche presque le plafond. Comment cette créature peut-elle être si forte ? Elle tire toute cette énergie de ma cousine, et, rien que pour ça, je la déteste.

La rivière de glace me heurte encore et me fait tituber. À deux doigts de faire tomber l'encens, je mets les mains derrière moi pour ne pas chuter.

L'ombre avance d'un pas et, soudain, j'ai peur. Peut-être ne suis-je pas capable de gagner…

Un feulement déchire la nuit. Ce n'est pas dans ma tête. Ce n'est même pas dehors.

L'espace d'un instant, je la vois. Onawa, chatoyante, sauvage, magnifique, ses crocs nus et ses yeux verts ardents, entre l'homme de la rivière et moi.

La silhouette noire pousse un cri strident avant de disparaître dans un lourd « pop » qui laisse dans la pièce une odeur de soufre et de pourriture. Onawa se tourne vers moi, le regard fixe empreint d'un avertissement.

C'est là que je réalise que je ne suis qu'un pion. Je ne suis qu'un pion dans une bataille qui concerne bien plus qu'Aimee, Courtney et moi.

Au moment où je comprends ceci, Onawa disparaît, et la porte de ma chambre s'ouvre grand. C'est d'abord Aimee qui entre, suivie de maman et de tante Lisa.

Aimee se jette sur moi de toutes ses forces. Encore perturbé par ce que je viens de voir, je chancelle sous son poids et tombe sur le lit, mes bras autour d'elle.

— Alan ! sanglote-t-elle.

— Alan, pour l'amour de Dieu, vas-tu me dire ce qui se passe ici ? exige maman.

— Qu'est-ce que c'était ?

Le visage de tante Lisa est contracté par l'angoisse.

Je prends une minute avant de murmurer :

— Je vais bien.

Mais Aimee ne me lâche pas. Je lève les yeux vers les deux femmes, qui me dévisagent.

— C'est quoi, cette odeur ? demande tante Lisa.

— De l'encens, dis-je en jetant un œil au cône incandescent.

— Non, pas ça.

Elle renifle, puis plisse le nez.

— Ça sent la viande avariée.

— Je ne sais pas, je mens.

— Alan, qu'est-ce que c'était que ce bruit ? s'affole maman. On aurait dit un rugissement.

— C'était moi.

Je *déteste* mentir. Pire, je déteste les mensonges boiteux.

— J'ai fait un cauchemar, et...

J'essaie de paraître gêné avant de terminer :

— J'ai dû crier en me réveillant. Désolé.

— C'était toi ?

Tante Lisa s'entoure de ses bras ; ma mère semble aussi sceptique qu'elle.

— Oui, pardon. J'ai dû passer pour une fillette, hein ?

— Non, Alan, on aurait dit un lion des montagnes, dit maman.

— Bah, ce n'était pas ça. Aux dernières nouvelles, je n'en cache pas un dans ma chambre. Regarde sous le lit, si tu ne me crois pas.

Pourquoi Aimee me sert-elle encore comme si j'allais me volatiliser ?

— Ne fais pas le malin, Alan, me prévient maman.

— Viens, Holly, dit tante Lisa. Il a fait un cauchemar et a crié. Je suis sûre que notre star du football est assez gênée comme ça. Retourne te coucher.

Maman semble capituler, mais elle trouve une nouvelle raison de s'inquiéter en baissant les yeux sur Aimee, qui m'enveloppe comme un manteau d'hiver. Elle ouvre la bouche, mais ma tante la coupe de nouveau.

— Ils ne risquent rien. Aimee est une brave fille, et Alan est un brave garçon. Fais-leur confiance.

— Ils sont sur le lit, proteste maman.

— Alan, demande tante Lisa, peux-tu promettre à ta mère que tu seras sage ?

— Oui. Je ne pense pas me coucher tout de suite.

— Ce n'est pas ça qui l'inquiète.

Mon visage passe au cramoisi, ce qui fait sourire les deux femmes.

— Je le promets.

Elles sortent alors de la chambre, mais je remarque que maman laisse la porte entrouverte. Je suis sûr qu'elle fera pareil avec la sienne pour pouvoir entendre, si je décide de fermer.

— J'ai si peur, Alan, murmure Aimee. Moi aussi, j'ai fait un cauchemar. L'homme de la rivière te tenait. Il était ici, et il te tirait les poignets comme il a fait à Chris. Il t'entraînait sans fin vers un endroit obscur, et tu ne pouvais pas t'échapper.

Elle se remet à sangloter, je la serre davantage.

J'hésite à lui raconter ce qui s'est réellement passé. Non, ce n'est pas le moment. Elle n'a pas à savoir cela tout de suite. Elle est suffisamment bouleversée.

Mon estomac grogne. Courtney sera là demain matin. Puis tante Lisa rejoindra maman au travail pour effectuer ses heures supplémentaires.

— Ça va aller, je lui murmure en retour, le visage enfoui dans ses magnifiques cheveux de feu. Je t'aime.

Les mots sont sortis tout seuls. Le fait de la sentir contre moi, son odeur, la force de son étreinte… Je n'ai pas pu les retenir.

— Tu dis ça parce que l'un de nous peut y laisser sa peau.

Sa voix tremble d'une émotion que je ne saisis pas, et je me demande s'il n'y a pas une part de vrai dans sa remarque. Je sais que ça paraît dingue d'éprouver une telle chose aussi vite pour quelqu'un, mais je n'arrive pas à m'imaginer sans elle, et il n'y a qu'un mot pour définir cela : l'amour.

Je veux la protéger. J'ai envie qu'elle soit avec moi. J'ai envie d'être avec elle. Sans vouloir verser dans le sentimental, sa présence m'illumine comme un rayon de soleil, même quand rien ne va. Ça ne peut être que de l'amour.

— Ce n'est pas que pour ça, dis-je. Ce n'est pas juste parce que nous pouvons y laisser notre peau.

— Mais c'est l'une des raisons.

— Peut-être. Mais je ne trouve aucun autre mot décrivant mieux ce que je ressens pour toi, Red. Aucun.

Elle finit par lever ses grands yeux verts humides et brillants. Une lueur de bonheur s'y est insinuée.

— C'est vrai ? demande-t-elle.

— Oui. Je n'ai jamais éprouvé cela.

— Moi non plus, dit-elle d'un air gêné, puis elle frissonne. Ouh !… J'ai froid.

Malgré la porte entrouverte, nous nous glissons dans mon lit, sous les couvertures chaudes, et elle se pelotonne contre moi, la main sur mon torse et la jambe au-dessus des miennes. J'ai du mal à croire que je viens de lui dire que je l'aimais. C'est trop tôt, bien trop tôt. J'ai tout gâché.

Elle s'éclaircit la gorge. Je m'attends à ce qu'elle me le reproche, qu'elle confirme mon inquiétude.

— Je t'aime aussi, souffle-t-elle, pensive. Personne n'a le droit de mourir. Aucun de nous n'en a le droit.

Un long silence suit, et je l'imagine en train de s'endormir quand elle me dit :

— Tu n'as pas fait de cauchemar, n'est-ce pas ? Il était là. Et Onawa aussi.

Elle lève les yeux vers moi. Elle est si proche du sommeil que je pourrais croire qu'elle parle en dormant, mais je sais que ce n'est pas le cas. Je l'embrasse.

Ses lèvres sont si chaudes, et son parfum, si entêtant et féminin. Je laisse tomber la tête sur mon oreiller.

— Oui, admets-je. Mais nous n'avons rien. Dors, Red. Une longue journée nous attend.

Lorsque j'ouvre les yeux, j'entends maman et tante Lisa discuter de nous dans le couloir, devant ma chambre. Le matin est là.

— Tu as vu comment ils dorment, argumente maman.

— Ça ne veut rien dire, répond tante Lisa. Et même s'il s'est passé quelque chose, tu pourrais leur en vouloir ? Ils ont dix-sept ans !

— C'est trop jeune.

— Holly, il s'est peut-être passé quelque chose, peut-être pas. Pour ma part, je ne pense pas, mais de toute façon, c'est ton fils, et tu ne trouveras pas plus adorable qu'Aimee.

— Ça y est, ta mère me déteste, murmure Red.

— Mais non, je réponds en regrettant qu'elle ne dorme plus. Elle repense à ce qu'était sa vie avant de rencontrer mon père.

— Tout de même, ici, dans cette maison, avec nous dans le même couloir ! Je n'arrive pas à croire… continue ma mère.

— Maman ! je m'écrie. Nous n'avons *pas* couché ensemble. On avait froid, c'est tout, et on s'est endormis. Détends-toi ! Je te jure qu'Aimee est aussi pure à cet instant qu'elle l'était quand elle a franchi notre porte hier soir.

Tante Lisa s'esclaffe ; ma mère reste silencieuse.

Aimee me murmure « Malheureusement » avec un sourire, ce qui me fait presque éclater de rire.

Maman ouvre la porte et nous lance un regard chargé de reproches.

— À mon époque, les garçons et les filles ne dormaient pas de cette façon s'ils n'avaient pas fait l'amour avant.

— C'était l'âge de la pierre. Les années 1980, quelque chose comme ça. Les jeunes ne sont pas des animaux. Nous pouvons nous contrôler.

Elle tente de me jeter son fameux regard noir, les lèvres ultra-serrées et les yeux plissés, mais elle finit par s'arracher un sourire.

Tante Lisa essuie les larmes sur ses joues.

— Viens, Holly. Tu vas arriver en retard au travail.

— Vous deux !… lance ma mère en nous regardant tandis qu'Aimee cherche à se glisser hors du lit.

— Maman, je te promets d'être sage. Tu sais, ça n'a pas été facile… Elle était dans tous ses états, avec son fantasme de virilité indienne. Je n'ai pas arrêté de lui dire que j'avais juré de ne pas me laisser abuser. Elle a fini par s'écrouler d'épuisement.

— Espèce de menteur ! lâche Aimee avec un clin d'œil qu'elle dissimule à ma mère.

— Alan, j'emmène Holly au travail, puis je vais chercher Courtney. Comme il ne s'est rien passé d'anormal cette nuit, elle peut rentrer, mais il faut veiller sur elle. Tu pourras t'en occuper ? Peut-être Aimee ferait-elle mieux de rester un peu aussi ?

— Pas de souci, madame Tucker, répond Red. Je vais rester. Papa m'a dit que je pouvais manquer l'école aujourd'hui, à cause de…

Son visage se décompose soudain lorsqu'elle se souvient du garçon dans la rivière.

— Très bien. Merci. Je dépose Court, puis je pars travailler. Vous voulez que je vous ramène quelque chose à manger ? Court m'a déjà demandé par texto de lui prendre un cheeseburger.

— Des fruits me suffiront, déclare Aimee. Il vous reste des oranges ?

— Bien sûr ! Il y aura toujours des fruits pour toi ici, Aim.

— Ça m'ira très bien aussi, je lance.

Mon estomac émet un nouveau grognement, et j'imagine comme ça doit être agréable de croquer dans une orange bien juteuse. Ou une banane. Oui, une banane. Mais pas maintenant.

— Assure-toi qu'il mange quelque chose, Aimee, dit maman. Je suis sûre qu'il n'a rien avalé hier soir.

Elle me lance un regard sévère ; je ne riposte pas. Comment les mères devinent-elles ce genre de choses ?

— D'accord, madame Parson, répond Aimee.

— Et... soyez sages, conclut maman.

Elle nous jette un dernier coup d'œil inquiet, puis disparaît.

Assise à la table de la cuisine, Aimee tente de peler une orange à mains nues, arrachant petit bout par petit bout.

Je pose la main sur la sienne et la soulève afin de lui embrasser les doigts. L'odeur du fruit est irrésistible.

J'ai. Trop. Faim.

Je m'empare de l'orange, vais chercher un couteau et la pèle en la faisant tourner, puis je la coupe en quartiers et retire la peau de la chair.

— Tournoyeur de couteau, aussi... commente-t-elle. La liste de ce que tu sais faire de tes mains est sans fin.

Je lui donne un petit bol contenant les quartiers d'orange.

— Eh ouais.

Je m'assois près d'elle pour siroter mon verre d'eau. Elle mord dans ses morceaux d'orange et en aspire le jus comme un vampire avant de manger la pulpe.

Mon sourire l'embarrasse un instant, mais elle ne s'arrête pas pour autant.

— Qu'est-ce qu'on a à faire ? demande-t-elle.

— La hutte à sudation. Il va falloir que tu restes ici avec Courtney ; donc, je la construirai tout seul.

— Dans les bois ? Tout seul ?

Son front se plisse d'angoisse.

— Il ne m'arrivera rien, ne t'inquiète pas.

— C'est aussi ce que je me suis dit hier.

Elle marque un point. Je vais à la fenêtre de la cuisine observer les bois, par-delà le jardin. De l'autre côté de ce flanc, il y a la rivière.

— Je pourrai l'installer là-bas, sur la colline.

— Tu ne peux pas la construire dans le jardin ? La barrière te mettra à l'abri des regards. Je ne veux pas que tu ailles dans les bois.

— Il faudra tout de même que j'y prenne des branches pour la structure de la hutte. À moins que tu n'aies une autre solution.

— Non…

— Très bien. On va faire comme ça. J'ai acheté une scie. Je vais couper de jeunes arbres et les rapporter dans le jardin.

Elle vient m'entourer la taille de ses bras.

— Tu feras attention ? Tu veux que je vienne avec toi ?

— Ça va aller, je te le promets. Il faut que l'un de nous reste à la maison pour réceptionner Courtney. Si maman et tante Lisa ne nous trouvent pas, elles verront ce qu'on fabrique dans le jardin et ne nous laisseront jamais terminer. Beugle dès que tu les vois, d'accord ?

— « Beugle » ? répète-t-elle avec un large sourire.

Puis elle imite mon accent traînant :

— C'est fini, l'Oklahoma, vieux.

Je dois avouer que je ne m'attendais pas à ce que mon passage dans les bois se déroule sans encombre. Pourquoi ? Conserve-t-il sa force pour autre chose ?

L'homme de la rivière est-il au courant que nous nous préparons à l'affronter ? Sait-il que Courtney est sur le chemin du retour ? Je pense à cela tout en rapportant dans le jardin une douzaine de jeunes arbres souples.

Je suis en train d'en débarrasser les petites pousses lorsque le quatre-quatre de tante Lisa arrive. Je me précipite à l'intérieur afin d'accueillir Courtney avec Aimee. Ma tante ne cesse de la serrer dans ses bras.

Elle marque une pause pour nous enlacer à notre tour, puis embrasse une nouvelle fois sa fille.

— Vous n'imaginez pas comme les esprits s'échauffent vite à l'usine, dit-elle en regardant par la fenêtre avant de reculer. Il y a des bagarres sans arrêt. Je n'ai même pas envie d'y retourner.

Mais elle y va tout de même. Dès son départ, Aimee et moi expliquons à Courtney notre plan dans les grandes lignes.

— Maintenant que ta mère est partie pour la journée, je vais utiliser un peu de votre bois de chauffage pour démarrer un petit feu dans le jardin et ainsi pouvoir réchauffer les pierres.

Aimee hoche la tête, toute sérieuse.

— Il faut vider la chambre de Court. Sauf le lit.

— Pourquoi ? demande celle-ci d'un air sceptique.

— Cette chose nous a attaqués sous la forme de tempête par deux fois. Ce sont les débris qui peuvent être dangereux. Elle a balancé la sauge à travers la pièce, hier soir, un cadre, l'autre fois... Je ne veux pas qu'elle ait cette possibilité dans ta chambre.

Aimee se hisse sur la pointe des pieds pour me faire un baiser fugace, puis elle prend Courtney par la main.

— Allons-y, dit-elle en la tirant vers l'escalier.

J'espère pouvoir gérer le feu. Je creuse un trou peu

profond derrière l'abri de jardin de tante Lisa, amasse la terre sur le bord, puis pose du bois de chauffage par-dessus quelques vieux journaux roulés en boule. Le feu, qui démarre facilement, est agréable dans l'air froid du matin. Les coups de vent emportent rapidement le peu de fumée avant qu'elle n'inquiète les voisins.

Je creuse un autre trou, à environ un mètre du feu, de la même façon que le premier, avant d'affûter les jeunes arbres et de les planter dans le sol en cercle tout autour. Je les courbe et les lie à l'aide de la ficelle dénichée chez *Craft Barn*.

Après avoir essuyé la sueur de mon visage, je pose mes pierres de granit dans les cendres avec une petite pelle. J'alimente le feu et retourne m'affairer à ma hutte.

Une fois le dôme en place, je surveille le feu, y ajoute un peu de bois, puis demande aux filles de venir m'aider à fixer la bâche. Cela nécessite de tirer ici, plier là, faire de nouveaux trous pour passer la ficelle afin de l'attacher à la structure, mais après une vingtaine de minutes, la bâche recouvre le tout.

— Comment tu y entres ? m'interroge Courtney.

— Facile.

Je fais jouer mon couteau entre mes doigts avec un clin d'œil à Aimee, puis le plante dans la bâche, face au feu, derrière laquelle j'ai laissé assez d'espace dans la structure pour y ramper. Je fais glisser mon couteau jusqu'au bout pour pouvoir rabattre plus tard les deux parties de la bâche et poser les pierres chaudes à l'intérieur.

— C'est tout ? demande Aimee. C'est prêt ?

— C'est prêt.

— Maman va piquer une crise en voyant l'état de son jardin, lâche Courtney.

— J'imagine. Mais je nettoierai. Rentrons une minute.

Les filles me suivent à l'intérieur. Elles ont déplacé les meubles de Courtney sur le palier et arraché les posters des murs.

— Il faut aussi retirer le plafonnier. Court, tu peux t'en occuper ? Aimee, j'ai besoin de toi.

Dans ma chambre, je lance les sachets de sauge et de foin d'odeur sur mon lit, puis prends les mains d'Aimee en me plongeant dans ses yeux verts et sérieux.

— J'ignore ce qui risque d'arriver aujourd'hui, lui dis-je.

— Tu crois qu'il se prépare, n'est-ce pas ?

— Oui. Je pense que nous pouvons le battre, mais… Je ne sais pas ce qu'une défaite impliquerait.

— Moi non plus.

Elle prononce cela presque sans voix, et j'imagine qu'en cet instant, elle voit Chris Paquette avec son poignet taillladé, un bras et une jambe en moins, et le visage bouffi. Elle ne doit songer qu'à la torture physique mettant fin à une vie. Pourrait-il y avoir pire ? Je l'ignore, donc je m'abstiens d'en parler.

— Je vais rester dans la hutte deux ou trois heures.

— Doit-on faire quoi que ce soit d'autre ?

— Fais en sorte qu'elle demeure calme. Je me demande si…, si on ne devrait pas l'attacher à son lit.

— Tu crois qu'on est obligés ? lance-t-elle, soudain choquée. Ça me paraît tellement… terrible. J'aurais l'impression de violer sa vie privée…

— Je ne sais pas, Aim. Je n'ai jamais fait ça. Je me souviens juste de ce qui s'est passé au lycée.

— Très bien. Je comprends. Je vais m'en occuper, mais je ne suis pas sûre qu'elle apprécie.

— Sans doute. Sois douce. Mets quelque chose sur ses poignets et ses chevilles pour les protéger, mais sers bien au-dessus. Il y a de la corde dans l'abri de jardin. Viens, je vais te la donner.

Je prends mon foin d'odeur et ma sauge avant de quitter la chambre.

Bêtement, nous sortons sans jeter un œil à Courtney au préalable. Je coupe quatre morceaux d'environ un mètre dans la corde de coton et les donne à Aimee avant de l'embrasser. Tandis qu'elle reprend la direction de la maison, je la tire vers moi.

— Souviens-toi que je t'aime, Red.

— Moi aussi, je t'aime.

Nous ne nous embrassons pas cette fois. Nous restons simplement plongés dans les yeux l'un de l'autre afin d'appuyer ce que nous venons de dire. Puis elle part.

Je rabats la bâche de ma hutte et, à l'aide de la petite pelle, y glisse les pierres.

Ensuite, j'étouffe le feu avec la terre accumulée sur le bord du trou, comblant celui-ci du mieux possible en peu de temps, puis je vérifie que personne ne m'observe.

Une fois persuadé qu'aucun voisin ne m'épie derrière la barrière, je retire mon tee-shirt « Anthrax », mes bottes, mes chaussettes et mon jean. Un dernier coup d'œil, et j'ajoute mes sous-vêtements à la pile avant de rapidement ramper dans ma hutte. Il y fait déjà chaud et humide. J'attrape le foin d'odeur, la sauge, et rabats l'ouverture.

Assis en tailleur devant les pierres fumantes, je ferme les yeux et murmure :

— Grand Esprit, je me remets à toi. Onawa, guide-moi afin que je sache quoi faire. Grand Esprit, aide-nous.

Je jette le foin d'odeur sur les pierres ; l'herbe séchée commence à noircir et à se recourber tout en laissant échapper de fines vrilles d'une douce fumée.

Je transpire et je n'ai plus faim.

À la recherche de mon guide spirituel dans ma propre obscurité, je referme les yeux afin de me concentrer sur ma respiration.

23

Aimee

Lorsque j'entre dans la maison, il fait froid. La différence avec la chaleur de la hutte doit être saisissante. Alan va y être tout nu. Il ne faut pas que je pense à ça. Non, pas question. Je monte le thermostat fixé au mur, à côté du canapé. La chaudière se met en route. C'est alors que je réalise que l'air est en fait glacial.

Un instant, j'envisage de retourner chercher Alan, mais il faut qu'il effectue le rituel. Ça veut dire que c'est à moi de gérer la maison – et Courtney. À vrai dire, j'espère qu'il n'y a rien à gérer...

— Aimee.

Je fais un bond d'au moins trois mètres... Ce n'est que Courtney, qui m'attend en haut des marches.

— Tu m'as fait peur, dis-je avec un petit signe de main.

— Tu viens ? demande-t-elle.

— Oui. Excuse-moi, je montais le thermostat, et...

— Tout de suite, me coupe-t-elle avant de disparaître du palier.

La chair de poule m'envahit. Je me frotte les bras et rejoins l'escalier. Le nœud dans mon ventre ne présage rien de bon... Je grimpe les marches deux par deux. Court se tient au fond du couloir. Ça pue ici.

Mon ventre avait raison. Je reconnais cette odeur putride. Je couvre ma bouche et mon nez de ma main, mais ça n'empêche pas les haut-le-cœur.

— Aimee…

Sa voix est un murmure plaintif. Une supplication. Mon corps entier frissonne. Courtney tremble. Elle semble si frêle, si fragile…

— Courtney, trésor…

— Aimee… Il…, il est là, lâche-t-elle dans un frémissement.

Je me précipite vers elle.

— Je sais. Je sais. Ça va aller, ne t'inquiète pas.

Mes mots, tels des vœux pieux, errent un instant dans le couloir avant de disparaître dans le néant.

Je l'attrape par les bras. Ses boutons sont en train de réapparaître.

— Mon visage… ?

Je pose la main sur sa joue.

— Je te guéris dans une minute, d'accord ?

— D'accord.

Elle est déjà ailleurs, comme si c'était un animal empaillé que je tenais sous mes doigts. Il n'y a plus de rage en elle. Elle a déjà abandonné.

— Court, il faut que tu le combattes. Je ne sais pas comment, je ne sais pas ce qui se passe en toi à cet instant, mais il faut que tu le combattes.

— J'essaie.

— Je m'en doute, trésor.

J'espère que le rituel d'Alan se passe bien et ne durera pas trop longtemps. Je ne peux enlever de mon esprit l'image de Court le projetant à travers la cantine.

— Je vais t'attacher. On ne sait jamais.

Elle réagit enfin, levant brusquement un regard désorienté vers moi :

— Tu vas quoi ?

— T'attacher, d'accord ?

Je lui montre la corde.

— Je n'ai pas le choix. C'est au cas où il…

— Au cas où il s'empare de moi ? me coupe-t-elle.

Elle pâlit, ce qui fait davantage ressortir son acné.

La puanteur empire.

Quelque chose picote ma peau.

Il est là. Je le sens.

Son aura maléfique s'étend tout autour de nous. C'est une ombre prenant de l'ampleur derrière moi. Ce n'est pas qu'une odeur. C'est une présence, un poids sur mon âme.

Je ne sais pas quoi utiliser pour protéger la peau de Courtney, mais il faut que je fasse en sorte que la corde ne la morde pas trop. Je me déchausse en vitesse et arrache mes chaussettes.

— Désolée pour l'odeur.

Elle réagit avec un demi-rire étranglé.

— Ce ne sera pas pire que la sienne. Mais tu pourrais prendre une paire de chaussettes propres dans mon armoire.

— C'est vrai.

J'enveloppe les poignets de Court.

— Mais j'ai peur de perdre du temps.

— Tu trembles.

— Toi aussi.

Sa voix est soudain plus intense, mais c'est toujours la sienne.

— Sers-moi fort, Aimee. Je ne veux pas te faire de mal.

Nos regards se croisent un instant.

— Je ne veux pas te faire de mal non plus.

La maison vibre. Courtney convulse. J'entoure ses poignets de la corde et les lie avec un nœud plat. Elle convulse à nouveau ; je la rattrape. Je comptais l'attacher au lit, mais je ne pense pas avoir le temps.

— Il est tout près, murmure-t-elle, les yeux envahis par la terreur. Il est…

Quelque chose me heurte le dos, la douleur se répand dans tout mon corps. Je tire Courtney contre le mur.

— Vite, il faut aller dans ta chambre.

Nous nous y précipitons, glissant sur le tapis. Des cadres s'arrachent des murs avant de voler en éclat. L'un d'eux frappe Courtney en plein visage. Elle hurle.

Je l'attrape par la taille et la tire dans sa chambre. Un autre cadre me tombe sur l'épaule. Je claque la porte et y reste plaquée, vibrant sous les coups.

— Aimee !

Courtney est accroupie dans un coin de sa chambre, les mains liées devant elle. Elle cherche frénétiquement quelque chose des yeux.

— Je ne veux pas de lui ! Je ne veux pas de lui, Aimee !

— Combats-le.

— Je ne peux pas !

— Combats-le ! j'ordonne.

La porte remue davantage ; j'essaie de la retenir de toutes mes forces. Le bois commence à éclater ici et là, m'arrachant la peau. Je gémis. C'est perdu d'avance...

— Aimee !

Court se met en boule, ses mains griffent son visage.

La porte ne bouge plus. Il est là. Je me jette sur Courtney pour lui dégager les joues. De profondes entailles marquent sa peau. Du sang dégouline. Elle résiste à ma pression. Non, c'est faux. *Il* résiste.

— Salut, espèce de tarée... tout comme ta mère, crache Courtney.

Ce n'est pas sa voix. C'est sa voix à lui : grave et mauvaise.

La colère enfle en moi. Pas la peur, la colère.

— Laisse-la.

Ses yeux se plissent. Elle s'esclaffe.

Je tire de toutes mes forces sur ses mains pour les écarter de son visage. Court se met à me donner des coups de pied dans les côtes et le ventre. Des coups de pied puissants. Je tombe en arrière et me cogne au mur.

Le vent jaillit tout autour de moi.

Courtney se lève en souriant.

— Tu n'arriveras pas à me battre.

Elle tend la corde entre ses poignets.

— Même avec ça, je peux te tuer.

La gorge serrée, je me redresse en titubant. Je visualise une lumière blanche. Je pense à quel point j'aime Alan, à quel point j'aime Courtney, à quel point j'aimais ma mère. Cette chose…, c'est elle qui l'a tuée. La haine monte en moi. La haine causée par la douleur et la perte.

Il fait rire Courtney et la fait avancer d'un pas, toujours le sourire aux lèvres.

— Tu aurais pu le sauver, tu sais ? Celui que j'ai pris.

— Chris Paquette, je murmure.

— Tu aurais pu le sauver en allant dans l'eau, mais tu n'en as rien fait. Tu avais trop peur.

Encore un pas. Je m'appuie contre la porte pour garder mon équilibre.

— Ferme-la ! je lance en le pointant du doigt.

Encore un pas.

Encore un sourire.

Je ne bouge pas.

— Non…

Le désespoir s'immisce en moi, et c'est exactement ce qu'il veut. Je ne lui ferai pas ce plaisir. Je me mets à chercher la lumière blanche. Mes mains. Mon pouvoir.

J'ai déjà porté secours à Court. Je peux le refaire. Je tends mes paumes vers elle et me concentre. La lumière blanche. La guérison. L'amour. Ma voix éclate soudain :

— Sors de mon amie.

Pas de réponse.

— Je peux te compliquer les choses. Je peux te combattre, t'affaiblir.

Je me focalise sur mon pouvoir, sur le fait d'envelopper Courtney de cette lumière blanche. Mon corps tremble sous l'effort. Je sais que je ne peux pas durer longtemps ainsi, mais je n'ai pas le choix. Ça aidera Alan.

Ça aidera Courtney. Il le faut. Mais cela a un prix.

La magie ? La puissance ? En tout cas, c'est cher payé.

Le corps de Court fait un soubresaut en arrière :

— Arrête ça !

Je ne réponds pas. Il faut que je reste concentrée.

— J'ai dit : ARRÊTE ÇA ! ordonne-t-elle.

La porte est en train de se briser. Un morceau de bois vient se planter dans mon bras.

La douleur est insupportable. Mais je ne prends pas la peine de le retirer. Je garde les bras tendus en avant.

— NE ME PROVOQUE PAS ! hurle Courtney.

Mes mains tremblent sous la puissance. Mon cœur est à deux doigts de se décrocher. Je sens le pouvoir monter en moi, mais il pompe aussi toute mon énergie.

Ça en vaut la peine, si je peux la sauver.

— Courtney ! Combats-le !

Il la fait éclater de rire.

— Je t'aime, Courtney ! je crie.

Elle lève les yeux vers moi et, l'espace d'un instant, c'est de nouveau son regard.

— Je t'aime ! Aide-moi ! Maman, aide-moi !

Je ne sais pas pourquoi je l'appelle au secours, mais c'est plus fort que moi.

Et soudain, je sens comme ses mains sur mes épaules. Un parfum de vanille surgit dans la pièce.

— Combats-le ! Aide-moi à le battre !

Le plâtre s'effrite, et le bois grince. Court a un dernier soubresaut avant de s'effondrer près de son tapis bleu pelucheux. La maison tremble. Je m'écroule à mon tour, épuisée. L'odeur de vanille s'estompe.

— Maman, je murmure. Maman…

Mais personne ne répond.

24

Alan

Je ne suis pas dans mon corps. Je ne suis pas dans la hutte. Je ne suis pas dans le monde physique.

C'est un sentiment étrange que d'être en dehors de son enveloppe charnelle. Je me trouve dans un endroit sombre dont je n'aperçois pas ce qui semble s'agiter autour de moi. C'est comme être aveugle et se tenir au milieu d'une autoroute bondée avec d'autres voies au-dessus et en dessous de soi.

Je ne peux pas faire grand-chose pour te préparer à cela.

Je me retourne et tombe sur Onawa. D'abord, il n'y a que ses yeux verts, puis son poil fauve et brillant se matérialise lentement dans l'obscurité.

Elle est gigantesque, bien plus grosse que les couguars du zoo d'Oklahoma City.

Sa gueule est au niveau de ma poitrine. Est-elle réellement en train de me parler ?

Le sort de ta cousine ne dépend pas de toi.

Ses lèvres ne remuent pas. Les mots semblent directement jaillir dans ma tête, mais je suis certain qu'ils proviennent d'elle.

— Il dépend d'elle ?

Il dépend de celui qui t'a créé, qui l'a créée, qui a créé tout ce qui compose l'univers.

— Comment…

Il suffit de le lui demander, Dompteur d'Esprit.

— Pourquoi m'appelles-tu ainsi ?

Il est en train de l'attaquer.

La panique m'envahit un instant. J'ai lu que cet état poussait la conscience astrale à retourner dans l'enveloppe charnelle, mettant fin à l'expérience paranormale. Mais Onawa est là pour me calmer.

Sois en paix, Dompteur d'Esprit. Regarde-moi.

J'obéis et me plonge dans ses grands yeux verts, si sauvages et sages à la fois.

La Guérisseuse te fera gagner du temps.

— La Guérisseuse ? Aimee ?

Elle n'est pas seule. Ses alliés sont faibles, mais ensemble, ils auront l'avantage un moment. Il faut que tu sois prêt quand tu les rejoindras.

— Dis-moi comment.

Ton corps sera purifié par la chaleur, mais ton âme sera-t-elle pure ?

Je ne sais pas quoi répondre.

Tu dois mettre ton arrogance de côté, Dompteur d'Esprit. Ce n'est pas toi qui délivreras ta cousine du mal.

— Ce sera le Grand Esprit à travers moi ?

Tu apprends vite. Cet esprit maléfique t'attaquera. Il te connaît. Il dira des choses vraies, d'autres fausses. Il mentionnera des événements qui se sont produits, d'autres qui pourraient arriver. Tu ne dois pas l'écouter. Tu ne parleras à cet esprit que pour lui ordonner de partir.

— C'est compris.

Si c'est le cas, tu découvriras ta destinée aujourd'hui, Dompteur d'Esprit.

— Alan ?

Cette nouvelle voix est féminine, douce et faible. Je me détourne d'Onawa pour tomber sur une femme à côté de moi. Quasi transparente, le corps littéralement en lambeaux, son image vacille tel un châle de vieille dame balayé par le vent.

Elle me rappelle quelqu'un. Je réalise soudain que c'est la mère d'Aimee.

— Elle a besoin de toi, Alan, dit la femme spectrale. Je t'en prie, aide mon bébé. Il revient. Il n'a rien à faire ici...

Le vent la déchiquette en morceaux qui s'éparpillent dans le monde agité et invisible qui m'entoure.

Monte sur mon dos, Dompteur d'Esprit.

— Quoi ?

Je ne comprends rien. Onawa me reparle. Très bien. Mais... est-ce qu'elle vient de me demander de grimper sur elle ?

Il faut que je t'emmène quelque part. Monte sur mon dos.

— Où ça ?

Elle ne répond pas, se contentant de me regarder de ses grands yeux verts patients. Hébété, je passe une jambe au-dessus d'elle et agrippe la peau de son cou. Où m'emmène-t-elle ? Elle bondit, et je sens ses muscles se tendre et se relâcher tandis qu'elle franchit cette pénombre sans sol, ni plafond ni murs, allant bien plus vite que je ne le pourrai jamais, plus vite que le son, plus vite que la nuit.

Nous fonçons vers un tunnel lumineux, droit devant. L'entrée se rapproche de plus en plus et, soudain, nous jaillissons dans la lumière.

Nous avons quitté le monde spirituel, mais nous sommes toujours des esprits.

Nous nous trouvons dans le monde physique. Je me regarde, assis en tailleur, dans la hutte.

Mes cheveux humides tombent sur mes épaules luisantes. La sueur coule sur tout mon corps. L'air est moite. Je glisse du dos d'Onawa. Sous forme d'esprit, je peux tenir debout, sous la hutte, et Onawa, paraissant pourtant toujours gigantesque, entre aussi.

Regagne ton corps, concentre-toi sur le Grand Esprit et va affronter ton ennemi. Ta cousine et la Guérisseuse ont besoin de toi.

Onawa disparaît, comme la mère d'Aimee un peu plus tôt. Je lance un dernier coup d'œil à mon corps, me demande un instant comment je suis censé le regagner, puis je me jette dessus à la façon d'un plaquage.

Je chute sur le côté, sentant soudain le poids de ma chair, de mes muscles et de mes os. Je me redresse ; la sueur coule dans mes yeux. Je l'essuie et me mets à genoux. Je rabats la bâche et m'empare de mes vêtements.

— J'arrive, Aimee. Tiens bon…

On dirait qu'une tornade similaire à celles de l'Oklahoma a sévi là-haut. Il n'y a plus un seul cadre sur le mur, dans le couloir. Les meubles qu'Aimee et Courtney ont sortis de la chambre sont en mille morceaux. Ses vêtements en lambeaux sont éparpillés par terre.

Les deux murs sont longés de profondes griffures ayant attaqué jusqu'au plâtre. Mais ce qu'il y a de pire, c'est la porte de la chambre de Courtney. Elle n'est plus là.

Seuls quelques bouts de bois déchiquetés pendent des gonds de cuivre. Des morceaux de porte traînent dans le couloir, et j'imagine qu'il y en a bien plus à l'intérieur.

J'ai envie de courir jusqu'à Aimee.

Mais je ne peux pas. Je m'approche lentement, calme, concentré.

— Il revient, Aimee. Il revient ! Il…

Courtney semble s'étrangler. Mais alors, une autre voix intervient. Une voix profonde, cassée, mauvaise. Sa voix à lui.

— Allez, petit bâtard. Viens affronter ton destin.

J'avance sur le pas de la porte. La scène devant moi me saisit d'horreur, mais je parviens à ne rien laisser transparaître. Courtney est attachée aux montants de son lit. Des chaussettes autour de ses poignets empêchent la corde de lui mordre la peau. Elle porte encore ses chaussures et ses chaussettes, de petits bouts de corde noués à ses chevilles.

— Nous t'attendions, gamin ! lance Courtney avec la voix du démon.

Où est Aimee ? Je ne la vois pas.

— La pauvre, elle a bobo… glousse la chose sur le lit.

Aimee – mon Aimee – est affalée contre le mur, un long éclat de bois planté dans son bras droit, à quelques centimètres de l'épaule. Blafarde, elle a l'air épuisée. Je m'agenouille à ses côtés et prends la main de son bras blessé. Ses yeux verts croisent les miens.

— Nous nous sommes effondrées, toutes les deux. Il s'est affaibli un instant. J'ai eu à peine le temps de l'attacher au lit avant qu'il…

Elle s'interrompt, comme si cette simple explication l'épuisait.

— J'ai vu ta mère, Aimee.

Ses yeux s'illuminent très légèrement.

— Ça va faire mal. Ensuite, va nettoyer ta blessure et envelopper ton bras d'une serviette, d'accord ? On t'emmènera à l'hôpital quand tout ça sera fini.

Après son hochement de tête presque imperceptible, je saisis l'éclat de bois et lui tiens le bras de ma main libre.

— Grand Esprit, fais en sorte qu'elle souffre le moins possible.

Avec calme et lenteur, je retire le morceau de bois et m'en débarrasse. Son joli visage fatigué grimace sous la douleur. Le sang ne jaillit pas de sa coupure : aucune veine ou artère principale n'a été touchée. Je la guide en dehors de la chambre, la regarde entrer dans la salle de bains en chancelant, puis retourne auprès de Courtney.

— Impressionnant ! lance la chose sur le lit. Mais tu ne me sortiras pas de cette fille comme tu as sorti ce morceau de bois de ta traînée.

— Non, c'est exact, je réponds.

Ne lui parle pas, rugit la voix d'Onawa dans ma tête.

— Courtney ! Je sais que tu m'entends. Il faut que tu affrontes cette chose. Bats-toi. Tu m'as dit vouloir que cet esprit te laisse tranquille. Combats-le maintenant.

Il grogne quelque chose d'incompréhensible et de bestial tandis que j'avance d'un pas vers le lit. Le corps de Courtney se débat soudain violemment. Je crains un instant que les cordes ne tiennent pas, que les montants de bois se brisent, que je ne sois pas assez fort.

— VA-T'EN !

Je tends les mains vers elle.

— Non, Alan !

Je m'immobilise. C'est la voix de Courtney… presque. J'examine son visage quelques secondes. C'est un amas sanguinolent de furoncles purulents.

Ses yeux brûlent d'un éclat fiévreux, et ce sourire mauvais ne lui appartient pas.

Je la frôle du bout des doigts. Sa bouche s'ouvre grand, s'élargissant jusqu'au-delà du possible, et produit un son littéralement inhumain, une plainte à la fois perçante et grave, tambourinant sans fin dans ma tête tel un marteau-piqueur. L'homme de la rivière la fait se détourner sur le côté, ses bras tirant sur les cordes. Je m'assois sur le lit et pose ma main gauche contre son dos, au niveau du cœur.

Je ferme les yeux afin de me concentrer.

Tu n'es que l'instrument d'une entité bien plus puissante.

— Grand Esprit, si telle est ta volonté, débarrasse ma cousine de cet esprit maléfique. Viens en moi et utilise mon corps pour accomplir ta volonté.

Continue de prier.

La chose grogne comme un ours en cage.

Je répète ma prière.

La créature se remet à parler :

— Tu ne peux pas me battre. Tu n'es rien. Ton père t'a abandonné parce qu'il savait que tu ne vaudrais rien.

— La ferme ! dis-je en hurlant.

Ne lui parle pas !

L'homme de la rivière lâche un ricanement profond, comme un grondement, ce qui, sortant de la bouche de ma cousine, semble surréaliste.

— Est-ce que tu sais ce qu'elle faisait avec Blake ? demande-t-il.

— Grand Esprit, je suis faible. Je ne peux pas faire ça. Il faut que ce soit toi. Si telle est ta volonté, débarrasse ma cousine de cet esprit maléfique. Viens en moi et utilise mon corps pour accomplir ta volonté.

La créature pousse un autre hurlement. Je répète ma prière sans cesse, tandis que la chose possédant ma cousine se débat.

Je poursuis jusqu'à ce que les mots forment un flot continu. Non, en fait, je parle carrément une autre langue.

C'est la langue de mes disques navajos.

La langue de mes ancêtres.

De mon père.

Ma main est toute froide contre le dos de Courtney, comme si quelque chose passait de son corps au mien.

Apporte-le-nous.

Je ne comprends pas tout de suite ce que veut dire Onawa. Puis je me rappelle ce sombre endroit empli d'esprits. Lentement, je ferme la main et garde le poing serré contre le dos de Courtney.

Le froid envahit mon bras et glace mon sang. Si j'ouvre les yeux, je verrai ma peau durcir et bleuir.

Apporte-le-nous maintenant.

Je me concentre sur cet endroit où j'ai parlé plus tôt avec Onawa. Soudain, je me déplace. Je me retrouve de nouveau en dehors de mon corps, mais je ne suis pas seul.

L'homme de la rivière est là ; je l'enserre tandis qu'il se débat. C'est une ombre fuyante, se tortillant comme un serpent. Il me regarde de ses yeux noirs, encore plus noirs que l'ombre qui compose son corps.

— Ne fais pas ça, gamin, dit-il d'une voix douce et

sifflante. Je peux te donner tout ce que tu veux. Je peux faire de toi un champion de football américain. Je peux faire de toi un roi.

Je ne m'arrête pas pour autant. Je ne marche pas vraiment, je dirais plutôt que je glisse, ou que je vole, mais pas comme Superman, les bras en avant.

Je ne réponds pas à la créature dans ma main.

Elle s'étire afin de lover son long corps moite autour de mon bras jusqu'à ce que son visage frôle mon oreille.

— Tout ce que tu veux, Alan. Tout.

Mon esprit me trahit. Je pense à l'Oklahoma, au football, à Aimee assise dans les gradins du Memorial Stadium, à Norman, m'acclamant tandis que je marque des essais pour les Sooners.

— C'est ça, siffle l'homme de la rivière. Pas de souci. Tu n'as qu'à dire que tu veux me garder. Tout cela sera à toi.

— Où est Onawa ? Pourquoi ne me parle-t-elle pas ?

— Elle est partie. Elle a peur, Alan. Elle t'a poussé à m'affronter, mais elle n'ose pas t'aider. Elle sait que je suis trop puissant.

Je m'immobilise et, à la recherche de ses yeux brillants, fouille l'obscurité. Quelle sorte de guide spirituel abandonnerait son disciple quand celui-ci a le plus besoin de lui ?

— Elle est inutile. Inutile et faible, Alan. Mais ensemble, nous sommes forts. Reprends-moi. Retournons là-bas.

Il me tire vers là d'où nous venons, vers Courtney.

— Non !

Je parviens à l'arrêter. Mon bras est gelé, et cette sensation remonte désormais jusqu'à mon épaule. Elle s'y étend et se dirige vers mon cœur. Je sais que si la glace l'atteint, l'homme de la rivière aura gagné.

— Non.

Ma voix est faible.

La créature ricane de nouveau. Nous reprenons notre avancée légère vers Courtney.

— Onawa… Où es-tu ? j'implore. Aimee…

Soudain, des bouffées de chaleur éclatent en moi, comme si le soleil y avait explosé pour réchauffer mon cœur.

— Je suis là, Alan.

C'est la voix d'Aimee, mais elle n'est pas dans cet endroit sombre. Elle est de retour dans la chambre de Courtney.

Ses mains sont posées sur mon corps, ajoutant sa force à la mienne.

— Grand Esprit ! Je t'apporte cette créature maléfique que tu as conçue pour des raisons que j'ignore ! je hurle dans les ténèbres. Si telle est ta volonté, emporte-la loin de ma famille et de mes amis, et ne la laisse plus jamais revenir !

À ce moment, enfin, de ses beaux yeux luisants, Onawa, mon guide spirituel, me regarde. Ses lèvres de couguar me sourient.

Tu t'en es bien sorti, Dompteur d'Esprit. Donne-le-moi.

Elle ouvre grand la gueule, si grand qu'elle semble se fendre en deux. Derrière ses crocs, il n'y a que de la lumière, une lumière tellement brillante qu'elle devrait m'aveugler. Mais ce n'est pas le cas.

Je tends le bras. L'homme de la rivière est toujours dans mon poing, mais il se débat, se tortille, hurle, jure et tente encore de faire de vaines promesses.

Je glisse le poing entre les longs crocs acérés d'Onawa et l'enfonce dans sa gorge jusqu'à ce que mon épaule touche son museau.

Dans son corps, je regarde la créature, une espèce d'ombre qui, emprisonnée, se tord et s'enroule autour de mon bras.

De son regard noir, elle crache et jure. Puis je la lâche et retire mon bras. Onawa ferme la gueule.

Le Grand Esprit est content de toi, mais désormais, les esprits maléfiques te tourmenteront jusqu'à ce que tu rejoignes tes ancêtres.

— Qui sont-ils ? Qui est mon père ?

Le moment de répondre à cette question n'est pas encore venu, Dompteur d'Esprit. Mais sache que ce ne sont pas les ancêtres d'un homme qui font qui il est, mais ce qu'il fait de lui-même.

Je suis épuisé, je me sens faible.

Onawa me parle toujours. *Chaque homme a un destin, Dompteur d'Esprit... Mais chacun doit décider s'il l'accepte.*

J'ai l'impression de tomber. Je tends la main et touche le museau d'Onawa. Je m'appuie, enfin..., je m'affaisse contre elle.

Ton corps est proche de la mort. Le poison du malin t'a profondément atteint.

— Je suis en train de mourir ?

Regarde derrière moi.

J'arrive à trouver la force de lever la tête. Il y a une lumière, comme la bouche d'un tunnel, derrière Onawa.

— Qu'est-ce que c'est ?

Le monde suivant. C'est là que vont les esprits quand la chair meurt.

Quand la chair... meurt ?

Nous avançons lentement vers la lumière.

25

Aimee

Toute ma vie, j'ai rêvé de sauver les autres, d'être une espèce d'héroïne. Toute ma vie, j'ai regretté de ne pas avoir pu empêcher maman d'aller à la rivière et lui éviter la mort.

J'ai échoué.

Au moment où je retourne dans la chambre et sens cette odeur putride, je comprends que j'ai de nouveau échoué. Je n'aurais jamais dû le laisser se battre seul.

Je n'aurais jamais dû essayer de me trouver de la gaze, de soigner mon bras.

— Alan !

Je hurle son nom telle une incantation ou une prière, comme si ça allait changer quelque chose.

Mais ce n'est qu'un nom, et le fait de le hurler ne l'empêche pas d'être effondré sur le lit avec la chose qui s'est emparée de Courtney.

Sa main est sous le dos de sa cousine. Son autre bras est étalé le long de sa jambe. Il respire à peine.

Sa bouche se contracte. Il l'affronte. Quelque part, il affronte l'homme de la rivière.

Je me précipite vers lui, vers eux. La maison entière tremble. Le sol semble se dérober sous mes pieds.

Les murs oscillent. Il tente de la faire s'écrouler, j'imagine. Il veut tout détruire.

Lorsque j'atteins le lit, les yeux de Court s'ouvrent brusquement. Mais ce n'est pas son regard. Ce sont des yeux tellement noirs qu'ils ne saisiraient jamais la lumière.

La bouche de Court se met à bouger et articule :

— Il est à moi.

La colère m'envahit.

— Alors là, pas question. Pas tant que je serai là !

Je ris presque à cette remarque pleine d'assurance.

Je fonds sur le dos musclé d'Alan ; il ne bouge pas. Dans le couloir, quelque chose s'effondre par terre. Les murs se mettent à grincer.

— Alan.

Je prononce son nom de manière à ce qu'il devienne magique. Mais ça ne marche pas comme ça ; la magie est en moi. Je suis vidée, mais je donne tout ce que j'ai pour me focaliser sur lui. Mes mains picotent sous le flux de pouvoir, le pouvoir de la lumière. Je murmure :

— Je suis là, Alan.

Il ne bouge pas.

Je repousse la panique et tente de faire abstraction de la douleur. Des morceaux de porte foncent de nouveau vers nous en tournoyant. L'un d'eux atterrit sur l'épaule d'Alan. Un autre me frappe la jambe. Je reste concentrée. Mes mains tremblent soudain sous le déferlement de la lumière. Elle me vide de tout ce que j'ai, mais ça m'est égal. Je veux sauver Alan. Je refuse d'échouer une nouvelle fois. Quelque chose remue dans la chambre. Le regard de Courtney s'adoucit, puis, visiblement épuisée, elle bat des paupières jusqu'à fermer les yeux. Il y a toujours une odeur putride, un mélange d'excréments et de mort, mais quelque chose n'est plus là. Alan s'immobilise.

Le démon est parti.

Je tourne Alan sur le dos afin de tâter son pouls. Rien. Sa poitrine ne bouge pas.

— Aim ?

La voix de Court me parvient, faible et inquiète.

— Je suis là.

Je pose les deux mains sur la poitrine d'Alan.

— Reste avec moi. Je t'en prie.

Je lui envoie tout ce qui subsiste en moi. Si ça se trouve, il n'est pas trop tard. Il ne peut *pas* mourir. Non, il ne peut pas.

Chaque cellule en moi projette la lumière, priant Dieu de le garder en vie.

— Je t'en prie. Je t'en prie…

Il ne se passe rien. La boule dans ma gorge semble prendre tellement d'ampleur que j'ai du mal à déglutir. Je ne veux pas détourner le regard. Je glisse les doigts dans sa chevelure et murmure son nom.

Soudain, il suffoque, puis ouvre les yeux. Ce sont les siens, simplement les siens. Il les plisse et sourit.

— Aimee ? souffle-t-il en agrippant mes cheveux comme pour s'assurer que je suis bien réelle.

Je souris. L'avoir sauvé m'a tellement vidée que j'ai du mal à ne pas m'écrouler sur lui. J'avance des mains tremblantes.

— Tu es revenu ? je souffle à mon tour.

— Pour toi.

Il humecte ses lèvres. Sa voix est enrouée, comme s'il avait beaucoup crié.

— Pour toi.

Je me penche vers lui jusqu'à ce que nos lèvres se touchent. C'est tellement bon…

La voix rauque de Courtney, à la limite de la laryngite, nous interrompt :

— Les gars, vous pourriez arrêter de vous tripoter pour me détacher, parce que… ça fait limite pervers, là…

J'éclate de rire et m'éloigne d'Alan. Je suis épuisée de l'avoir ramené parmi nous, mais le simple fait de voir Courtney me revigore un peu. Son visage est propre.

Ses cheveux sont tout ébouriffés, mais ses yeux sont bien les siens : doux, un peu sarcastiques, mais bons.

— Oh !...

Je commence à détacher ses mains. Mon bras me fait mal, mais je m'en fiche.

— Oh ! Court, tu es si jolie...

— Jolie ?

Elle secoue la tête. Je lui libère une main et me lance sur l'autre.

— Tu penses qu'on devrait prendre une photo ?

— Et t'inscrire pour être la reine de la promo ?

Je libère son autre main et l'aide à s'asseoir.

— Oui, je réponds.

Alan se redresse avec peine.

— Toi, reste ici, j'ordonne. Tu viens de mourir.

Court, en train de se détacher les pieds, s'immobilise soudain :

— Alan est mort ? Tu es mort ?

Elle se couvre la bouche d'une main tremblante.

Alan hoche lentement la tête. Son regard songeur et distant se tourne vers moi.

— Aimee m'a sauvé.

C'est là que je réalise. C'est vrai, je l'ai sauvé. Moi.

Nous sommes trop chamboulés et fatigués pour faire davantage que nettoyer nos blessures et nous improviser des bandages. Nous arrivons en un seul morceau au rez-de-chaussée et nous écroulons sur le canapé.

Je me mets au milieu. Le bras d'Alan m'entoure les épaules, mais c'est presque un poids mort. Il est épuisé. Court et moi sommes plus ou moins dans le même état.

Nous restons là à regarder la télévision. Elle n'est pas allumée, mais nous fixons l'écran noir et vide comme si nous avions sous les yeux une superproduction captivante.

— On devrait ranger l'étage, dit Alan.

Il se frotte les yeux de sa main libre.

— Ta mère va piquer une crise si elle voit ça. La mienne aussi.

— Ranger ? ronchonne Court avant de poser la tête sur mon épaule. Il y a des traces de griffes sur les murs. Mon lit n'est plus que du petit bois de chauffage. J'imagine qu'aucun de vous deux ne peut tout remettre à la normale d'un claquement de doigts.

— Je n'ai pas ce pouvoir-là, je crois, dis-je en remuant les doigts.

— Mais tu es une sacrée guérisseuse, gémit-elle.

Nous ne bougeons pas.

— Vous pensez qu'on est en état de choc ? finis-je par demander.

Alan acquiesce.

Nous ne bougeons toujours pas.

— Vous pensez qu'il est vraiment parti ? lance Court en frissonnant. Il est parti pour de bon ?

Nous attendons qu'Alan réponde. Il prend une longue inspiration ; sa poitrine entière se soulève.

— Il est parti.

— Tu en es certain ? insiste Court.

— Il n'y a pas de doute.

Nos regards se croisent. Il y a beaucoup de douleur dans le sien, mais aussi de la force.

— Je vous demande pardon, lâche Court dans un demi-sanglot. Je suis désolée… Je voulais seulement que mon père revienne. Je voulais tellement qu'il soit là. Je voulais…

Je l'enveloppe de mes bras. Elle s'y écroule et fond en larmes.

Le silence règne dans la maison, hormis le bruit du regret, du deuil, de la douleur et de la perte. Alan se penche vers nous et nous entoure de ses bras.

L'espace d'un instant, je vois ma mère me sourire. Alan et moi avons fait ce qu'elle n'a pas pu faire.

Nous nous sommes protégés.

— Tout va bien, je murmure dans les cheveux de Court. Tout va bien maintenant. Ne t'inquiète pas…

Elle lève finalement la tête, renifle et se frotte le nez.

— Qu'est devenu le fameux Curly ? Ils l'ont vendu ?

J'essuie les larmes sur ses joues.

— Les enchères sont à mille deux cents dollars.

— Tu plaisantes ? lance Alan.

— La vache !

Court s'appuie mollement contre l'accoudoir.

— Le monde est clairement bizarre…

26

Alan

—— Tu as vraiment changé, dit maman en me touchant les cheveux.

En principe, ma mère n'est pas du genre tactile. Mais depuis qu'elle nous a trouvés assis sur le canapé de tante Lisa, l'autre jour, tout est un peu bizarre. Non pas que ça ne l'était pas avant.

Les cheveux que touche maman sont gris. Je suis un garçon à demi navajo de dix-sept ans avec des cheveux gris sur les tempes. J'imagine que cela vient du fait d'avoir visité le monde des esprits. D'être revenu de la mort.

— Nous changeons tous, maman. C'est la vie…

— … dit celui qui a tellement insisté pour rester dans l'Oklahoma, me taquine-t-elle en laissant tomber sa main.

Elle glisse les pouces dans ses poches arrière avec un étrange regard.

— Je te demande pardon de t'avoir forcé à déménager.

— Comme disent les paroles de Metallica : *Anywhere I roam, where I lay my head is home*[1], je réponds avec un grand sourire.

Elle secoue la tête.

---

1. « Où que j'erre, là où je trouve refuge, je suis chez moi. », tiré de *Wherever I May Roam*.

— Il y a aussi un autre proverbe…

Derrière la porte ouverte, j'aperçois Aimee et Benji nettoyer leurs pinceaux dans le jardin.

— Lequel ? demande maman.

— Où le cœur aime, là est le foyer.

Elle se met à rire.

— Nous n'avons eu qu'à traverser la moitié du pays pour trouver une fille assez bien pour mon fils…

— Je pense qu'il y avait d'autres raisons de partir. Mais Aimee est un avantage non négligeable, c'est certain…

— Tu continues à être énigmatique.

Je lui souris, mais j'ai conscience que ce sourire est triste.

— C'est le nouveau moi.

Nous sommes dimanche après-midi, plus de deux semaines après la confrontation. Beaucoup de choses ont changé. J'ai assisté à mon premier enterrement en Nouvelle-Angleterre, celui de Chris Paquette, et j'aimerais sincèrement que ce soit le dernier.

On a retrouvé Blake sur l'US Highway 1, à une quinzaine de kilomètres au nord de la ville, le lendemain de la disparition de l'homme de la rivière.

Un couple de personnes âgées se rendant sur la côte l'ont vu sortir des bois en titubant et s'effondrer au bord de la route. Ils l'ont laissé à l'hôpital de la ville, où il a été traité pour hypothermie et interrogé par la police.

Blake n'était pas au courant de la mort de Chris. Cette nouvelle l'a anéanti. Il a dit être rentré chez lui après notre bagarre.

C'est la dernière chose dont il se souvient avant de s'être réveillé face contre terre, dans les bois, près de la rivière.

— C'est comme si on avait extrait une ombre de ma tête, a-t-il déclaré dans un article de journal publié deux jours après sa réapparition.

La maison est envahie de l'odeur de peinture fraîche.

Hier, on a posé des plaques de plâtre dans le couloir de l'étage et, aujourd'hui, Aimee et ses hommes les peignent. Courtney a de nouveaux meubles, bien que la plupart aient été achetés d'occasion dans un magasin de Bangor.

Elle appelle ce style « rétrochic », mais je ne sais pas si elle cherche à dédramatiser le fait de dormir dans un lit qui a déjà servi ou si elle trouve ça vraiment cool.

Le grand-père et le père d'Aimee descendent l'escalier, le premier avec un grand sourire.

— Les femmes adorent les hommes aux cheveux gris, plaisante-t-il en faisant courir une main sur sa tête.

Je ris.

— Merci encore pour votre aide.

— Ça me fait plaisir, dit-il, mais tu connais le prix de Benji.

— Oui.

Avec un large sourire, je regarde de nouveau dehors. Benji et Courtney se jettent de l'eau avec leurs pinceaux. Le ciel est couvert. La météo a prévu de la neige ce soir.

— Un dîner et un film avec Aimee et moi. Et un nouveau ballon de football américain.

— Il espère quelques bisous durant la soirée, ajoute son grand-père. Comme ça, il pourra cafarder. Et tu devras lui apprendre à lancer le ballon comme Tom Brady[1].

— Si je n'ai pas le choix… J'imagine que je vous dois bien ça, contre les 1567,43 $ que vous avez obtenus pour un Curly avec des seins.

Eh oui, c'est la somme qu'ils ont touchée pour le Curly Marilyn Monroe. C'était l'idée de Benji de donner l'argent à tante Lisa pour aider à payer les travaux de la maison.

En dehors d'Aimee, Courtney et moi, Benji est sûrement le seul à croire à ce qui s'est passé dans la maison, ce jour-là. Peut-être son grand-père y croit-il aussi.

C'est assez difficile de savoir ce qu'il pense.

---

1. Quarterback étoile du football professionnel américain.

D'un autre côté, personne n'a vraiment cherché à discuter. Peut-être me fais-je de fausses idées. Peut-être ressentent-ils un changement dans la maison.

Dans la ville. Ou ils sont juste heureux que les cauchemars aient disparu et que Courtney soit redevenue normale.

Les deux hommes vont dehors. Tante Lisa sort de la chambre de Courtney et descend en me souriant. Une marche au-dessus de moi, elle fait ma taille. Elle s'y arrête et m'entoure les épaules de ses bras.

— Merci, me murmure-t-elle à l'oreille.

Finalement, peut-être croit-elle bel et bien à tout cela. Elle me quitte pour aller retrouver les autres.

Il ne reste plus que maman et moi dans la maison, à regarder tout le monde à l'extérieur.

Elle me rejoint en tirant de sa poche arrière un papier plié en deux. Avant même qu'elle me le tende, j'aperçois dessus le logo de l'Université d'Oklahoma.

— C'est arrivé pour toi hier, dit-elle. Tu étais occupé, et...

Elle soupire.

— Ça vient du bureau du directeur athlétique.

— Oh !...

Je déplie l'enveloppe couleur crème. Un tampon indique qu'on l'a fait suivre de notre ancienne adresse, à Oklahoma City.

J'observe le logo rouge de l'école, dans le coin affichant l'expéditeur. Je n'ouvre pas l'enveloppe, me contentant de la regarder.

— Alan ?

— Oui, maman ?

Ses yeux sont humides.

— Qu'est-ce qu'il y a ?

— Tu ressembles à ton père.

Je la serre dans mes bras et l'écrase contre moi. Je relâche un peu mon étreinte et lui dis :

— Je sais, maman. Parfois, le destin nous mène là où nous devons être ; nous ne le réalisons que plus tard.

Elle m'enlace à son tour, puis recule. Les larmes coulent sur ses joues, mais elle sourit.

— Tu as vraiment changé, répète-t-elle.

27

Aimee

Les choses redeviennent peu à peu normales. Il n'y a plus de bruits de pas dans la maison, mais de temps à autre, je sens encore une odeur de vanille. Mon père ne s'énerve plus quand Benji ou moi le faisons remarquer. À la place, il sourit et dit même parfois :

— C'est bon de savoir qu'elle est toujours là.

C'est vrai.

Ma mère n'a peut-être pas réussi à repousser l'homme de la rivière, mais elle a perdu la vie en tentant de protéger sa famille. D'après nous, la pierre peinte et le tableau saccagé venaient d'elle, et non de lui. Elle voulait sûrement nous prévenir, nous protéger encore. Parfois, j'avais honte quand on me parlait de ma mère. Mais désormais, je sais ce qu'elle est : une héroïne. Si je pouvais au moins faire preuve de la moitié de son courage en utilisant mes dons… J'espère pouvoir comprendre en quoi ils consistent exactement. J'y parviendrai, c'est certain.

De temps à autre, je lui jette des petits mots dans la rivière. Je sais, ça peut paraître étrange. J'écris des choses comme *Je t'aime*, *Merci* ou *Veille sur le papa de Court*. La marée emporte ces petits bouts de papier qui finissent par tomber au fond de l'eau. Ça peut sembler idiot, mais je pense qu'elle les lit. Le dernier que je lui ai envoyé date de ce matin. Benji était parti à la piscine avec papy, et je suis allée à la rivière avec papa. L'eau était calme et magnifique. C'est difficile d'imaginer que des gens y sont morts. Que quelque chose de mauvais y était tapi. Après avoir parcouru cinq cents mètres en direction de la baie, sur nos kayaks, papa m'a dit :

— Tu sembles plus forte, désormais, Aimee.

— Je crois que je commence à m'apprécier ainsi, ai-je répondu, arrêtant de pagayer un instant et laissant le courant me porter doucement. Ça peut paraître tarte, voire suffisant, mais j'aime ce qui correspond à maman, ma partie guérisseuse et médium.

— Moi aussi, j'aime ce côté-là.

Je suis certaine qu'il ne mentait pas.

J'ai enfoncé la grosse pagaie jaune dans l'eau, et nous avons tiré jusqu'à Eagle Point. C'est là que j'ai laissé tomber mon dernier mot. La rivière l'a emporté jusqu'à ce qu'il devienne une petite tache blanche, au loin, puis plus qu'un souvenir. Un phoque a sorti la tête de l'eau, ses grands yeux me rappelant ma mère.

— Qu'est-ce que ton mot disait ? a demandé mon père.

La gorge serrée, j'ai répondu :

— *Merci d'être ma mère. Je suis très fière d'être ta fille.*

— Elle serait fière de toi.

Sa voix s'est brisée, et il s'est empêché de sombrer dans le chagrin en m'éclaboussant. L'eau avait le goût salé de l'océan. Je l'ai éclaboussé à mon tour, puis lui ai demandé, brûlant de connaître sa réponse :

— Et toi, tu es fier de moi ?

— Bien sûr, mais ça n'a pas d'importance.

— Vraiment ?

— Oui. Ce qui importe, c'est que *tu* sois fière de toi.

Découvrez la série "Envoûtement"

par Carrie Jones

Envoûtement - tome 1

Zara collectionne les phobies et les angoisses, comme les autres jeunes filles de son âge collectionnent les bâtons de rouge à lèvres. La vie n'a pas été tendre avec elle et sa mère, incapable de s'occuper d'elle, vient de l'envoyer vivre chez sa grand-mère. Zara espère pouvoir y vivre en sécurité, loin de ses peurs. Pourtant, les froides forêts de la région n'ont rien de rassurant, et d'étranges aventures attendent la jeune fille… Qui est ce garçon qui la suit partout et semble si maléfique ? Heureusement, Nick, un élève de sa classe, veille sur elle, et sa beauté ténébreuse n'est pas le moindre de ses atouts…

Captive - tome 2

Avec ses nouveaux amis, Zara croyait avoir gagné la bataille contre les lutins malfaisants. Mais la trêve est de courte durée : d'autres créatures envahissent la région. Toujours aussi phobique et angoissée, Zara a désormais appris à faire confiance, notamment à Nick, le beau ténébreux devenu son petit ami loup-garou. Avec les autres métamorphes, ils vont devoir unir leurs forces pour empêcher le carnage qui se prépare.

Emprise - tome 3

Zara et Nick sont faits l'un pour l'autre, de véritables âmes sœurs qui veulent pouvoir s'aimer. Pour toujours. Mais Nick a été emporté au Walhalla par une Walkyrie… Pour sauver son bien-aimé, Zara a accepté de se transformer en lutin, elle est prête à surmonter toutes les épreuves, à faire tous les sacrifices. Réussira-t-elle à retrouver Nick à temps ?
Et quel rôle joue le séduisant Astley, qui appartient à la race de ceux que Nick a toujours combattus ?

**Un univers de créatures fantastiques :
une révélation pour les lecteurs qui ont aimé *Twilight*.**

ISBN : 978-2-35288-322-7 / 978-2-35288-393-7 / 978-2-35288-519-1